L'HOMME
SANS
MASQUE

Conception graphique de la couverture: Katherine Sapon
Photo: SuperStock

Cet ouvrage fait partie d'une collection qui vous propose des moyens concrets de réaliser votre potentiel. Pour obtenir une consultation ou participer à un stage de formation selon l'approche décrite dans ce livre, vous pouvez communiquer avec les organismes suivants:

Canada: **Actualisation,** Place du Parc, C.P. 1142
300, Léo-Pariseau, bureau 705, Montréal, H2W 2P4
Tél.: (514) 284-2622   Télécopieur: (514) 284-2625

France: **Formation Gordon France**
22, rue Royale, 75008 Paris
Tél.: (1) 42.60.16.30

Belgique: **École des parents et des éducateurs**
14 Place des Acacias, B-1040 Bruxelles
Tél.: (02) 733.95.50

Suisse: **Institut de perfectionnement**
Avenue de la Poste, 3
1020 Renens
Tél.: (21) 634.29.34

DISTRIBUTEURS EXCLUSIFS:

- Pour le Canada et les États-Unis:
  LES MESSAGERIES ADP*
  955, rue Amherst, Montréal H2L 3K4
  Tél.: (514) 523-1182
  Télécopieur: (514) 521-4434
  * Filiale de Sogides Ltée

- Pour la Belgique et le Luxembourg:
  PRESSES DE BELGIQUE
  96, rue Gray, 1040 Bruxelles
  Tél.: (32-2) 640-5881
  Télécopieur: (32-2) 647-0237

- Pour la Suisse:
  TRANSAT S.A.
  Route du Grand-Lancy, 2, C.P. 125, 1211 Genève 26
  Tél.: (41-22) 42-77-40
  Télécopieur: (41-22) 43-46-46

- Pour la France et les autres pays:
  INTER FORUM
  13, rue de la Glacière, 75624 Paris Cédex 13
  Tél.: (33.1) 43.37.11.80
  Télécopieur: (33.1) 43.31.88.15
  Télex: 250055 Forum Paris

HERB GOLDBERG

L'HOMME SANS MASQUE

Traduit de l'américain
par Danielle Pierre

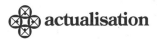
actualisation

le jour,
éditeur

Données de catalogage avant publication (Canada)

Goldberg, Herb, 1937-

    L'homme sans masque.

    (Actualisation).
    Traduction de: The Inner Male.

    ISBN 2-89044-424-4

    1. Hommes — États-Unis — Psychologie. 2. Hommes —
États-Unis — Attitudes. 3. Relations humaines. 4. Rôle selon
le sexe. I. Titre. II. Collection.

HQ1090.3.G6414 1990   155.6'32   C90-096558-4

Du même auteur chez le même éditeur:

Nouvelles relations entre hommes et femmes, 1985.
Être homme, 1982.
L'agressivité créatrice, en collaboration avec G.R. Bach, 1981

© 1987, Herb Goldberg

© 1990, Le Jour,
une division du groupe Sogides
Pour la traduction française

L'ouvrage original américain a été publié par
New American Library sous le titre
The Inner Male (ISBN: 0-453-00560-8).

Dépôt légal: 3e trimestre 1990
Bibliothèque nationale du Québec

ISBN 2-89044-424-4

Remerciements

L'auteur tient à remercier Kevin Mulroy, Anita Rosenfield et Francis Greenburger pour leur précieuse collaboration.

AVANT-PROPOS

Un de mes premiers livres *(Hazards of Being Male)* est issu de l'observation des années soixante-dix, période d'innocence relative pour ceux d'entre nous qui croyaient qu'aborder et discuter la vie intérieure des hommes et des femmes améliorerait et transformerait non seulement leurs relations mais aussi leurs expériences individuelles.

On ne peut nier que d'excellents résultats aient été accomplis. Mais si les hommes ont opté pour un mode de vie moins conformiste, de nouvelles pressions les ont incités à retourner à leurs rôles et comportements traditionnels. Celui qui décide de ne pas répondre aux attentes de la société doit toujours payer ce choix très cher. Toutefois, les hommes conscients, engagés et capables d'exprimer leurs sentiments sont aujourd'hui reconnus et soutenus.

Pour beaucoup d'entre eux, le niveau et la qualité de la vie se sont considérablement améliorés. Du fait qu'ils peuvent accorder une grande importance à leur paternité et s'engager pleinement dans une relation amoureuse, ils peuvent compter sur le partage d'un grand nombre des responsabilités qui leur incombaient traditionnellement. Mais ils apprennent aussi à prendre en charge celles qui étaient classiquement attribuées à la femme. Le désir et l'aspiration des hommes envers l'amitié et l'affection partagées avec un de leurs pairs peuvent être exprimés sans que ces hommes soient taxés d'homosexualité. Le comportement sexuel masculin est devenu plus libéré. Bien que la majorité des hommes continuent à être très anxieux quant à leurs performances amoureuses, le relâchement des pressions et des besoins de justification tend à libérer les rapports sexuels et à les rendre plus authentiques. On accepte aujourd'hui qu'un homme exprime ses émotions et qu'il choisisse des activités physiques ou des sports moins «virils», qu'il prenne soin de lui-même en surveillant son alimentation ou en limitant sa consommation d'alcool ou de tabac. Cette nouvelle approche sociale lui permet d'abandonner les comportements machos rituels autodestructeurs.

Bien que les contingences extérieures aient changé, il semble que les autres aspects du vécu masculin soient plus confus, plus pénibles et plus hasardeux qu'ils ne l'étaient auparavant. Beaucoup d'hommes et de femmes sont perdus dans ce nouvel espace parce que les frontières et les structures des relations sont plus floues et que leurs difficultés de communication se sont accrues. La libération des relations hommes-femmes avait engendré l'espoir de trouver satisfaction et profondeur dans ces nouveaux rapports, mais cet espoir ne s'est pas matérialisé et les «joies» d'une égalité libre de sexisme ne sont toujours qu'un mirage. Tout cela est frustrant, surtout pour ceux qui se sont donnés corps et âme à la réalisation de cet idéal. Les relations d'aujourd'hui se révèlent souvent plus fragiles, plus maladroites, plus défensives que les relations traditionnelles qu'elles ont remplacées. Tous ceux qui confondent les changements d'attitude et les réactions face à l'évolution avec les véritables changements vont de déception en déception car toutes les autres attitudes leur semblent hypocrites.

Beaucoup d'hommes s'évertuant à atteindre leur libération personnelle ont découvert que lorsqu'ils adoptaient les nouvelles définitions, qu'ils s'efforçaient de répondre aux nouvelles attentes de la libération, ils ne tardaient pas à en subir les conséquences. Les compliments qu'ils recevaient de leur entourage, hommes ou femmes, se révélaient superficiels. Et ils se retrouvaient plus seuls, plus désillusionnés et isolés que jamais.

La libération sexuelle a engendré la peur des maladies sexuelles qui, à son tour, a provoqué un retour aux valeurs et au conservatisme d'antan.

Les nombreux gourous ou «sages» de l'Est censés apporter une lumière nouvelle se sont révélés n'être que de vils manipulateurs, exploitant chez les peuples occidentaux l'anxiété, la confusion, la souffrance et la solitude ou simplement le désir de prendre plus profondément conscience de soi-même et d'arriver à la paix intérieure. Les religions idéalistes, les communautés et les cultes censés tracer une nouvelle route ont le plus souvent élaboré un environnement paranoïaque, totalitaire, orienté vers le pouvoir. À tel point que, en comparaison, le courant dominant de notre société apparaît bienveillant et humaniste.

Les échecs des changements ont mené à de nouveaux dilemmes douloureux et pénibles. Trouver un terrain d'entente entre la rigidité traditionnelle et une nouvelle conscience est devenu un objectif insaisissable pour les nombreuses personnes qui pensaient innocemment pouvoir prendre dans l'ancien et le nouveau ce qu'il y avait de mieux et en faire un tout harmonieux.

Il était plus simple de définir la nature des problèmes avant ces bouleversements. Les obstacles et les «ennemis» étaient plus clairement définis. Les solutions, les chemins à suivre étaient plus clairs. Les femmes avaient besoin d'une libération économique, sexuelle et intérieure alors que les hommes devaient tout simplement dépasser leurs comportements sexistes et développer leur aspect intime et leur sensibilité. Nous pensions qu'ainsi toutes les qualités seraient réunies pour aller vers un monde nouveau.

Nous continuons à croire que nous avons fait des progrès. La société dans laquelle nous vivons donne une impression de plus grande liberté; il ne semble plus nécessaire d'adopter un comportement adapté au rôle que nous jouons. Mais, dans bien des cas, les courants sous-jacents sont devenus plus polarisés que jamais, ainsi que le prouve la tension continuelle entre les sexes et le désir désespéré d'arriver à une réelle union et de développer une bonne relation. Tous ces malentendus sont à l'origine des dépendances aux drogues ainsi que du sentiment général de confusion et de rupture face à la vie. Faut-il souligner, d'autre part, que l'âge moyen de ceux qui se suicident a baissé?

Malheureusement, les tentatives pour combattre ces tensions sont souvent des signes de régression. Les tendances rétrogrades émergent un peu partout. Des pressions tant directes qu'indirectes sont exercées sur les hommes et sur les femmes pour les pousser à réendosser leurs rôles traditionnels. Nous souffrons de nostalgie à l'égard de quelque chose que nous n'avons pas vécu. Je crois que le processus fondamental des sexes est la clef qui manque pour la compréhension et la transformation des expériences de la vie. C'est le sujet essentiel de ce livre. Au cours des dernières décennies, les éléments relatifs aux sexes ont été mal compris, banalisés et politisés. Le fait de changer uniquement les attitudes, les manières d'agir, sans tenir compte des processus psychologiques profonds nous a amenés à mésestimer ou à ignorer un outil essentiel pour la compréhension et le changement du vécu humain.

Le but de cet ouvrage, en insistant sur la psychologie, est de reconnaître et d'explorer les manifestations de ce que j'appelle «le processus inconscient des sexes» ainsi que les aspects conscients de notre conditionnement qui continuent à influencer notre approche de la vie.

Les mouvements de libération ont échoué parce que la majorité de leurs arguments — le féminisme d'abord et le timide mouvement de libération des hommes ensuite — étaient fondés sur les réactions défensives qui ne sont que les sous-produits du conditionnement des sexes. La majorité des polémiques sur la libération ne faisaient qu'agiter la surface; elles étaient les expressions inconscientes, les symptômes de la polarisation profonde des sexes et de leurs «processus inconscients».

Je crois que les ramifications de ce «processus inconscient» sont très étendues. Les défenses inconscientes de la masculinité et de la féminité créent la conscience que nous avons de nous-mêmes; elles polarisent le vécu des sexes et nous conduisent inéluctablement, au nom de notre identité sexuelle, vers des comportements que nous ne maîtrisons plus, des comportements autodestructeurs. Nous sommes donc séduits et aveuglés par une multitude d'illusions; nous consacrons notre vie à les poursuivre et nous ne les atteignons jamais. Nous transmettons ces mirages à la jeune génération, nous leur laissons croire qu'ils peuvent atteindre les objectifs que nous avons manqués.

Ce livre veut aider les hommes et les femmes à découvrir que les courants sous-jacents qui mènent les sexes sont puissants et complexes. Il faut des efforts énormes pour les reconnaître, les analyser et les modifier. Comprendre ces processus fondamentaux, c'est comprendre la nature défensive puissante de notre conditionnement et l'exploiter; cela ressemble, d'une certaine façon, au travail énorme que représente l'exploitation de l'énergie nucléaire. Le processus fondamental est la puissance considérable de notre psyché. Ce processus opère d'une façon invisible et forte en se basant sur les conditionnements respectifs en fonction desquels nous agissons en homme ou en femme.

Le but de cet ouvrage est de traiter des matières moins apparentes que celles qui existaient ces dernières années afin de démêler les dilemmes, les paradoxes plus subtils et plus profonds et de supprimer les aveuglements passagers créés par notre conditionnement. Ce livre essaie de combler l'écart existant entre ce qui semble être, ce à quoi nous nous attendons, ce qui devrait être et ce qui, à mon avis, se passe dans l'inconscient.

Herb Goldberg
Los Angeles
Avril 1987

Première partie

La femme

1

Si vous rencontrez
la femme idéale…
La saga de l'oiseau blessé

Elle vous a fixé d'un regard si profond qu'il vous a remué jusqu'au tréfonds et a libéré en vous un flot de besoins et de désirs soigneusement camouflés derrière votre masque d'homme indépendant et sur ses gardes. Le coup de foudre a été instantané, puissant, paralysant. Vous avez senti votre taux d'adrénaline monter en flèche; l'idée que vous vous faisiez jusqu'alors de vous-même et de l'existence en a été complètement bousculée. Vous vous sentiez plus doux, plus ouvert aux autres. Le monde vous apparaissait tout à coup comme un endroit chaud, accueillant, rempli d'espoir. Cela ne vous était plus arrivé depuis longtemps.

Le fantasme de la «femme idéale»

Il vous a alors semblé que revenir à cette société que vous vous étiez efforcé de maintenir à une distance émotionnelle confortable vous serait profitable. Pourquoi ne pas offrir à cette femme une partie de votre liberté si jalousement gardée? Vous aviez découvert la «femme idéale» et vous étiez prêt à rejoindre vos frères humains. Comme c'était bon de se sentir revivre. Comme c'était bon d'«exister»! Et cela, vous le deviez à sa magie.

Ce soir-là, vous êtes allé vers elle, tremblant à l'idée de la toucher. Elle vous a accueilli sans la moindre résistance. Et, pendant que vous faisiez l'amour, elle vous a dit: «C'est merveilleux de te sentir en moi. S'il te plaît, restes-y pour toujours.»

Faire l'amour est devenu un acte religieux. Elle était l'autel et vous étiez l'officier du culte. Ce qui vous était parfois si difficile avec les autres femmes coulait de source avec elle. Toutes vos inhibitions avaient disparu. Il vous semblait que vous alliez passer toute votre vie avec elle. La saveur de sa peau, son odeur vous charmaient. Vous n'aviez jamais vécu une relation sexuelle aussi accomplie, et les mots «je t'aime» — ces mots qui restaient auparavant coincés au fond de votre gorge — tombaient de vos lèvres encore et encore. Vous vous entendiez dire: «Mon Dieu, comme je suis heureux de t'avoir rencontrée!»

Le lendemain, blottie dans vos bras, elle a imaginé ce qu'elle ressentirait si elle avait un enfant de vous. «Ce serait un enfant parfait», a-t-elle déclaré. Avant elle, quand vous entendiez de telles paroles, vous deveniez méfiant et aviez envie de fuir. Mais venant d'elle, ces mots étaient émouvants car vous la saviez incapable de calcul. Elle rêvait, elle ne demandait rien, n'attendait rien et vous aimiez cela.

Vous viviez les grands poèmes d'amour de la littérature. La musique de sa voix, l'intensité, l'honnêteté et la sensibilité que vous perceviez dans ses actes, dans ses paroles et le fait qu'elle ne soit pas «comme les autres» vous enthousiasmaient.

Elle vous a dit: «Tu es merveilleux; tu es l'homme le plus beau et le plus sensible que j'aie jamais rencontré. Reste toi-même, tel que tu es maintenant. Je ne veux pas que tu changes; tout est parfait en toi.»

Elle vous a aussi déclaré qu'elle supposait qu'il y avait d'autres femmes dans votre vie, mais que cela n'avait aucune importance. Elle enviait certes leur chance d'êtres liées à vous, mais ne ressentait aucune jalousie. «Ne te crois pas obligé de me raconter tout cela, dis-moi seulement ce que tu veux que je sache.» Ces mots vous ont enchanté et rassuré en même temps. C'est alors que vous avez réalisé que les autres femmes ne vous intéressaient plus.

Elle avait balayé, sans aucun effort, les barrières et les défenses que vous aviez mis des années à édifier et dont les autres femmes se plaignaient. Avec elle, les murs s'étaient écroulés, sans qu'elle eût fait quoi que ce soit pour provoquer ce changement. C'était comme si elle avait découvert et mis en évidence votre «moi véritable». Votre cynisme avait fondu et l'homme vulnérable qui, en vous, attendait sans y croire une femme aussi parfaite — « la femme idéale» — semblait avoir complètement émergé, sans la moindre appréhension.

Pour que cette rencontre vous ait rendu si humain, il fallait qu'elle relève de la magie! Les autres vous avaient toujours dit que vous poursuiviez un fantasme en rêvant à la «femme idéale». Votre raison les entendait, les croyait, mais votre moi affectif profond continuait à croire à l'existence de cette femme. Et voici que vos espoirs s'étaient finalement réalisés.

Pour elle, vous vouliez être fort, protecteur; vous vouliez lui donner tout, même si elle ne demandait rien. Cela vous affolait un peu de vouloir donner si désespérément à un être qui semblait n'avoir besoin de rien. Elle n'attendait ni serments, ni crises de jalousie, ni «si»; elle ne voulait que vous et le plaisir d'être ensemble; elle ne demandait rien de plus.

Elle avait envahi votre conscience, occupait toutes vos pensées. Vous vous compreniez merveilleusement comme si chacun pouvait lire dans l'esprit de l'autre, comme s'il savait ce que l'autre allait dire, ce qu'il ressentait. Elle n'oubliait jamais rien de ce qui vous concernait; son amour et sa joie de vivre vous comblaient.

Vous n'étiez pas tranquille quand elle n'était pas près de vous. Vous avez continué à travailler au prix d'énormes efforts. Elle vous obsédait, occupait toutes vos pensées. Vous qui ne vous étiez jamais permis la moindre faiblesse, qui n'aviez jamais voulu «avoir besoin» de quelqu'un, étiez maintenant «intoxiqué» et perpétuellement «en manque».

C'était mauvais signe! Déjà, vous commenciez à avoir beaucoup trop besoin d'elle. Lors de vos premiers rendez-vous en tête à tête vous aviez longuement parlé d'amour et de liberté. Vous étiez bien d'accord: pas de possessivité, pas d'oppression ni de jalousie. Vous aviez établi une sorte de philosophie des relations idéales et des attitudes à éviter.

Et tout à coup, vous avez ressenti des sensations étranges, une certaine insécurité, une impression d'irréalité. «C'est trop beau pour être vrai. Et si tout cela ne s'était pas réellement passé? Si ce n'était qu'un rêve?»

Vous luttiez contre vos sentiments. Vous aviez un besoin maladif de sa présence. Vous avez essayé de refréner cette insatiabilité croissante qui menaçait votre sécurité. Mais dès que cette femme vous quittait vous étiez submergé par le chagrin car vous ne saviez pas où elle était ni ce qu'elle faisait.

Vous vouliez savoir s'il y avait d'autres hommes dans sa vie. Cette attitude ne vous ressemblait pas, mais vous espériez une réponse négative et, s'il y avait effectivement d'autres hommes dans sa vie, qu'elle vous donne l'assurance qu'aucun d'eux ne comptait à ses yeux. Mais elle n'a jamais dit cela. La première fois que vous lui avez demandé, d'un ton anxieux et jaloux, ce qu'elle avait fait le soir précédent, vous avez senti que l'ambiance se refroidissait. Vous avez prétendu ensuite que vous vous étiez mal exprimé, que ce n'était pas cela que vous vouliez dire. Intérieurement, vous vous en vouliez d'avoir cédé à vos impulsions et gâché une merveilleuse soirée.

Bien qu'elle vous ait dit qu'elle vous aimait, vous aviez mal au cœur chaque fois que son téléphone restait muet. Où était-elle? Avait-elle rencontré quelqu'un d'autre? Peut-être ne vous aimait-elle plus? Vous recomposiez son numéro toutes les dix minutes. Chaque heure passée à l'attendre vous semblait une éternité.

Au début de votre relation, elle vous avait peut-être dit qu'il y avait quelqu'un d'autre dans sa vie et vous aviez trouvé cela normal. Et voilà que de vieux principes nommés fidélité et engagement traversaient vos pensées, mais pas les siennes. Elle commençait à ressentir les contraintes que vous lui imposiez: le petit garçon affamé de tendresse refaisait surface. Votre besoin impérieux de sa présence et votre jalousie, votre peur qu'elle ne se plaise en compagnie de quelqu'un d'autre ont commencé à lui peser. Ses réponses sont devenues vagues, de lourds silences se sont installés entre vous et elle a commencé à montrer des signes d'impatience et d'irritation.

Vous n'étiez plus sûr de rien et prépariez à l'avance ce que vous vouliez dire ou faire et quand le dire ou le faire. Vous étiez en train de perdre votre chère «spontanéité». Quand vous vous sentiez mal, vous vouliez qu'elle vous consacre plus de temps encore; vous lui demandiez si elle aimait quelqu'un d'autre autant que vous. Mais elle vous répondait froidement: «Je n'appartiens à personne. Tu vas tout gâcher si tu continues à me persécuter de la sorte.»

Elle vous a rappelé vous avoir déjà dit qu'en amour il n'y a pas de programmes préétablis et qu'elle ne pouvait pas prévoir ce qui allait arriver. Vous avez essayé de vous reprendre et de vous détacher, mais cela était impossible. Vous vous êtes replié sur vous-même, vous avez fait la tête, vous lui avez redemandé de vous jurer fidélité… vous saviez pourtant que c'était la chose à éviter, mais vous ne pouviez pas vous en empêcher. Vous n'arriviez pas à prendre le recul nécessaire pour analyser objectivement la situation parce que reculer est trop douloureux, trop angoissant. Et, en même temps, vous ne pouviez pas trop vous rapprocher car cela aurait ruiné votre relation.

Votre insécurité augmentait sans cesse. Vous vous attendiez à ce qu'elle rompe à tout moment. Quand vous lui téléphoniez, vous aviez l'impression que sa voix n'était plus aussi chaleureuse. Elle vous assurait du contraire et ajoutait que c'était vous qui aviez changé.

Vous auriez voulu l'entendre constamment vous répéter qu'elle vous aimait. Vous aviez besoin qu'elle vous rassure comme elle le faisait au début, alors que vous n'en aviez pas besoin. Maintenant vous mourriez d'envie qu'elle le répète, mais, hélas, elle n'en faisait rien. Lorsque vous lui demandiez si elle vous aimait, sa réponse vous semblait évasive et sans passion; et elle se mettait à parler d'amitié.

Quand elle était en compagnie d'autres hommes, vous surpreniez, de temps à autre, les mêmes regards ardents qu'elle vous lançait autrefois. Vous remarquiez que d'autres hommes étaient, à leur tour, attirés par elle. Cela vous rendait fou d'angoisse et de jalousie, même lorsqu'elle vous assurait qu'elle ne flirtait pas, qu'elle était seulement amicale.

Vous la questionniez: «Le trouves-tu attirant physiquement?» Elle répondait évasivement: «Je pense qu'il est intéressant, c'est tout.» Vous insistiez: «Aimerais-tu coucher avec lui?» Sa réponse clôturait la conversation: «C'est tout ce que tu as dans la tête?»

Obsédé par l'idée de comprendre, de voir clair, vous vouliez toujours discuter de votre «relation» alors que vous aviez horreur d'en parler avec vos précédentes conquêtes. Au fur et à mesure, vos «manques» grandissaient et l'écartaient de vous; votre désespoir, votre affolement grandissaient. Quand elle faisait marche arrière, vous la rattrapiez à toute allure.

De temps en temps, lorsqu'elle ressentait la pression que vous exerciez sur elle, elle devenait froide, odieuse, allant même jusqu'à être méchante pour se protéger. Votre relation était définitivement abîmée; l'amour et la complicité avaient été remplacés par une atmosphère dans laquelle toute communication semblait impossible.

Votre belle histoire se terminait, votre amie était devenue distante et vous étiez désespéré à la pensée de ne plus jamais retrouver l'amour. La fin d'une relation est aussi douloureuse que ses débuts sont enivrants.

Au début de cette relation, vous vous sentiez beau, fort et aimé. À la fin, vous ressembliez à un chien pathétique et geignard. Vous étiez devenu tout ce que vous haïssiez. Quand elle n'était pas là, vous

posiez des questions sur elle à toutes les personnes qui la connaissaient afin de rassembler quelques données susceptibles de vous éclairer sur votre situation.

Vous essayiez de comprendre mais elle semblait indéchiffrable.
Elle ne ressemblait à aucune des femmes que vous aviez fréquentées
jusqu'alors... Elle semblait n'éprouver aucun sentiment de culpabilité,
aucun problème, aucun besoin ni aucune peur de l'avenir. Il était
impossible de l'émouvoir ou de la manipuler. Au début, elle ressemblait à un petit oiseau fragile que vous vouliez protéger, alors qu'elle
était en fait beaucoup plus forte que vous.

La balance penchait maintenant de l'autre côté et il n'y avait plus
rien de «bon» ni de «mauvais», plus rien à dire ni à faire. L'exquise
sensibilité avec laquelle elle accueillait autrefois vos réactions avait
fait place à de l'indifférence; elle semblait maintenant incapable de
comprendre les motifs de votre malaise, incapable de reconnaître votre
peine et d'y compatir. Elle se sentait étouffée et en était agacée. Si
vous vous mettiez en colère, elle restait parfaitement calme. Elle semblait avoir une telle maîtrise sur elle-même que vous aviez l'impression que rien ne pouvait l'affecter. Vos relations qui étaient auparavant si faciles et tellement positives étaient devenus confuses et
déplaisantes. La liaison avec la «femme idéale» s'était terminée aussi
soudainement qu'elle avait commencé.

Lorsque la relation entre un homme et une femme chez qui le
besoin d'engagement est toujours aussi puissant devient plus fragile et
que leur résistance consciente et inconsciente augmente, on constate
chez eux une vulnérabilité croissante au fantasme romantique du
«partenaire idéal».

La période romantique — période suffisamment longue pour créer
un état fantasmatique qui permet une fusion intense — leur permet de
se libérer temporairement de leurs réserves inconscientes respectives.
Ce besoin de romantisme et la vulnérabilité qui en découle sont proportionnels à la résistance opposée à l'autre sexe. Vivre ces sentimens
«idéaux» est l'expression extrême de la réaction contre cette résistance. Plus cette résistance faite de peur refoulée, de colère et de
conflits avec le sexe opposé est grande, plus grand est le besoin de la
magie de l'amour, seule capable de créer une zone de sécurité pour les
liens affectifs.

Le romantique recherche une intensité de sensation qui ne peut
exister dans le monde des relations réelles. Il est «intoxiqué»; c'est

cette drogue qui altère sa raison et permet à la liaison de se faire qui constitue le sentiment romantique. Étant donné que le besoin de romantisme est égal en proportion avec les sentiments d'opposition profonds ou inconscients, les relations romantiques sont, d'une façon tout à fait caractéritique, condamnées à être éphémères et se terminent dans une déception et une colère aussi puissantes que les sentiments «magiques» qui ont présidé à la relation.

Les dynamiques de ce phénomène

Les grands romantiques en arrivent souvent à craindre et à haïr le sexe opposé. Cela se manifeste par le besoin de doter l'objet de leur amour d'attributs «magiques». Ils déclarent, par exemple, qu'«elle ne ressemble à aucune autre femme (c'est pourquoi je me suis donné l'autorisation de l'aimer)». Une personne du sexe opposé qui serait «normale» constituerait un danger et serait trop imparfaite.

Au cours de dicussions à bâtons rompus, les hommes romantiques trahissent leurs sentiments profonds par des phrases comme celles-ci: «Les femmes sont des manipulatrices»; «On ne peut pas se fier aux femmes»; ou encore: «Les femmes sont des parasites.» Les femmes romantiques, quant à elles, trahissent leurs peurs inconscientes et la résistance qu'elles opposent à l'autre sexe en n'adressant jamais la parole aux hommes qu'elles ne connaissent pas. Elles ont peur des hommes en tant que représentants du «sexe masculin» et restent distantes et circonspectes, même lors de réunions sociales. Bien qu'elles rêvent au prince charmant, les hommes en tant que tels les effrayent et les irritent. Elles apprennent très tôt que «les hommes se servent des femmes», qu'«ils sont menteurs», qu'«ils sont égoïstes» et, bien sûr, qu'«on ne peut se fier à eux».

La colère et la résistance inconscientes envers les hommes qui se trouvent profondément enfouies dans chaque femme ont été clairement décrites au début du féminisme. Les hommes se sont vus affubler des qualificatifs les plus noirs: «Les hommes sont des violeurs»; «Les hommes sont des cochons»; «Les hommes sont les oppresseurs des femmes; ils veulent les dominer et les avilir.»

Le comble de l'ironie c'est que ceux qui inconsciemment rejettent, manipulent et utilisent le sexe opposé peuvent parfois prendre le masque des grands amoureux afin de séduire, d'arriver à leurs fins. Le syndrome de don Juan — le mâle séducteur qui, inconsciemment, hait les femmes — en est un exemple typique.

La forme féminine du don Juan est ce que j'appelle «la femme idéale». En cette époque où les liens entre les hommes et les femmes se détériorent, où les relations sont fragiles et les séparations fréquentes et où les «vraies femmes» semblent être devenues aussi terrifiantes pour les hommes que l'étaient les «vrais hommes» pour les femmes, la «femme idéale» se révèle être un fantasme puissant et séduisant pour beaucoup d'hommes. Une «femme idéale» peut faire de sérieux ravages dans la vie des très nombreux hommes qui ont besoin de ce fantasme pour sortir de leur solitude et pour s'assurer le bien-être et le réconfort que sa «perfection particulière» semble temporairement offrir.

Le don Juan peut séparer la femme de son mari et l'obliger à se comporter comme elle n'aurait jamais pensé le faire. De même, les «femmes idéales» éloignent les maris de leur femme, forcent les céli-bataires dans leurs derniers retranchements et font faire à ces hommes des choses qu'ils n'auraient jamais faites s'ils n'avaient pas eu la mal-chance de les rencontrer. Les hommes comme les femmes, lorsqu'ils sont sous l'emprise du «partenaire idéal», peuvent devenir complète-ment amoraux, renoncer à leurs valeurs, à leurs croyances et à leur éthique de vie. La «femme idéale» fait ressortir les aspects les plus destructivement machos et la passion du défi des mâles comme le don Juan a porté au paroxysme l'abnégation, le masochisme et un désir désespéré chez les femmes.

Pendant une brève période, la «femme idéale» semble répondre au plus grand fantasme de l'homme: posséder une belle femme qui l'adore, n'exige rien de lui et le rassure. La présence de cette femme lui prouve qu'il *est vraiment* un homme exceptionnel et que cet homme exceptionnel a finalement trouvé la «femme exceptionnelle» qui sait exactement comment l'aimer. La «femme idéale» réussit ce tour de force en se donnant entièrement à lui tout en ne lui imposant aucune des exigences féminines habituelles, tels serments et preuves d'amour. C'est vraiment une femme extraordinaire: elle l'adore mais elle n'exige rien; elle est amoureuse mais reste indépendante; et elle est entièrement libérée sexuellement. En bref, elle est parfaite. Et pour couronner le tout, il semble que ce soit une «femme-homme», cette femme idéale qui permet à son partenaire d'être lui-même en sa pré-sence: il peut lui dire tout ce qui lui passe par la tête car elle l'aime pour ce qu'il est réellement. Tout cela est trop beau pour être vrai: il en aura la preuve un jour.

En tant que thérapeute, j'ai travaillé pendant de nombreuses années avec beaucoup d'hommes qui étaient aux prises avec le fantasme de la «femme idéale»; j'ai constaté que les symptômes et les motifs qui caractérisent leur existence sont souvent les mêmes. Ce sont généralement les hommes renfermés et sur la défensive qui sont prédisposés à ce fantasme, mais ce schéma comprend également les hommes sûrs d'eux-mêmes qui se montrent manipulateurs et protecteurs avec leurs partenaires et ceux dont les premières relations avec les femmes ont été traumatisantes (sentiments de culpabilité provoqués par une mère possessive ou inconsciemment hostile et manipulatrice). Ces hommes ont édifié de grands murs pour se protéger; ils ont tendance à chercher les points faibles des femmes qu'ils rencontrent afin de s'en servir pour tenir celles-ci à distance.

Ils ont des egos masculins très forts parce que leur mère les a surprotégés et qu'ils n'ont jamais été capables de se détacher d'elle. Par réaction et pour opposer un démenti à leur faiblesse, ils s'efforcent constamment de prouver leur virilité et se libèrent de leurs frustrations en séduisant et en dominant les femmes qu'ils rencontrent.

Au lieu d'établir de vraies relations, ils apprennent à manipuler les femmes afin d'obtenir d'elles ce qu'ils désirent, tout en gardant soigneusement leurs distances afin de se protéger. À chaque nouvelle conquête, leur stratégie inconsciente est rapidement mise au point; ils l'appliquent régulièrement et avec beaucoup de succès. Jusqu'à ce qu'ils rencontrent la «femme idéale», en qui ils trouvent leur égal, leur équivalent émotionnel.

La «femme idéale» est un oiseau blessé

Véronique était une «femme idéale». Abandonnée par son père alors qu'elle avait trois ans, elle avait connu trois autres «pères» avant d'arriver à l'âge de dix-sept ans. L'un d'eux maltraitait sa mère. Véronique fut elle aussi cruellement battue par l'un de ces hommes. Lorsqu'elle quitta la maison familiale, elle fut violée tout de suite après son déménagement.

Lorsqu'elle rencontra Robert, Véronique avait déjà appris à manipuler habilement les hommes. Elle était si adroite qu'il était convaincu d'avoir rencontré une âme élevée et entièrement désintéressée. Il fallait qu'il fût vraiment décalé par rapport à la réalité pour penser cela puisqu'il dépensait une véritable fortune pour la rendre heureuse alors qu'elle l'assurait qu'elle n'avait besoin de rien.

En outre, elle lui apparaissait comme un être sensible et fragile alors que c'était elle qui le menait par le bout du nez et régissait leur relation. Aveuglé par son amour pour Véronique, Robert ne s'est jamais rendu compte qu'elle le manipulait même lorsque c'était flagrant. Elle partit un jour en week-end dans une ville voisine avec un de ses anciens petits amis et expliqua ensuite à Robert que, bien qu'ils aient partagé le même lit, leurs rapports étaient restés exclusivement platoniques. Il la crut.

Quand il parlait d'elle, c'était en termes dithyrambiques. Il s'extasiait sur ses yeux en amande, sa féminité, son extraordinaire sens de l'humour et la facilité avec laquelle elle obtenait tout ce qu'elle voulait des hommes, sans jamais rien demander, simplement parce qu'elle était «merveilleuse». Il ne la voyait jamais telle qu'elle était réellement — manipulatrice, froide et calculatrice — jusqu'à ce qu'elle le quitte juste après qu'il ait perdu son travail à la suite d'un accident. Au début, elle espaça ses coups de téléphone et bientôt il n'entendit plus parler d'elle. Tout cela ne l'empêcha pas de penser qu'il avait perdu la femme la plus extraordinaire qu'il ait jamais rencontrée. Il la pleura pendant plus d'un an.

Angélique était elle aussi une «femme idéale». N'ayant pas terminé ses études secondaires, elle plaisait néanmoins aux hommes les plus cultivés. Si elle rencontrait un médecin, elle éprouvait soudainement une grande fascination pour les exposés médicaux. Si c'était un avocat, elle écoutait avec une attention soutenue les récits de ses exploits, insistant pour l'accompagner au tribunal où elle assistait à ses plaidoyers avec des yeux brûlants d'adoration. Elle était, selon les circonstances, une enfant enjouée et taquine capable de transformer un professionnel imbu de son travail, sérieux et conventionnel en enfant innocent et sans complexes. Mais elle pouvait également être une femme fatale, une femme avisée et compréhensive, ou une mère indulgente et apaisante.

Lorsqu'il s'agissait de séduire, elle était débordante d'énergie, attentive, alerte et focalisée. Quand elle avait obtenu ce qu'elle voulait, elle devenait renfermée; plus rien ne l'intéressait; tout la fatiguait.

Chaque fois qu'un homme que je soupçonne d'être amoureux d'une «femme idéale» vient me consulter, je lui demande s'il est au courant des relations que sa compagne a eues avec les hommes étant enfant.

Immanquablement il me dit que cette femme n'a connu qu'abus, rejet ou négligence de la part des hommes qu'elle a connus durant son adolescence ou de ceux que sa mère a amenés chez elle. Elle provient d'un foyer brisé ou a été battue ou abusée sexuellement. Comme sa mère, elle a besoin des hommes pour survivre, mais elle les hait et les craint en même temps. C'était le cas d'Angélique, qui avait trois ans quand son père avait quitté le domicile familial. Elle ne se souvenait pas de lui. Elle avait toutefois appris très tôt à manipuler les hommes, répondant exactement à leurs attentes dans le but de maîtriser la situation sans aucun risque.

La «femme idéale» est solide et tenace; c'est une combattante de brousse. Elle sait «apprivoiser la bête». Ainsi, elle comble instantanément et complètement les besoins illimités des egos machos. De cette façon, elle leur paraît irrésistible et leur devient indispensable, comme une drogue qui créerait une «euphorie de l'ego». Au début, elle donne à un homme tout ce qu'il demande tout en se gardant bien d'exercer sur lui aucune pression en vue d'un mariage ou d'un engagement quelconque. Quant à lui, il croit avoir trouvé ce dont il a toujours rêvé, et son égoïsme, son système d'autodéfense l'empêchent de voir qu'il s'est trompé.

La sensibilité délicate que la «femme idéale» manifeste afin de combler les besoins du mâle lui sert inconsciemment à apaiser, à désarmer et à contrôler l'homme craint et haï; à cela s'ajoute sa recherche du «père parfait» qui va compenser les traumatismes qu'elle a subis. Elle continuera à être débordante d'amour tant que l'homme gardera l'image de macho qu'il projetait au départ: il ne peut pas trahir sa propre soif d'affection, ses besoins ou sa dépendance; alors il deviendrait trop réel et elle se sentirait prisonnière.

Pour la «femme idéale» comme pour son homologue masculin, le partenaire sécurisant est celui que l'on peut aimer tout en gardant ses distances. L'homme réservé, solitaire, — la cible par excellence de la «femme idéale» — apparaît d'abord à celle-ci comme l'homme parfait, secret mais charmant, efficace et délicieusement macho dans ses relations mondaines. À ses yeux, il a toutes les qualités du «père parfait». Elle le convainc de sa totale admiration et le couvre d'amour; il est séduit et croit pouvoir ouvrir son cœur, mais quand il le fait, il se met en même temps à vouloir la posséder; il veut prendre le contrôle. C'est alors qu'elle met en marche ses systèmes d'autodéfense et le repousse: elle ne veut pas d'un «homme normal». Sa rancune contre les hommes remonte à la surface et elle essaie de le blesser, de le détruire pour se venger de ses souffrances passées.

La «femme idéale» est un oiseau blessé qui ne connaît de l'amour que les mots qu'elle a appris et qui fait payer aux hommes les blessures de son passé. Mais si la «femme idéale» est un oiseau blessé, l'homme qui se traîne à ses pieds a, lui aussi, été blessé, traumatisé par l'autre sexe; par conséquent, il craint tout autant la «femme normale». De nos jours, il y a beaucoup d'hommes blessés, donc beaucoup d'hommes susceptibles de succomber au fantasme de la «femme idéale». Ces hommes n'acceptent pas la «femme normale».

La «femme idéale» a souvent l'air d'être une parfaite «mère nourricière», une femme traditionnelle à l'extrême qui aurait appris à manipuler les hommes malgré sa peur, ses besoins et sa rancune inconscientes. Pour arriver à cela, elle efface sa propre identité et adopte le style de l'homme, son rythme de vie, ses goûts et ses dégoûts. La féminité apprend aux femmes à se mouler sur la personnalité de l'homme. La «femme idéale» est un exemple parfait de ce type de comportement.

Le fantasme de la «femme idéale» nie la tâche difficile qui doit être accomplie pour qu'une vraie relation puisse s'établir entre un homme et une femme et symbolise la peur de l'homme macho de s'engager personnellement dans une relation. La «femme idéale» est un fantasme suprême, excitant et sans rapport avec la réalité: une relation sans échanges, sans efforts. Elle est le complément parfait de l'«homme blessé» qui lui aussi ne peut véhiculer que des images ou des fantasmes de couple parfait, et qui est incapable de faire face à la réalité.

C'est pourquoi la «femme idéale» a beaucoup à apprendre aux hommes sur eux-mêmes. En utilisant et en dominant les hommes, en copiant leur comportement à l'égard des femmes, elle leur fait vivre ce que les hommes ont habituellement fait subir aux femmes. L'homme peut donc trouver son ego projeté dans une «femme idéale», car elle est le reflet de son comportement avec les femmes.

Le fantasme de la «femme idéale»: développement et signaux d'alarme

1. Tout a commencé par un regard éloquent, pénétrant. Vous vous êtes senti instantanément galvanisé, emporté par une «force magique».
2. Vous voulez l'emmener loin des autres. Vous lui avez parlé pendant des heures et vous avez ouvert votre cœur comme jamais vous ne l'aviez fait auparavant.

3. Chacun lit dans l'esprit de l'autre comme dans un livre ouvert. Vous avez l'impression de n'avoir jamais connu l'amour avant elle. Vous avez un regain d'enthousiasme, vous vous sentez renaître.

4. Vos premières relations sexuelles ont été lumineuses, faciles, sans problèmes. Vous voulez désespérément lui faire plaisir. Contrairement à vos habitudes, vous êtes excessivement accommodant. Et vous voulez vous mettre en valeur.

5. Votre vie vous semblait vide jusqu'à ce que vous la rencontriez et vous vous sentez encore plus vide quand elle n'est pas à vos côtés.

6. Elle vous a raconté son enfance; elle a été traumatisée par les hommes. Peut-être ses parents ont-il divorcé ou a-t-elle été abandonnée par son père, ou encore sa mère a-t-elle eu une série d'amants ou de maris.

7. Contrairement à votre comportement habituel, vous êtes très jaloux et vous la surprotégez. Vous avez perdu votre humour cynique envers les femmes, la vie, les aventures. Vous êtes devenu «sérieux», «profond» et «sensible».

8. Elle semble exceptionnellement indépendante et n'a besoin de rien. Elle ne vous demande jamais rien et ne vous force jamais.

9. Elle vous pare des qualités que vous rêvez d'avoir: vous êtes beau, intelligent. Elle n'est pas possessive. Lorsque vous lui parlez des femmes que vous avez fréquentées, elle ne montre aucune jalousie. Elle vous fait sentir que s'il vous arrivait de coucher avec une autre femme, cela n'aurait pas d'importance.

10. Elle semble n'avoir aucun complexe. Elle est spontanée, vit totalement dans le présent et ne semble ressentir ni inhibitions, ni sentiments de culpabilité, ni besoin d'être rassurée, toutes ces choses que vous associez aux femmes.

11. Faire l'amour avec elle est fantastique. Vous ne vous souvenez pas d'avoir eu des relations sexuelles aussi réussies. Elle a l'air parfaitement bien et heureuse dans sa sexualité; rien ne la rebute.

12. Peut-être vous a-t-elle dit qu'il y a un ou plusieurs autres hommes dans sa vie. Au fond de vous, vous êtes jaloux, mais vous ne le montrez pas.

13. Vous êtes perpétuellement en train de vous surpasser pour lui faire plaisir.

14. Bien que son passé et son vécu vous montrent que vous n'avez rien en commun, que vous êtes mal assortis, vous croyez

«magiquement» que tout ce qui a pu se passer avant votre rencontre n'a plus aucune importance pour elle.

15. La «femme idéale» s'harmonise avec votre petit monde. Elle «aime» vos amis, votre famille. Elle a l'air de s'entendre parfaitement bien avec vos parents. Si vous êtes marié quand vous la rencontrez, elle ne vous demandera jamais de quitter votre femme.

16. Vous tentez de trouver une explication logique aux côtés négatifs de votre relation et vous vous arrangez pour la croire, même si ce qu'elle dit défie la raison.

17. Son comportement de femme libre vous rend fou. Elle reste vague quand vous lui demandez où elle était, ce qu'elle faisait et avec qui. Petit à petit, vous réalisez que vous n'avez aucune emprise sur elle. Elle est entièrement orientée vers le présent, se préoccupant uniquement d'exprimer ses impulsions et ses désirs dans le but d'obtenir un plaisir immédiat. Au début, c'est très excitant, mais cela vous irrite rapidement et vous commencez à la croire irresponsable.

18. Votre liaison ressemble à un parcours de montagnes russes et vos sentiments, très souvent, passent de: «Elle m'aime tellement, elle ne me quittera jamais» à: «C'est fini, je ne la reverrai plus.»

19. Auparavant, vous aviez besoin de solitude et maintenant vous voudriez qu'elle soit tout le temps près de vous. Vos désirs sont insatiables, votre soif d'elle inextinguible.

20. Les autres femmes ne semblent pas l'apprécier beaucoup. Quand vous lui demandez pourquoi elle n'a pas d'amies, elle vous répond que la majorité des femmes sont ennuyeuses.

21. Alors que vous voyez le moindre défaut chez les femmes, vous n'en voyez aucun chez elle. Il vous semble impossible de lui en vouloir même quand elle vous blesse de façon flagrante ou se montre irresponsable. Vous êtes prêt à la croire quand elle vous explique pourquoi elle ne vous a pas appelé, pourquoi elle arrive si tard... En fait, elle a l'art de retourner une situation et c'est *vous* qui êtes coupable de l'ennuyer et d'être trop sérieux.

22. Les autres hommes sont attirés par elle. Elle semble les y inciter même si elle le nie. Vous sentez bien qu'il y a quelque chose qui cloche, mais vous n'arrivez pas à mettre le doigt dessus. Vous la croyez quand elle nie regarder les autres hommes avec l'intention de séduire, mais quelque part en vous, vous avez parfaitement conscience du fait qu'elle sait très bien pourquoi elle agit de la sorte.

23. Vous cherchez des preuves de son amour, vous voulez constamment parler de votre couple. Contrairement à vous, elle semble n'avoir aucune inquiétude à ce sujet. Elle peut rester de longues périodes sans vous voir, cela ne la gêne pas. C'est vous qui avez constamment besoin d'être en contact avec elle, pas elle. Elle a pris la situation en main. Elle est à la barre et vous avez peur de tomber à l'eau. Alors vous vous accrochez, comme un crampon.

2

Quand les hommes et les femmes n'arrivent plus à se parler: leurs messages inconscients

Un dialogue typique:

ELLE: Tu es tellement renfermé.

LUI: Tu n'es jamais contente, rien n'est jamais assez bon pour toi.

ELLE: J'ai l'impression que tu n'as jamais réellement envie que je sois près de toi...

LUI: Tu es toujours là.

ELLE: Nous n'avons pas d'intimité. Tu es si froid.

LUI: Je ne comprends pas ce que tu veux dire.

ELLE: C'est impossible de parler avec toi.

LUI: Parce que tu n'es pas rationnelle.

ELLE: Tu crois tout comprendre mais tu ne comprends rien.

LUI: Donne-moi des exemples.

ELLE: Si tu ne comprends pas de quoi je parle, ce n'est pas la peine que j'explique.

LUI: Si la situation ne te convient pas, change-la.

ELLE: Je ne peux pas changer notre relation toute seule!

LUI: Je me trouve bien comme je suis.

ELLE: Tu crois aimer la vie que tu mènes, mais ce n'est pas vrai. Tu n'as pas d'amis! Jamais personne ne t'appelle!

LUI: Et toi, tu n'en as jamais assez de voir des gens. Tu es *toujours* pendue au téléphone.

ELLE: Ne change pas de sujet. Tu ne fais jamais confiance à personne.

LUI: Tu es vraiment naïve! Tu es complètement à côté de la réalité.

ELLE: Tu es toujours sur tes gardes. Tu ne vis qu'en fonction de l'avenir.

LUI: C'est justement ça qui te permet d'ignorer la réalité.

ELLE: La vie et l'argent te rendent paranoïaque.

LUI: Et toi tu n'as aucune notion de l'argent.

ELLE: Il n'y a pas que ça qui compte dans l'existence. À quoi tout cela peut-il servir si tu n'arrives même pas à parler à tes propres enfants?

LUI: Tu les tiens continuellement en laisse. Tu es comme une mère poule qui ne sait pas que ses poussins sont éclos.

ELLE: Comment peux-tu dire une chose pareille? Tu ne sais même pas qui je suis.

LUI: Et toi tu ne me comprends pas.

ELLE: Quand on t'observe, on a l'impression que tu n'es jamais heureux. Il n'y a vraiment rien qui puisse te rendre heureux.

LUI: Qu'est-ce que ça veut dire «être heureux»?

ELLE: Pourquoi me réponds-tu toujours avec un tel cynisme?

LUI: Tu te trompes. Encore une fausse perception!

ELLE: Tu ne fais que critiquer. Jamais un bon mot de ta part!

LUI: Moi non plus je ne me sens pas apprécié à ma juste valeur.

ELLE: Avec les autres tu rigoles et tu t'amuses, tandis qu'avec moi tu es toujours négatif.

LUI: Parce que je ne peux pas être moi-même avec toi.

ELLE: Tu n'es jamais là, tu travailles tout le temps.

LUI: Je travaille tout le temps parce que tu magasines tout le temps.

ELLE: Tu as toujours réponse à tout.

LUI: Je fais ce que je peux. Je ne peux pas être tout pour tous tout le temps.

ELLE: Je me sens frustrée.

LUI: Prends un amant!

ELLE: Toujours les mêmes réponses! Tu t'en tires toujours avec des
        boutades!

LUI: Et toi, il faut toujours que tu généralises.

ELLE: Mon Dieu, on dirait un ordinateur!

LUI: C'est mal d'être rationnel et compétent?

ELLE: Je suis aussi compétente que toi, sauf que je ne suis pas une
        machine.

LUI: Quand arrêteras-tu de vouloir me changer?

ELLE: Quand tu arrêteras de me rabaisser.

LUI: Tu crois que la vie est facile pour moi? J'en ai bavé, tu sais!

ELLE: Tu ne te rends pas compte de ton bonheur. Tu vas briser la
        seule bonne relation que tu as. Il n'y a pas une femme qui res-
        terait avec toi.

LUI: Qu'est-ce qu'une bonne relation? Du blabla psychologique! Si
        nous nous séparons, je me passerai de femme.

ELLE: C'est ça, pendant deux ou trois semaines!

Le mythe de la communication

Au cours de ces vingt dernières années, les psychologues on
caressé l'illusion consistant à croire que les hommes et les femmes
pouvaient parvenir à régler les problèmes inhérents à leurs relations en
discutant et en partageant leurs sentiments et leurs émotions. Prendre
le temps d'écouter l'autre est, selon eux, le meilleur moyen de combler le fossé entre les deux sexes.

Cependant, l'état de défensive généré par les caractères sexuels
inconscients de chacun annihile littéralement la possibilité de comprendre avec précision et sans méfiance ce que l'autre veut dire.
L'importance, la gravité de cette impossibilité et de l'inévitable rupture du dialogue homme/femme qui s'ensuit dépendent directement du
degré de polarisation masculin/féminin. Un couple apparemment parfait est souvent celui qui souffre le plus de ses frustrations et de ses
dialogues avortés.

Ce phénomène est d'autant plus pénible qu'au début de la relation,
la communication entre les deux amoureux semble totale. «Nous
n'avons pas besoin de nous parler; nous nous comprenons parfaitement», pensent-ils l'un et l'autre.

Les problèmes créés par les différents caractères sexuels émergent
dès que les deux personnes commencent à «s'accrocher» et que leurs

réactions instinctives de défense s'affrontent. Les moindres prises de bec deviennent de véritables combats. Il se révèle de plus en plus difficile de trouver des terrains d'entente. Finalement, cela devient impossible. Il ne reste plus alors que les frustrations découlant de toutes ces questions laissées sans réponse que la relation, maintenant empoisonnée, amène à remettre continuellement sur le tapis. Si cette relation n'est pas rééquilibrée par l'abandon des défenses masculines et féminines, l'un des combattants, désespéré, quittera l'arène et il ne leur restera plus qu'à recommencer leur vie ailleurs.

Quels sont donc ces messages féminins ou masculins capables d'empoisonner une relation qui, au départ, semblait idyllique? Les messages inconscients du système de défense féminin sont les suivants:

1. *Parle-moi, ouvre-toi; je voudrais me sentir près de toi:* mais ne parle pas de choses incertaines ou qui menacent mon besoin de sécurité.

2. *Partage tes sentiments avec moi:* mais ne dis pas des choses que je ne veux pas entendre, comme, par exemple, que tu es en colère, que tu t'ennuies, que tu voudrais vivre avec quelqu'un d'autre ou que tu désapprouves quelque chose; je me sentirais inquiète ou agressée.

3. *Sois fort et dominateur afin que je puisse fantasmer sur ta perfection, sur ta force et sur l'homme que je veux croire que tu es:* mais si tu ne m'ouvres pas ton cœur et si tu ne me parles pas de ce qui te touches, je me sentirai frustrée, insécure et tenue à distance.

4. *Rassure-moi et soutiens-moi:* mais seulement quand et comment je le veux; autrement je me sentirais manipulée et traitée comme une enfant.

5. *Je veux te rendre heureux et faire ce que tu veux:* mais je te sens «égoïste». Tu ne respectes plus ce que je suis et ce que je veux quand je satisfais à tes exigences.

6. *J'ai besoin d'être indépendante et sûre de moi:* mais j'ai peur que tu n'aimes pas cela et que tu me rejettes; c'est pourquoi j'ai recours à mes stratagèmes féminins.

Les messages inconscients du système de défense masculin sont les suivants:

1. *Laisse-moi seul. Autrement, je me sens «envahi» et «englouti»:* mais ne t'en vas pas; j'ai peur d'être seul; j'ai besoin de ta présence même si je ne veux pas dialoguer.

2. *Prends soin de toi-même ainsi je ne me sentirai ni responsable ni coupable;* mais il faut que tu aies besoin de moi car cela me rassure, me montre que tu ne vas pas me quitter et m'aide à me sentir «homme».

3. *Sois vraie. Quand tu n'es pas naturelle (ce dont je te soupçonne la plupart du temps), je le vois et cela m'ôte toute confiance en toi. Tu me rappelles les gens en qui je n'ai pas confiance:* mais ne me dis pas la vérité sur tes sentiments et tes pensées parce que cela menace l'idée que je me fais de moi-même et de notre relation.

4. *Ne me raconte pas tout cela; j'ai déjà tout entendu. Je sais ce que tu vas dire; tu te répètes sans arrêt:* mais je veux savoir ce que tu veux et ce que tu penses, même si je suis irrité par ton processus de communication «irrationnel».

À première vue, les messages féminins *semblent positifs* («parle-moi, ouvre-toi»), tandis que les messages masculins *paraissent négatifs* («laisse-moi seul»). Cependant, en y regardant de plus près, nous constatons que tous deux donnent des messages qui limitent et aliènent. Ces messages sont aliénants parce qu'ils constituent à la fois des invitations séduisantes et des rejets.

Chacun pense que l'autre va le rendre fou, qu'il n'y a pas moyen d'en sortir. Il se dit: «Si je me confie, elle se sent blessée, attaquée; mais si je ne dis rien, si je me montre discret, elle dit que je suis trop réservé, peu soucieux d'elle, que je suis comme un livre fermé.» De son côté elle pense: «Si je le laisse seul, si je sors ou si je fais quelque chose sans lui, il est jaloux, maussade; mais si je reste avec lui, il m'ignore.»

Elle craint sa colère et, quand il se fâche, elle est effrayée, croyant que c'est le début de la fin de leur relation. Elle s'active à panser ses blessures et s'arrange pour que tout ce qu'elle fait soit parfait. Elle finit par se sentir médiocre et impuissante et croit qu'il ne peut pas l'aimer car on ne peut réellement aimer une femme qui a peur et qui se laisse entièrement dominer. Une partie d'elle-même *voudrait* qu'il parte; de cette façon elle pourrait récupérer la force qu'elle a perdu. Et pourtant cette perspective l'effraie tout autant.

Si elle devient trop indépendante et sûre d'elle, il est alors obligé de réagir car son ego, qu'il avait isolé pour le protéger, a perdu les barrières de protection qu'il avait établies contre l'isolement complet. Il se rapproche d'elle, la séduit et la replace dans son état de dépendance afin de pouvoir de nouveau s'échapper.

Les résultats des efforts sincères faits au cours des dernières années par de nombreux couples désireux de communiquer prouvent que, sauf dans les cas où la relation n'est pas trop polarisée, le fait de parler et d'écouter ne suffit pas. Jusqu'à maintenant, on croyait que si les hommes et les femmes étaient honnêtes et ouverts, s'ils écoutaient ce que l'autre avait à dire sans être sur la défensive, ils arriveraient à se rapprocher.

«Ne pas être sur la défensive»: cette notion est souvent interprétée de façon bien naïve. Pour beaucoup d'entre nous, cela signifie: «Je t'écoute sans contre-attaquer, sans me mettre en colère, sans te rabrouer ni te critiquer.» Cela ne change rien au fait que la raison pour laquelle les hommes et les femmes ont des problèmes l'un vis-à-vis de l'autre est que leur conditionnement à leur polarisation les place dans des mondes différents. Ils ont chacun leur propre système de références et vivent le même phénomène de manière opposée.

Par conséquent, ils voient leur relation avec des yeux différents. Chacun des partenaires accorde une signification différente à ses propres réactions intimes et à celles de l'autre, ainsi qu'aux événements du monde extérieur. Ils interprètent différemment les mots qu'ils s'envoient à la tête. Par exemple, lors d'une dispute, s'il essaie d'être rationnel, elle a l'impression qu'il la rejette. Quand elle explique ce qu'elle ressent, il l'accuse d'être irrationnelle et de le manipuler.

Le mot «intimité» n'a pas la même signification pour elle que pour lui. Pour lui, une relation réussie implique que l'on puisse s'isoler tout en étant ensemble, et cela sans se sentir coupable. Pour elle, cela signifie que l'on arrive à réaliser un fantasme de relations intimes profondes, une «fusion» des deux partenaires qu'il ne peut manifestement assumer.

Le résultat est qu'elle souffre de la distance qui les sépare, tandis que lui est tendu et irrité parce qu'il se sent harcelé et contraint à un rapprochement qui lui est impossible. Dans son esprit, elle est *partout* (même quand elle n'est pas là), et menace de le dévorer. Pour elle, il *n'est jamais réellement présent*.

Elle a tendance à considérer que la vie est faite de liens profonds, où la compassion et l'attention réciproque jouent un rôle primordial. Elle semble, en paroles et en pensée, considérer les choses de manière plus positive que son compagnon. Lorsque la vie est moins rose, elle se dit qu'elle pourrait l'être ou le serait si certaines choses étaient faites différemment ou si on leur donnait plus d'importance (principalement si lui leur donnait plus d'importance).

Lui considère le monde sous un jour dangereux: il faut se tenir sur ses gardes si l'on veut survivre, et ne pas être naïf au point de penser que quelqu'un va agir à notre place ou se demander comment on va s'en tirer.

Je me souviens de ce couple qui était assis dans la salle d'attente de mon cabinet avant une séance de thérapie. L'homme lisait un livre intitulé *Réussir par l'intimidation* et la femme un ouvrage de son gourou: *Traverser la vie en riant*. Ils avaient tous deux de fortes personnalités et prenaient leurs carrières professionnelles à cœur; leur perception de la vie était polarisée.

Dans les moments de stress, quand le moi profond émerge plus clairement, la femme manifeste une forte envie d'intimité tandis que l'homme a tendance à se replier sur lui-même. Elle voudrait lui faire comprendre que les relations sexuelles la rendent très vulnérable, mais il ne comprend pas cela, car le sexe ne lui fait pas du tout cet effet. Par contre, l'engagement et l'intimité lui donnent cette sensation de vulnérabilité, et cela elle ne le comprend pas. Pour elle, l'idée d'engagement est rassurante et nécessaire, exactement comme le sexe l'est pour lui.

Si les hommes et les femmes n'arrivent pas à analyser leurs besoins profonds respectifs de façon à appréhender la vie de la même façon, ils n'arriveront pas à se compendre, même s'ils expriment clairement leurs sentiments ou s'écoutent les uns les autres avec patience. Leurs caractères sexuels inconscients respectifs les placent, du moins sur le plan psychologique, dans deux mondes différents. Lorsqu'il est question de résoudre des problèmes, c'est le processus même de la relation qui crée la difficulté.

Michel souffrait du dos et devait rester au lit. Cela le rendait irritable et cette nervosité se retournait contre Valérie, sa femme. Étendu là, impuissant, il avait la sensation de ne plus être un homme. Il était frustré et accablait la jeune femme de reproches, soulignant ses imperfections et l'accusant de profiter de lui. Il lui disait que si les choses ne s'arrangeaient pas, elle pourrait retourner vivre chez ses parents.

Valérie percevait chaque fois, dans ces paroles, un double message. Bien qu'il dépendît beaucoup d'elle, il ne voulait pas s'en rapprocher afin d'établir le contact dont elle avait besoin. C'était un solitaire; il préférait donc rester seul; mais malgré cela, il voulait qu'elle soit toujours à proximité. Le message non exprimé était: «Reste toujours avec moi, mais ne sois pas dépendante de moi. Sois là, mais laisse-moi seul et laisse-moi avoir le contrôle sur toi.»

Il ne lui faisait pas confiance lorsqu'il était question d'affaires et de réussite professionnelle. Il la considérait comme incompétente et incapable de prendre des initiatives; c'est pour cela qu'il ne voulait pas de son aide. Il pensait néanmoins que s'ils divorçaient ou que s'il mourrait, elle serait alors tout à fait en mesure de gérer son entreprise. En résumé, elle ne serait capable d'agir que lorsqu'il ne serait plus près d'elle.

Michel était persuadé que Valérie n'agissait que quand elle y était forcée, et il avait sans doute raison. Mais Valérie n'était pas consciente de cette «simulation». En sa présence, elle se figeait, un peu parce qu'elle craignait ses critiques, un peu parce qu'elle avait peur d'être dominée, un peu aussi parce qu'elle savait qu'il ne voulait pas vraiment qu'elle soit productive et indépendante, car le besoin qu'elle avait de lui et les liens qui l'attachaient à lui auraient alors été menacés. Inconsciemment, elle avait peur d'être indépendante et libre car cela pourrait porter atteinte à sa féminité et aux qualités qui lui valaient d'être aimée. Il aurait voulu la laisser se réaliser toute seule mais il n'osait pas la laisser aller. Il lui reprochait sans cesse de ne pas se prendre en main, de ne pas être forte, et pourtant il savait qu'il ne lâcherait jamais les rênes.

Valérie en avait assez de cette attitude de son mari, qu'elle percevait comme un désir de l'humilier. Le message qu'elle entendait était: «Tu ne fais pas cela correctement — Tu ne fais rien correctement.»

Elle se sentait bien mieux quand elle travaillait seule, mais alors elle s'inquiétait et craignait qu'il ne l'abandonne. Elle observait sans cesse les réactions de son mari pour s'assurer qu'il ne la rejetterait pas si elle s'engageait trop avant dans ses activités. «Je n'arrête pas de vérifier si ce que je fais plaît à mon mari», disait-elle.

Les réactions de Michel guidaient ses actes; elle ne faisait rien d'elle-même. Et ce qui devait arriver est arrivé: elle a commencé à être mal dans sa peau, à se sentir dominée et manipulée. Pourtant c'est elle-même qui avait provoqué la réaction de son mari, puisqu'elle avait peur d'agir seule. Mais voici maintenant qu'elle le lui reprochait.

Elle expliquait son comportement en ces mots: «Il m'est impossible de prendre des décisions puisque je ne gagne pas d'argent. Je ne me sens pas le droit de dépenser de l'argent sans sa permission.»

(Cependant, de temps en temps elle se mettait en colère contre lui parce qu'elle sentait qu'il la dominait par le biais de l'argent.) «Je n'ai jamais cédé à mes sentiments ni dit: «C'est à mon tour maintenant. Je suis libre de faire ce que je veux. Je ne me sens pas libre de faire ce que je veux. Je n'ai pas encore trouvé le cran de faire quelque chose qu'il pourrait ne pas aimer.»

Elle ne voulait pas faire la *moindre chose* qui fût susceptible de lui déplaire, mais, d'un autre côté, ce besoin d'avoir une garantie la rendait furieuse contre lui, car elle avait l'impression de ne pas pouvoir être elle-même avec lui. Elle se sentait déprimée et fatiguée par ce conflit constant — l'alternance de son amour et de sa haine pour son mari.

Michel exagérait de beaucoup l'improductivité de sa femme. Ses «obsessions» masculines, qui le poussaient à l'action compulsive et lui donnait la hantise du but à atteindre, faisaient qu'il la considérait comme étant beaucoup moins productive qu'elle ne l'était en réalité. Elle lui semblait paresseuse et irréaliste parce qu'elle agissait différemment, et cela renforçait son comportement compulsif; il avait l'impression de devoir compenser ses agissements enfantins et irréalistes. Il lui reprochait les contraintes qu'elle lui imposait par son comportement et lui répétait très souvent: «Je suis responsable de tout et je n'en ai pas envie. Mais je n'ai pas le choix: je ne peux même pas te faire confiance dans les moments cruciaux.»

Elle lui répondait: «Tu te trompes. Mets-moi à l'épreuve.» Mais il ne voulait pas prendre ce risque. Au lieu de cela, il préférait rager en se disant qu'«il ne pouvait pas compter sur elle».

Valérie exagérait le pouvoir que son mari avait sur elle. Elle disait souvent: «J'ai peur de lui quand il fait ceci. J'ai peur de lui quand il fait cela.» En réalité, Michel n'avait sur elle aucune emprise; au contraire, il était à ce moment-là très dépendant d'elle et terrifié à l'idée de la perdre. Elle le considérait comme tout-puissant et potentiellement dangereux, mais sa vision était largement déformée. Il se conduisait comme un petit garçon, quêtant constamment son approbation, mais elle refusait de l'admettre. En le croyant tout-puissant, elle servait son but inconscient: cela lui permettait de le blâmer et de se poser en victime apeurée et critiquée, ce qui était «la raison qui l'empêchait d'avancer».

Chacun avait déformé le message de l'autre et tous deux avaient peur du changement. C'était elle qui minimisait son propre pouvoir, pas lui. Elle craignait de «porter la culotte» parce que son conditionne-ment psychologique lui faisait considérer cela comme dangereux; tandis que, pour Michel, une perte de pouvoir aurait été une catastrophe. En le faisant plus puissant qu'il ne l'était réellement, elle se donnait ainsi la possibilité de le rendre responsable de sa peur et de son refus de prendre le pouvoir qui lui revenait.

En la considérant comme irresponsable, Michel évitait d'aban-donner le pouvoir, ce dont il avait réellement peur. Il pouvait continuer à lui reprocher d'être «faible, stupide et incapable», ce qu'elle n'était pas. Mais cela, il ne le remarquerait que plus tard, après leur séparation.

Ce sont les caractères sexuels inconscients polarisés qui engen-drent l'impossibilité de communiquer vraiment; cette même polarisa-tion qui, au départ, avait permis à deux personnes de se lier étroitement dans un grand élan romantique. Plus cette polarisation est forte, plus grande est la difficulté d'écouter l'autre et la bonne volonté que l'on y met n'y change rien. Le processus de la polarisation mine la «merveilleuse» satisfaction que procurait la relation au début; les partenaires s'enfoncent alors, petit à petit, dans un fatras de reproches et de récriminations aussi intenses que leur communication était parfaite au départ.

La communication peut envenimer les choses

Les hommes et les femmes essaient parfois de réduire la distance qui les sépare en utilisant des techniques de communiction et en faisant de grands efforts pour «écouter» et «se parler». À la fin d'une mer-veilleuse discussion, chacun dit à l'autre: «Maintenant je te comprends vraiment.» Mais dès qu'ils se retrouvent confrontés à leurs réactions spontanées, instinctives, imprévisibles et impossibles à maîtriser, ils retombent dans leurs problèmes. Ils se sentent encore plus incompris, plus déçus et n'arrivent plus à croire à la possibilité d'une véritable com-munication. Chacun pense que l'autre est méchant, hypocrite, faux; il se sent trahi alors que rien n'a été fait intentionnellement. Le processus qui est à la base de cette souffrance a simplement été suspendu pendant leur discussion, il n'a pas été transformé. Quand ils ont recommencé à réagir spontanément, les problèmes sont réapparus, inchangés.

Par exemple, un homme dit à sa partenaire quelque chose qu'elle perçoit comme une critique. Il avait l'intention de l'aider, il voulait se montrer constructif, et les voilà revenus à la case départ! Ou alors, il travaille au moment où elle sollicite des démonstrations d'affection. Elle est amoureuse et elle veut le lui montrer; lui, il considère cela comme une intrusion délibérée, une contrainte: elle ne peut donc pas le laisser seul cinq minutes!

Les difficultés de ce couple sont peut-être encore plus grandes qu'avant la discussion, car ils pensaient avoir «compris quelque chose» et «fait des progrès». Le fait qu'ils aient nourri de vains espoirs rend leur déception face aux heurts encore plus profonde. D'une certaine façon, parler des problèmes les amplifie, car cela crée des espoirs de changement. Autrefois, les couples ne se souciaient pas de partager leurs sentiments profonds; ils ne s'attendaient donc pas à être compris. Dans les couples contemporains, l'homme ou la femme — ou les deux — a appris et croit que la seule façon de régler les problèmes consiste à en discuter, alors ils parlent librement, consciemment, affectueusement et chacun caresse l'espoir que les choses vont s'améliorer de façon significative. Ils sont hélas très souvent déçus car la toile de fond de leur relation reste inchangée. Ils sont démoralisés par les frustrations constantes qu'ils subissent et finissent par dire: «C'est sans espoir. Nous en avons parlé des milliers de fois et ça n'a rien changé. Je pensais que tu me comprenais et je découvre que je me trompais. Toutes nos discussions n'ont servi à rien.»

Ils ont raison. Tant que leur compréhension profonde du même problème restera polarisée, en discuter n'apportera rien. Malheureusement, ils éprouvent une sensation d'échec et se rendent mutuellement responsables de cette faillite au lieu de prendre conscience qu'ils sont victimes d'un processus de défense «invisible» — celui-là même qui les avait jetés dans les bras l'un de l'autre dans un élan romantique.

Dans les relations polarisées, discuter des problèmes et partager ses sentiments est vain, voire même préjudiciable. Au mieux, ces discussions deviennent une sorte de rite de consolation; ainsi le couple peut dire: «Nous essayons.» Le degré de colère et de ressentiment qui en découle est en relation directe avec les domaines inconscients dans lesquels les hommes et les femmes sont polarisés.

Le «pourquoi» d'une réaction de défense excessive

Henri et Mathilde approchent de la quarantaine. Ils sont tous deux très croyants. Henri a entrepris une thérapie parce qu'il avait de fréquentes envies de suicide et qu'il était partiellement impuissant avec sa femme depuis le début de leur mariage. De temps en temps, Mathilde l'accompagnait à la séance de thérapie et il était évident que leur relation était entièrement polarisée. Elle avait l'impression d'être la victime de cet homme; elle lui reprochait d'être égocentrique, égoïste, hostile, critique, insensible et incapable d'affection; malgré cela, elle disait qu'elle l'aimait énormément.

Il se sentait coupable, se haïssait. Il se voulait parfait, les activités et les hobbies auxquels il s'adonnait en dehors de son travail étaient censés leur confirmer à tous deux son esprit vif, son intelligence supérieure. Il était plein d'idées pour gagner de l'argent ou mettre au point de grandes inventions. Il essayait continuellement de proposer des solutions aux grands problèmes du monde tels que la pollution, la surpopulation, le désarmement nucléaire.

Mathilde était la bonne fille classique, simple et «brave», qui voulait que tout se passe bien. Néanmoins, quelques minutes seulement après le début de la séance, la lutte commençait. Elle accusait, il expliquait. Le colère montait au point qu'elle hésitait entre s'arracher les cheveux ou l'assommer. Pendant ce temps-là, Henri se taisait ou bien essayait de la calmer et de la rassurer.

Les problèmes dont ils parlaient n'étaient pas particulièrement originaux: soit il dépensait trop d'argent pour ses hobbies, ou il ne passait pas assez de temps à la maison, pour dîner en famille ou participer à la vie des enfants, ou encore il ne lui faisait pas l'amour de la bonne manière. Ils essayaient de parler du «contenu» de leurs problèmes, mais leur processus était trop polarisé, de sorte qu'ils n'arrivaient pas à discuter sans aboutir rapidement à une explosion de rage chez elle et à des justifications empreintes de culpabilité chez lui.

Ce qui n'arrangeait rien, c'est qu'Henri avait eu une brève relation extraconjugale et que Mathilde l'avait découvert. Elle ne pouvait se défaire du sentiment d'avoir été trahie et d'être une victime. Pourtant cette aventure était vieille de douze ans et elle avait servi, en grande partie, à rassurer Henri quant à ses possibilités sexuelles car il n'arrivait pas à bien faire l'amour avec Mathilde. Celle-ci se servait de cette vieille histoire pour justifier ses constantes manifestations de rage et d'agressivité tandis qu'il cherchait, lui, à se réconcilier avec elle. Il avait peur de la quitter car il savait qu'elle avait une grande influence sur les enfants et les détournerait de lui. En bref, il se sentait bien impuissant devant cette situation.

Henri décevait constamment Mathilde. Si, à l'église, il donnait l'accolade à un autre homme, elle le traitait d'homosexuel. Elle critiquait la manière avec laquelle il parlait aux enfants. Elle jouait les séductrices avec les autres hommes dans les soirées ou à l'église, mais elle refusait de le reconnaître. Au lieu de cela, elle s'obstinait à ne voir que l'infidélité et les flirts de son mari.

Quels que soient leurs sujets de discussion et leur manière de les traiter, tous deux étaient tellement polarisés, inconsciemment, qu'ils restaient toujours sur leur positions respectives: elle fulminait parce qu'elle se considérait comme une victime et lui se sentait à la fois coupable et furieux et continuait à se replier sur lui-même.

La sensibilité excessive que les hommes et les femmes manifestent les uns envers les autres, comme dans le cas d'Henri et de Mathilde, est la clef qui permet de comprendre l'impasse dans laquelle se trouve la communication entre les deux partenaires. Il est essentiel de découvrir les défenses polarisées de chacun si l'on veut trouver une issue au dilemme.

Le couple qui se tient par la main pendant sa lune de miel en est un bon exemple. Il lâche sa main parce qu'elle ne veut pas lâcher la sienne et elle réagit en disant: «Tu ne veux plus tenir ma main! Tu es sûrement irrité ou ennuyé et cela ne te plaît plus. Tu ne te sens plus bien avec moi, c'est cela?» Alors il est obligé de lui prouver qu'elle se trompe et que le fait qu'il ne lui tienne plus la main pendant un moment ne prouve pas qu'il se détache d'elle.

La tension monte en lui car il reste toujours sur ses gardes de peur de faire inconsciemment un geste ou de dire un mot qui lui donnerait l'impression d'être rejetée. La polarisation augmente. Elle a grand besoin d'être rassurée quant à leur amour et cela l'oblige, lui, à se replier sur lui-même même lorsqu'il essaie de la rassurer. Elle remarque qu'il se referme sur lui-même et elle recherche de plus belle son réconfort et son amour.

Il est contrarié quand elle lui dit: «Je ne veux pas faire l'amour ce soir. Je ne suis pas en forme, je suis fatiguée. Nous avons fait l'amour une fois ce matin et trois fois hier.» Il est blessé et croit qu'elle ne l'aime pas autant qu'il ne le pensait. En matière de sexe, il dramatise *toute* réponse négative de sa part.

Elle finit par avoir le sentiment qu'elle est obligée de répondre positivement à ses attentes sexuelles, qu'elle en ait envie ou non; commence alors à grandir en elle sa colère à l'idée d'être utilisée et exploitée comme un objet sexuel, surtout quand elle sent que le désir sexuel de son partenaire n'est pas suivi d'un désir d'intimité, ce dont, elle,

elle a besoin. Il est épuisé par ses demandes constantes de preuves d'amour et de tendresse.

Le sexe est un domaine dans lequel il arrive souvent que la femme ne sache plus comment dire à l'homme ce qu'elle voudrait, car ses commentaires pourraient être interprétés comme des critiques. Elle se justifie inévitablement: «J'essaie simplement de t'expliquer ce que je voudrais.» Malgré cela, il réplique en se défendant: «En fait, tu m'expliques que je suis un incapable.» Il ne peut pas la comprendre à cause de ses réflexes de défense instinctifs et parce qu'il se veut parfait.

La sexualité de son compagnon dérange la femme parce que ses propres instincts sexuels réprimés («Il ne faut faire l'amour que lorsqu'existe une intimité profonde entre les partenaires.») font qu'elle le croit mené par le sexe. Pourtant, au fond d'elle-même, elle le veut très attiré sexuellement parce que cela lui donne un certain pouvoir sur lui et lui permet de se sentir, par la même occasion, excitante. En même temps, elle craint qu'il ne la désire plus; ce qui signifierait pour elle rejet et abandon puisque c'est le sexe qui lui donne ce pouvoir qu'elle ne peut pas prendre directement.

Si elle ne le satisfait pas sexuellement, elle craint qu'il ne la rejette et ne la quitte. Elle fait donc ce qu'il faut faire, mais elle n'y prend plus aucun plaisir, car elle est frustrée. Elle a peur de s'abandonner pendant l'acte sexuel puisque c'est de cette façon qu'elle contrôle son compagnon: tant qu'elle maîtrise ses propres désirs elle garde le pouvoir sur lui. Elle gère l'acte sexuel et reste maîtresse d'elle-même pour maintenir ce contrôle; cette attitude l'empêche de se laisser complètement aller, condition essentielle à l'orgasme.

Si elle fait une suggestion et qu'il ne soit pas d'accord pour une raison ou pour une autre (par exemple: «Allons dans ce restaurant», à quoi il répond: «Non, allons dans un autre restaurant), elle interprète sa réponse comme une attaque: il ne tient pas compte de ses désirs parce qu'elle-même n'arrive pas à s'affirmer.

Étant constamment à la recherche de son identité, elle réagit de manière excessive aux décisions qu'il prend. Elle imagine volontiers qu'il essaye *systématiquement* de la dominer, même quand il expose simplement une opinion ou un désir. D'un autre côté, s'*il* ne prenait pas les décisions, qui les prendrait à sa place? *Elle* ne veut pas ou ne *peut* pas le faire. Quand il prend tout en charge, cela la rassure et lui donne ce dont elle a besoin même si, d'un autre côté, elle en arrive à le haïr parce qu'elle ne se sent pas prise en considération. Quant à lui, ce manque d'affirmation lui pèse énormément («Je ne sais pas ce que tu veux. Tu ne prends *jamais* clairement position.»); il a besoin de son accord, de sa participation pour pouvoir contrôler la situation. Au fond de lui-même, il est furieux parce qu'il est «toujours responsable et coupable» quand les choses ne marchent pas bien. Ne rencontrant aucune autre énergie que la sienne, il s'ennuie.

Il évite spontanément de participer à toute activité qui lui semble n'avoir ni but ni utilité ou qui ne lui a pas été clairement présentée. Il perçoit cela comme une contrainte, une perte de contrôle, une demande d'engagement. S'il prend du recul pour retrouver son équilibre, elle interprète cela comme un rejet. Il se sent alors contraint de lui répéter constamment qu'il ne la rejette pas.

Elle se sent frustrée de devoir taire son envie de parler, d'être près de lui, de la câliner et de l'embrasser tandis que lui doit dissimuler son envie de se retirer, d'être seul. Chacun a des réactions de défense à l'égard des comportements de l'autre. *Il arrive à la femme de réagir à une remarque insignifiante ou à un comportement un tant soit peu négatif comme s'il s'agissait d'une véritable agression. Elle répond alors à cette présumée attaque d'une telle façon que lui, à son tour, perçoit son désir à elle d'être ensemble, de parler, d'être proches l'un de l'autre comme une contrainte, comme une manière de faire pression sur lui ou d'émettre des doutes sur ses qualités de partenaire.*

Ses propres colères refoulées incitent la femme à réagir exagérément aux manifestations de colère de son compagnon, comme si un simple geste d'irritation ou un commentaire négatif — même s'il ne la concerne pas — avait le pouvoir de la détruire. L'homme se sent alors plus puissant et plus hostile qu'il ne l'est en réalité. De telles réactions excessives augmentent sa tendance à croire qu'il a beaucoup de choses à se reprocher.

Elle lui reproche son indépendance (parce qu'elle-même manque d'autonomie) et lui en veut d'être distant, de ne pas avoir besoin d'elle, de se replier sur lui-même. Elle refuse de voir qu'il dépend d'elle, qu'il a besoin d'elle parce que cela ne colle pas avec l'image qu'elle se fait de lui — celle d'un homme fort, indépendant et dominateur —, image dont elle a besoin pour se sentir rassurée. De son côté, il exagère la dépendance de sa compagne (parce qu'il nie et refoule le fait qu'il est lui-même dépendant); tout acte dénotant son manque d'autonomie l'étouffe, le contraint. Et, en même temps, il craint qu'elle ne devienne indépendante et fait tout pour l'en empêcher, car son pouvoir serait alors menacé et il aurait peur qu'elle ne le quitte.

Elle refuse sa façon de penser logique, rationnelle et intellectualisée parce qu'elle ne correspond pas à ses schémas intérieurs. Elle l'accuse d'être froid, insensible, impitoyable; pourtant elle ne veut pas qu'il s'épanche car elle n'aime pas le voir faible ou effondré. Elle le veut maître de lui-même afin de compenser sa propre sentimentalité.

Il lui reproche ses épanchements sentimentaux parce qu'il refoule ses émotions et qu'il a peur de ses propres sentiments. Par conséquent, il considère toute manifestation d'émotion comme une preuve évidente d'irrationnalité ou de folie douce.

Il accorde une importance exagérée à son besoin d'intimité et de contact à cause de sa résistance inconsciente à la sensualité, qui le pousse à croire que son désir d'être simplement serrée dans les bras doit être tenu essentiellement pour de la frigidité et un refus de la sexualité. Cette attitude peut parfois annuler sa virilité car, eu égard à ce besoin qu'il a de se sentir apte à faire l'amour chaque fois qu'elle le désire, il se sent terriblement menacé lorsqu'elle fait preuve d'un appétit sexuel trop exigeant et trop direct.

Elle l'enferme dans cette attitude de rejet par ses réactions excessives et par ses reproches. Elle finira par tomber amoureuse d'un autre homme, qu'elle «ne craindra pas» et qui lui «permettra d'être elle-même».

Il la rejette par réaction contre ses attitudes et contre le sentiment de responsabilité et de culpabilité qu'elle fait naître en lui. Il finira par tomber amoureux d'une autre femme qui «ne l'étouffera pas», qui «ne le culpabilisera pas» et qui sera une «vraie femme» et non plus une enfant.

Il arrive souvent que les deux partenaires entreprennent une démarche psychologique qui déséquilibre leurs egos. Il va peut-être essayer de l'écouter, mais son moi masculin profond voudra se libérer: il n'arrivera à concentrer son attention sur ce qu'elle dit que pendant de courts moments, même s'il fait un effort sincère pour l'écouter. Aussitôt qu'elle se met à parler, il ne peut s'empêcher de penser à autre chose ou de regarder ailleurs; elle finit toujours par le remarquer et se sent alors blessée, profondément dégoûtée par le manque d'intérêt dont il fait preuve à son égard. Lui n'est même pas conscient de ce qu'il fait; son moi profond ne suit plus, il est très vite dépassé quand il s'agit de s'impliquer personnellement. Tout le dépasse dans cette relation polarisée. Il se déconnecte inconsciement. Par contre, elle dispose d'une très grande capacité de s'engager et de créer des liens; c'est pour cette raison qu'il lui semble tellement distant tandis que lui se sent perpétuellement sollicité.

Il peut par conséquent être effrayé à l'idée de communiquer avec elle ou de lui parler spontanément parce qu'il croit qu'une fois qu'elle aura commencé à parler, elle ne s'arrêtera plus. Il est persuadé que lorsqu'elle aura eu un avant-goût d'intimité, elle deviendra insatiable.

Lorsque Julie et Benjamin se retrouvaient seuls le dimanche, ce dernier rentrait dans sa coquille. Voici ce qu'il pensait: «Dès que je la laisse parler, les ennuis commencent. Elle n'est jamais contente, elle n'a pas de limites.»

Il était tout le contraire d'elle: tranquille, il ne parlait à personne. Il aimait s'amuser avec ses «jouets», ses appareils mécaniques, jardiner ou simplement rester assis, le regard perdu dans le vague.

Leurs réactions l'un envers l'autre étaient devenues excessives. Julie était dans un tel état de manque que dès qu'une occasion de parler à son mari s'offrait à elle, elle devenait surexcitée — «Mon Dieu! il me laisse lui parler! Il faut que j'essaie de tout lui expliquer tant qu'il veut bien m'écouter» — parce qu'elle savait qu'il pouvait rompre le contact à tout moment. Par contre, lui vivait l'opposé: «Son besoin de parler n'a pas de limites. Je lui donne le doigt et elle prend le bras.»

Benjamin et Julie étaient conscients de leurs sentiments ainsi que de la façon dont ils réagissaient face à leurs problèmes. C'est grâce à cela qu'ils ont été capables, en suivant une thérapie conjugale pendant plusieurs mois, d'admettre et de changer ce schéma de communication décevant. Leur évolution a été rapide parce qu'ils n'avaient pas besoin de se renvoyer mutuellement les torts.

Le combat des puissances cachées

Les hommes m'ont fréquemment décrit le même scénario: «Si, au début d'une relation, je garde mes distances par rapport à ma nouvelle amie et si je refuse d'être très intime, elle a l'impression que je la rejette, que je refuse de m'engager, que j'ai peur de lui ouvrir mon cœur. Quand, pour finir, je baisse ma garde et que j'essaie de me rapprocher d'elle, de parler de moi, quand je deviens vulnérable et que je relâche mon contrôle sur moi-même, cela me rend mal à l'aise, je me sens «déplacé». Elle me reproche alors des choses dont elle n'avait jamais parlé quand j'étais distant. Quand j'essaie d'être intime avec elle, elle m'accuse de dire des choses que je devrais passer sous silence, et elle prétend que j'essaie de la dominer. C'est la raison pour laquelle je me sens mieux lorsque je garde mes distances, même si elle se plaint d'un manque d'intimité.»

Stéphane, âgé de trente-six ans, disait ceci: «Marianne avait l'air libérée, mais au fond d'elle-même c'était tout différent. Quelques jours après que nous nous sommes installés ensemble, j'ai dû sortir un soir; elle était très fâchée et je ne savais même pas que j'avais fait quelque chose de mal. Elle était furieuse parce que, disait-elle, je ne m'impliquais pas dans notre relation et que je ne prenais pas assez soin d'elle. Le plus marrant c'est que les femmes que j'ai fait le plus d'efforts pour comprendre m'ont toutes quitté en m'accusant d'être trop distant. Quand je ne fais aucun effort et que je garde mes distances, il n'y a pas de problèmes. Par contre, dès que je sens que je m'ouvre et que je me rapproche, c'est le début de la fin. C'est un cercle vicieux.»

Alex a fait le même genre d'expérience. «Si vous gardez vos distances et le contrôle de la relation, la femme est insécurisée; aussi longtemps qu'elle n'est pas rassurée au sujet de cette relation, elle est moins encline à vous attaquer. Si elle est attachée à vous mais que vous la gardiez à distance, elle se montre prudente dans ses attaques. Elle ne vous critique pas car elle a peur de vous. Dès le moment où vous passez la barrière et commencez à vous engager, vous remarquez qu'elle cesse de voir en vous le partenaire idéal. Vous savez alors que vous n'arrivez plus à la satisfaire.

Pour moi, cela s'est toujours passé comme ça au point de vue sexuel. Quand je me suis montré très sensible, très impliqué et que je me suis conduit en amoureux, je me suis souvent retrouvé devant un échec. Par contre, chaque fois que je me suis permis d'être égoïste, de ne pas faire de concessions et que je ne me suis pas du tout préoccupé de la femme qui était en face de moi, je n'ai pas eu de problèmes; on ne m'a jamais dit que j'étais un amant égoïste. En fait on m'a plus souvent dit que j'étais merveilleux.»

En résumé

Paradoxalement, le principe est simple et en même temps frustrant et complexe. Les difficultés proviennent des réactions de défense polarisées et inconscientes des hommes et des femmes; elles ne découlent pas d'un manque de communication ni d'un manque de bonne volonté. *En outre, c'est le même processus qui crée le problème et qui empêche de le résoudre.* Ce problème ne découle donc pas d'un manque de compréhension ni de communication. *Le fait de comprendre n'apporte rien quand cette compréhension est déformée par les défenses polarisées des deux sexes. C'est pourquoi le fait de parler n'a pas grand-chose à voir avec la communication. La discussion est un «baume»: elle peut calmer les deux antagonistes et leur donner l'impression, momentanée, d'être compris, mais dès qu'ils recommencent à réagir normalement, leur structure profonde va de nouveau détruire cette satisfaction et les anciens sentiments de frustration et de colère vont refaire surface. Plus la polarisation est grande, plus le processus est rapide.*

Il n'y a que la disparition des défenses polarisées qui peut rendre la communication positive. Jusqu'à présent, les hommes et les femmes ont utilisé un langage différent et ont vécu dans des mondes différents alors qu'ils pensaient parler la même langue et vivre dans le même monde. Ils vont maintenant utiliser les mots d'une autre façon. Inconsciemment, aucun des deux ne voulait une véritable relation; ils voulaient satisfaire leurs besoins de défense mais, cela, ils ne pouvaient l'admettre consciemment.

Le point de départ de la communication n'est pas la discussion mais la «mise en équilibre» et l'abolition des caractères de défense polarisés. Étrangement, pendant que nous réalisons ce but, dès que les premières différences sont acceptées et que l'on arrive à un compromis, nous parlons très peu des questions, des conflits et des problèmes posés car les déformations, les incompréhensions et les frustrations sont alors minimes et faciles à régler.

Les hommes doivent réaliser que tant que la polarisation existe, ils seront, plus que les femmes, tenus pour responsables de l'échec du processus de communication car ce sont eux qui se renferment et empêchent le contact de se faire. *C'est pourquoi il est très important de savoir que cette réaction n'existe pas seule, mais qu'elle fait partie d'un cycle. Dans la majorité des cas, la réaction de l'homme est une forme d'autodéfense contre le sentiment d'étouffement, une réaction de «survie» qui, bien qu'étant improductive, voire même tragique, n'est pas exclusivement «son» problème.*

Les hommes semblent être responsables des problèmes du couple, mais c'est faux. C'est la distorsion dans les schémas de défense des deux sexes qui donne cette impression; mais si l'on y croit, à cette impression, il y a très peu d'espoir de briser les barrières de la communication. Le véritable défi consiste à suivre une ligne droite malgré les distorsions et à essayer de résoudre les problèmes de polarisation en y mettant le plus de bonne volonté possible. Il faut cesser de croire que le fait de s'écouter mieux encore va finalement nous aider à soigner nos blessures et faire naître cette intimité tant désirée. Cela restera impossible tant que l'homme et la femme garderont les mêmes processus inconscients.

3

L'obsession de l'engagement

Malgré sa haine des stéréotypes, Michel ne pouvait nier que les aventures qu'il avait avec des femmes célibataires ressemblaient à un cliché. «Avec elles, je me sens comme un objet, un morceau de viande. Quand je passe deux ou trois soirées avec une femme, je sais déjà qu'elle se demande si je suis le genre de type qui est prêt à s'engager et qui est capable de le faire.»

Il se refermait sur lui-même pour échapper à ces pressions et se forgeait des idées stupides, comme: «Tout ce que les femmes attendent d'un homme, c'est un engagement; elles ne s'intéressent pas aux hommes en tant qu'êtres humains et: «Elles ne veulent pas vraiment prendre le temps de me connaître. Les femmes poursuivent toutes le même but.»

Quand il a rencontré Jackie, Michel a pensé qu'il avait trouvé une femme «différente». Agent d'assurances prospère, Jackie était une femme indépendante de trente et un ans. Tout à fait satisfaite de sa vie, de son travail et de ses deux chiens qu'elle adorait, elle aimait skier, avait plusieurs bons amis et s'entendait à merveille avec sa famille. Michel a abandonné son attitude circonspecte et s'est ouvert à sa nouvelle amie comme il ne l'avait plus fait depuis longtemps. Au lieu de se tenir ses habituels discours sur la nécessité de bien réfléchir avant d'établir une relation définitive, il a décidé que, cette fois-ci, il se permettrait d'être un peu plus vulnérable. «Je veux qu'elle me connaisse vraiment — et je veux la connaître — et peut-être que nous apprendrons ce qu'est une relation entre deux personnes qui n'ont pas besoin l'une de l'autre pour satisfaire leurs besoins immédiats puisqu'elles sont toutes les deux satisfaites de leurs vies respectives.»

Au bout d'un mois de rendez-vous successifs, au cours desquels Michel ne s'était pas montré pressé de faire l'amour avec son amie («Je ne veux pas me sentir coupable en me disant que je l'ai trompée sur mes intentions»), il a trouvé sur son répondeur téléphonique un message d'elle lui annonçant qu'elle ne voulait plus le voir. Il n'en croyait pas ses oreilles. Désorienté, fâché et blessé, il l'a immédiatement appelée, voulant comprendre ce qui se passait. Incrédule et ébahi, il a entendu Jackie lui dire: «Je t'aime beaucoup mais je crois que tu manques de maturité. Tu veux simplement t'amuser; et tu manques de sérieux. J'en ai assez des faux départs et des relations mortnées et je suis persuadée que nous n'arriverons nulle part.

— Mais nous avons passé de bons moments ensemble à discuter, à blaguer, à sortir — nous ne nous sommes rencontrés que cinq fois — et je t'apprécie vraiment beaucoup, a répondu Michel. Tu ne peux pas savoir ce que je veux ni ce que nous ferons après si peu de temps. Je ne suis pas superficiel; tu m'as dit toi-même que tu ne supportais pas les gens superficiels. Je ne comprends pas.

— J'ai rencontré un autre homme le week-end dernier et j'ai l'impression que cette fois, ça va marcher entre nous. Je n'ai jamais eu ce sentiment avec toi. Je ne pense pas que tu veuilles t'engager.» Michel a raccroché, sidéré: «Mais où sont donc les femmes qui désirent fréquenter un homme et apprendre à le connaître vraiment? Maintenant que je suis prêt à cela et que je le veux vraiment, je ne trouve personne. Les femme sont hypocrites. Elles disent qu'elles veulent connaître les hommes, mais c'est uniquement dans le but d'éviter des relations sexuelles — pas dans celui de devenir amis.»

L'obligation de s'engager

La pression qu'exerce la femme pour pousser l'homme à s'engager dans la relation est la contrepartie et l'équivalent de celle qu'exerce l'homme sur la femme pour la pousser à avoir des relations sexuelles. L'autodéfense inconsciente fait naître chez l'homme une préoccupation sexuelle obsessionnelle à l'égard de la femme et chez cette dernière une préoccupation d'engagement obsessionnelle et compulsive à l'égard de l'homme.

La femme choisit l'homme en fonction de ses critères d'admissibilité en tant qu'objet d'engagement affectif et rejette souvent celui qui lui conviendrait mieux en tant que partenaire. De la même façon, l'homme choisit une femme «sexy» et rejette celle qui pourrait être pour lui une partenaire parfaite mais qui manque de sex-appeal.

Selon la force de leur féminité et de leurs besoins compulsifs, les femmes sont «irrationnellement» menées par leur besoin urgent d'engagement qui les empêche, temporairement, de voir objectivement la réalité. De leur côté, les hommes sont menés par leur faim sexuelle qui diminue et modifie leur capacité de jugement. Voilà pourquoi les uns et les autres posent des choix inopportuns et autodestructeurs, des choix qui à la longue ne pourront que les faire souffrir. Le fait qu'une femme, lorsqu'elle rencontre un homme, soit préoccupée de l'idée de savoir si celui-ci est prêt ou non à s'engager, n'est que le résultat d'une attitude profondément défensive et déformée, aussi défensive et déformée qu'est celle de l'homme qui fera pression sur une femme qu'il connaît à peine pour que celle-ci couche avec lui.

Quand l'homme parle d'une femme à ses amis — ce qui lui plaît et l'excite en elle, tout ce qu'il dit est en rapport avec la sexualité: elle a un corps superbe, elle est très belle. La femme, elle, quand elle parle à ses amies du type séduisant qu'elle vient de rencontrer, s'empresse de leur raconter qu'il lui a dit qu'il l'aime, qu'il ne peut plus se passer d'elle et veut vivre avec elle ou l'épouser. En bref, il ne fait pas partie de la catégorie des «indécis» ou des «comme les autres».

Un homme obsédé par le sexe rompra ou menacera de rompre la relation si la femme ne veut pas faire l'amour avec lui parce que, pour lui, en dépit de ce qu'*elle peut bien dire,* cela signifie qu'elle n'est pas attirée par lui et ne l'aime pas. Une femme réagit de la même façon devant un homme qui ne veut pas s'engager. Si une relation est inviable pour lui lorsqu'elle ne lui permet pas d'assouvir ses besoins sexuels, elle l'est tout autant pour une femme pour qui vivre une relation qui «n'aboutit à rien» est émotionnellement impossible. L'homme, subitement, lui paraît différent; il ne lui plaît plus; il ne l'intéresse plus.

Ils en arrivent inconsciemment à une position d'échanges où, au lieu de s'engager dans un amour authentique, spontanément consenti et librement offert — comme c'est le cas avec un ami ou toute personne sincèrement aimée —, chacun se concentre sur son besoin défensif de satisfaction, s'acquittant avec parcimonie de son «dû» pour empêcher que la relation ne se termine. Cela peut pousser la femme à répondre aux désirs sexuels de l'homme même si elle n'en éprouve pas la moindre envie; de la même façon, lui peut promettre ce qu'elle demande, sachant que sans cela il la perdra.

Selon le degré de polarisation (masculin/féminin) existant dans une relation, les émotions sous-jacentes et les besoins défensifs des hommes et des femmes sont respectivement déguisés en amour et en intrérêt véritables pour l'autre en tant qu'individu. De la même façon, il arrive souvent qu'une femme qui n'a pas de relation sérieuse en vue devienne complètement obsédée par l'engagement, aussi obsédée qu'un homme qui est privé de relations sexuelles peut l'être par l'envie de faire l'amour. La tension générée par ce manque devient aussi obsessionnelle, puissante et insupportable pour l'un que pour l'autre. Cela les conduira peut-être, subrepticement, à un engagement malheureux, défensif, exigeant et inflexible qui passera de l'illusion romantique à l'intimidation mutuelle. Parce qu'elle se sent «utilisée», la femme peut protéger son vrai moi en devenant «frigide» pour «punir» son compagnon parce qu'il ne l'aime pas *vraiment*; de son côté, celui-ci protégera son vrai moi en se montrant insensible et détaché.

Quand un homme donne un rendez-vous à une femme parce qu'il a envie de faire l'amour avec elle et parce qu'elle lui semble être «une bonne affaire», on juge son attitude méprisable, inhumaine et sexiste. Par contre, si une femme désire rencontrer un homme qui lui semble être un bon candidat à l'engagement et au mariage, on trouve cela tout à faire normal — la motivation est réaliste et digne. *Dans les deux cas, pourtant, on retrouve les mêmes éléments: sexisme, déshumanisation, utilisation de l'autre en tant qu'outil nécessaire à l'accomplissement de besoins de défense instinctifs et attitudes compulsives; tous ces éléments sont inconscients* et par conséquent niés. En résumé, l'homme est, aux yeux de la femme, un «objet» et il n'est pas plus considéré en tant qu'individu qu'elle-même ne l'est par le macho, le mâle à la recherche d'un objet sexuel. Ils ne se contrôlent plus ni l'un ni l'autre et sont conduits par des instincts inconscients, irrationnels et préjudiciables.

Dans une telle relation, les motivations inconscientes de la femme sont vues de façon plus positive que celles de l'homme parce qu'elles paraissent plus humaines, plus orientées vers l'amour et plus acceptables: elles sont les reflets des valeurs de la société. Tout cela s'accorde parfaitement avec les distorsions dans la compréhension et l'interprétation des motivations des deux sexes en général.

Il s'agit là d'un phénomène subtil, insaisissable, mais il est très important de regarder au-delà des illusions créées par les différents systèmes de défense et de comprendre comment chacun des partenaires agit en fonction de sa polarisation, déformant le même phénomène (agression, revendication, indépendance et sexualité) de façon totalement différente, ce qui renforce et perpétue les mauvaises interprétations et les réflexes de défense de chacun.

Par exemple, une femme qui réprime son agressivité a l'air «douce et bonne», tandis que l'homme qui se laisse aller à une réaction de défense très agressive semble dangereux. En fait, ils constituent les deux faces d'une même médaille, interprétant le même phénomène d'autodéfense de façon différente. En effet, qui est le plus agressif, le joueur de football brutal ou la meneuse de claque qui le trouve attirant et le soutient de son amour parce que c'est un «gagneur»? L'homme qui se bat pour l'«honneur» d'une femme ou la femme qui, indirectement, passivement, l'excède en ne réglant pas un problème qu'elle *peut* régler elle-même mais le méprise cependant de ne pas le faire?

L'inconscient féminin suit son schéma intérieur et crée une obsession de la relation et de l'intimité. Cela donne à la femme une apparence positive, aimante et fidèle. Elle devient le symbole de la maison, de la famille et des valeurs traditionnelles. La société appuie ses choix et ses valeurs et lui donne son entière approbation. Il est difficile d'évaluer dans quelle mesure tout cela peut être «mauvais» et préjudiciable. L'inconscient féminin rend pourtant les femmes aussi déséquilibrées et destructrices que le sont les hommes régis par leurs systèmes de défense ou le machisme; seulement, eux agissent dans le sens opposé.

Les problèmes créés par l'inconscient féminin sont beaucoup plus difficiles à traiter et plus nuisibles car ils sont cachés sous un «beau» vernis. Il est donc difficile de voir et de réparer les dommages qu'ils causent.

Quand une femme rompt avec un homme parce qu'il n'est pas «bon pour le mariage» ou qu'il «ne veut pas s'engager», la déshumanisation est mise en évidence par le fait que c'est le même homme dont elle voulait faire le centre de sa vie et que prétendument «elle aimait». Maintenant, elle ne veut plus le voir ni lui parler et l'accuse de lui avoir causé un grand chagrin.

Catherine, une femme d'environ trente ans, était amoureuse d'un homme qu'elle avait rencontré trois ans plus tôt dans une réunion d'affaires; il était alors marié. Comme elle le harcelait et qu'il avait peur de la perdre, il a finalement décidé de quitter sa femme. Catherine le poussait implacablement au mariage. Cependant, quand elle parlait de lui avec ses amis, il était clair qu'elle le méprisait — mais cela, elle ne pouvait le remarquer elle-même, ni l'accepter. Elle le traitait d'«égoïste», d'«arnaqueur», et d'«immature», n'aimait pas ses amis, n'avait pas confiance en lui et cherchait à découvrir ses intentions secrètes. Elle le trouvait *bébé* parce qu'il «geignait» quand il ne se sentait pas bien. Objectivement, elle ne l'aimait pas mais était pourtant obsédée par l'idée qu'il devait l'épouser. De temps en temps, elle piquait une colère parce qu'elle pensait qu'il sapait le programme qu'elle avait établi, l'accusant alors d'avoir peur de s'engager, peur de l'«intimité».

Quand un homme s'engage envers une femme, celle-ci vit une période d'euphorie; son anxiété diminue, comme chez l'homme quand il réussit à séduire une femme qui l'attire. Très vite cependant une tension intérieure s'établit car ses besoins sont insatiables et défensifs et ne sont jamais vraiment satisfaits: elle n'entendra jamais assez de serments rassurants pour apaiser ses besoins féminins, pas plus qu'il n'aura jamais assez de conquêtes sexuelles pour être convaincu, une fois pour toutes, qu'il est vraiment bien, qu'on peut l'aimer.

La prudence instinctive

Nous devons changer notre interprétation de la soi-disant peur du mâle de l'intimité et de l'engagement et la considérer plutôt comme une réponse valable à l'intérieur du contexte d'une relation polarisée, relation dans laquelle l'homme devient, comme la femme, un objet, sa «froideur» ou son intériorisation étant personnelle tandis que chez elle, elle est sexuelle.

La femme qui, avant un premier rendez-vous ou au cours de celui-ci, se renseigne auprès de l'homme sur ses aptitudes à l'intimité et sur ses possibilités d'engagement crée, pour elle comme pour lui, un contexte préjudiciable et déshumanisant. Je me souviens d'une femme qui avait une liaison avec un homme depuis longtemps, un homme qu'elle aimait et qui tenait vraiment à elle. Ils étaient bons amis, très amoureux et se plaisaient énormément en compagnie l'un de l'autre. Il ne se sentait pas prêt pour le mariage, ce qui ne voulait pas dire qu'il le refusait dans l'avenir.

Elle a rompu avec lui pour sortir avec un homme qui, elle le savait, voulait l'épouser, puis elle a conclu un mariage lamentable qui n'a d'ailleurs pas duré, pour satisfaire un besoin défensif «irrationnel». Piégée par ses compulsions, ses besoins profonds, elle faisait la sourde oreille à tout ce qui pouvait contrarier ce mariage.

L'homme avec qui elle s'est mariée ne l'a épousée que parce qu'il était en compétition avec un autre. Beaucoup d'hommes se sentent ainsi tout à coup «prêts» pour le mariage s'ils se sentent menacés, mais cela n'a rien à voir avec leurs désirs réels ou leurs aptitudes pour l'intimité ou l'amour. Ils veulent posséder la femme pour affirmer leur virilité ou parce qu'ils ont peur de la perdre, promettant dans chacun des cas le mariage de la même façon que la femme utilise le sexe pour prendre le contrôle de la situation. Il a fallu à cette femme trois pénibles années de mariage pour comprendre son erreur. Elle a divorcé et, par bonheur, son véritable amour était toujours libre. Tous deux ont repris leur relation qui, en fait, était très satisfaisante et ont fini par se marier.

Lorsqu'une femme reproche à un homme son incapacité de s'engager, elle révèle ses propres besoins inconscients et n'est pas plus maîtresse d'elle-même que l'homme qui accuse de «frigidité» la femme qui refuse de coucher avec lui, sans se rendre compte que c'est son insistance qui la bloque. Une femme dévoile ses défenses inconscientes quand elle déclare par exemple: «Les hommes sont incapables d'union, d'engagement», ou: «Je ne connais aucun homme qui sait ce que le mot intimité veut dire.» Elle ne se rend pas compte que ses propres besoins inconscients créent une tension qui incite l'homme à résister: il devient incapable d'«intimité».

On a appris à l'homme à se sentir coupable de la difficulté qu'il éprouve à se montrer «gentil» et à accéder au désir de rapprochement de la femme. Ce sentiment de culpabilité l'empêche non seulement de respecter et de vivre sereinement ces sentiments de résistance, mais également d'en voir les qualités protectrices. Au lieu de cela, on lui répète — et il finit par le croire — qu'il a un problème avec l'intimité et la fidélité et qu'*il* doit le régler. L'homme apprend à considérer cela comme son problème personnel. La culpabilité, les doutes et le manque de confiance en soi l'empêchent de comprendre la signification de cette résistance et il finit par se blâmer lui-même.

La relation authentique

Engagement et intimité sont des termes qui sont souvent mal compris et mal utilisés. On a tendance à définir ces concepts d'une façon trop restrictive, comme c'est le cas pour la sexualité lorsque les gens parlent de leur «vie sexuelle» comme si leurs relations n'étaient rien d'autre que cela. Un couple dira: «Nous nous battons avec nos problèmes d'intimité et nos efforts pour nous rapprocher l'un de l'autre.» Ils ont en effet à se «battre» car il existe une résistance inconsciente, comme ils doivent se battre pour réussir des relations sexuelles faussées par des motivations défensives. Ces couples ne semblent jamais satisfaits parce qu'ils n'ont pas conscience de la polarisation défensive qui est à la base du problème.

Dans une relation authentique, amoureuse, l'engagement — un sous-produit et non pas un produit par lui-même — est présent comme dans la meilleure des relations d'amitié. Vous *voulez* vous engager envers l'être que vous aimez parce que vous vous intéressez à la personne en elle-même. Si vos amis ont des ennuis, vous vous empressez de les aider, mais ce n'est pas *parce que* vous avez un engagement envers eux. S'ils veulent parler, vous *voudrez* leur parler ou vous vous sentirez libre de leur dire, sans culpabilité ni menace pour votre «engagement», que vous ne pouvez pas le faire. Il n'est pas besoin de réfléchir. La confiance et la sécurité existent si l'amitié est fondée sur une affection réelle et un intérêt réciproque. Une relation sans mécanismes de défense — tout comme des relations sexuelles sans mécanismes de défense — se crée entre deux personnes qui se sentent bien et en sécurité quand elles sont ensemble. Le fait de «devoir faire des efforts» indique un manque de sécurité ou d'authenticité.

Quand une femme demande à un homme de s'abandonner parce qu'il peut «lui faire confiance et se sentir en sécurité avec elle», elle croit en fait qu'elle est digne de confiance; c'est exactement ce qu'elle veut dire. C'est la même chose quand un homme dit à une femme, alors qu'*il* a envie d'elle: «Tu peux me faire confiance — laisse-toi tout simplement faire et tu verras comme cela va être agréable. Je te le garantis.» Ce n'est pas cela qui la *sécurisera*.

Beaucoup de femmes se sentent vulnérables quand elles ont des relations sexuelles sans engagement. Une femme dira: «Tu me pousses à avoir des relations sexuelles avec toi. Mais si je fais l'amour avec un homme, je m'y attache profondément et je me sens vulnérable.» Les hommes se sentent également vulnérables quand on les force à s'engager. Ils sont effrayés, comme les femmes le sont lorsqu'elles ont des relations sexuelles avec une personne «relativement étrangère».

Quand la femme dit: «Je t'aime mais, si tu ne m'épouses pas, je te quitterai et ne te reverai plus jamais parce que j'aurais trop mal», il n'est alors question ni de véritable amour ni d'amitié. Elle ne fait que satisfaire ses besoins défensifs. Elle est guidée par une compulsion qu'elle doit régler et ni elle ni lui ne se rendent compte que c'est une obsession défensive qui la fait agir ainsi.

La société renforce chez la femme le sentiment d'être une victime quand elle ne trouve pas ce dont elle a besoin dans une relation. C'est pourquoi, plutôt que de négocier les conflits d'une façon réaliste et de chercher, avec l'homme qu'elle aime et qui ne lui donne pas ce qu'elle veut, une solution saine à leurs problèmes de couple, la femme se sent blessée et veut le quitter. Sa souffrance, son anxiété et sa tension intérieure prennent le dessus. Elle est incapable de réagir de façon saine. Par conséquent, cette expérience ne l'aide nullement à mieux se connaître. Il arrive souvent qu'une femme se retrouve avec un homme qui veut s'engager pour satisfaire son besoin «macho» de protéger les femmes. Ce qui signifie qu'en contrepartie de son engagement à elle, il la traite comme un objet. Elle doit donc payer pour l'accomplissement de ses besoins défensifs. Elle va découvrir qu'elle n'aime pas *réellement* l'homme et qu'elle ne se plaît pas en sa compagnie. En fait elle va se rendre compte qu'il est dangereux pour sa santé physique et émotionnelle.

Ce qu'elle voulait réellement, c'était le mariage et non l'homme. Il s'agit là d'une distinction très importante. Elle ne voulait pas l'homme en tant que tel, elle voulait simplement satisfaire ses besoins. Une fois que le mariage a eu lieu, ne reste plus que l'expérience de la vie quotidienne; la femme devient malheureuse et frustrée.

De plus, la femme pense qu'elle désire l'engagement et l'intimité alors que ce qu'elle veut réellement c'est être délivrée de la tension de l'extériorisation. Cela se traduit par le besoin d'être prise en charge, d'être rassurée, de se fondre dans l'autre et de s'oublier pour échapper à l'anxiété défensive. Mais comment peut-on distinguer cela? Simplement parce qu'elle choisira forcément un homme qui, tout en lui permettant de se fondre en lui, sera incapable de lui donner l'intimité qu'*elle dit vouloir*. Elle ne connaîtra rien de tel avec lui. Si elle désire réellement cette intimité et non pas une fusion défensive, la dernière personne qu'elle doit choisir est cet «homme magique» dont elle est «tombée amoureuse» avant même de le connaître. Si elle arrive à prendre un peu de recul et à le regarder objectivement, elle verra qu'il est incapable de lui donner ce qu'elle attend. Il est beaucoup trop refermé sur lui-même et trop obsédé par les buts qu'il s'est fixé. C'est pourquoi le mot «intimité» devient pour la femme un euphémisme, qui lui permet de nommer ses besoins défensifs mais qui n'a rien à voir avec un véritable rapprochement.

Sylvie, publicitaire dans une compagnie d'assurances, avait l'air d'une femme libérée. Cependant, sous ses dehors de femme indépendante, elle cachait un énorme besoin de «fusion». Elle a rencontré Marc, un avocat. Lui aussi semblait libéré mais en réalité il avait une sérieuse tendance à vouloir dominer, protéger, tout en se sentant toujours coupable. Dès leur première rencontre ce fut le coup de foudre, mais aussitôt chacun a commencé à faire pression sur l'autre: elle voulait qu'il l'épouse, et lui voulait la protéger et ne pas «la blesser» comme les autres hommes l'avaient fait. Il savait pourtant que cet «engagement prématuré» était une grossière erreur.

Tout de suite après que la date du mariage a été fixée, Marc a commencé à ressentir des vertiges et des nausées. Il s'est alors confié à une amie très proche et s'est ainsi rendu compte de l'angoisse qu'il ressentait — et réprimait — à l'idée de se sentir contraint et manipulé. Sylvie paniquait à l'idée de ne pas être en mesure de s'occuper des enfants qu'elle aurait, de manquer d'argent et de perdre la santé. Elle a vu en Marc l'homme parfait qui prendrait soin d'elle, qui la «protégerait». Le sens des responsabilités de Marc et son complexe de culpabilité l'obligeraient à dire oui.

Un soir, peu de temps après qu'il ait découvert à quel point il était en colère de se sentir manipulé, Marc a dit à son amie: «Je t'aime beaucoup et je veux vraiment t'épouser, mais je voudrais reculer un peu la date de notre mariage. J'ai besoin d'un mois ou deux pour me préparer à ce qui m'arrive.»

Sylvie est devenue hystérique. Elle a menacé de se suicider et s'est enfuie de son appartement. Marc l'a rattrapée et quand il a essayé de lui expliquer qu'il ne la rejetait pas, mais demandait seulement un peu de temps, elle a refusé d'en discuter. Elle répétait sans cesse: «C'est très bien, je ne veux plus te voir. Je veux qu'on en finisse tout de suite. Tu ne m'aimes pas.» Inconsciemment ou peut-être consciemment, elle le manipulait en jouant sur son énorme sentiment de culpabilité. Elle a réussi. Il s'est rétracté et lui a déclaré qu'il l'épouserait à la date prévue.

Comme on pouvait s'y attendre, ce mariage a vite tourné au cauchemar pour Marc. Sylvie est devenue terriblement distante alors qu'avant le mariage elle était en adoration devant lui et se montrait très sensible à chacune de ses humeurs. Il a deviné à juste titre que la jeune femme ne se sentait pas bien lorsqu'elle était près de lui. Elle avait du mal à concentrer son attention sur son mari et semblait s'ennuyer avec lui, lui reprochant sa propre «froideur» et lui disant qu'elle était encore traumatisée par son «changement d'avis» pour le mariage, qu'elle ne s'en remettait pas. Maintenant, *c'était lui* qui était insécurisé, qui mendiait de l'affection. Il avait cessé de voir tous ses amis, abandonné tous ses loisirs pour rester près d'elle et se rassurer quant à son amour.

Marc était incapable de voir que sa femme le manipulait pour satisfaire son besoin défensif d'être protégée, un besoin appelé «désir d'engagement». Son sentiment de culpabilité l'empêchait de comprendre ce qui se passait, jusqu'à ce qu'une scène plus violente avec sa femme le décide à entreprendre une thérapie. C'est alors qu'il a commencé le processus qu'il aurait dû suivre bien avant: apprendre comment interpréter et comprendre ses propres réactions. Mais il avait trop attendu, trop de ressentiments s'étaient accumulés entre eux et ils ont dû divorcer.

Obsession et irrationnalité dans la sexualité et dans l'engagement

Les femmes comprendront plus facilement l'obsession masculine de la sexualité quand elles comprendront la nature irrationnelle de leur propre obsession de l'engagement. Cette prise de conscience chez l'homme et chez la femme est une étape primordiale vers une nouvelle humanisation entre les sexes.

L'homme masculin et la femme féminine sont polarisés de façons diamétralement opposées, et il n'est pas un système de défense, généré par le conditionnement sexuel, qui soit meilleur que l'autre. L'homme et la femme réagissent instinctivement quand ils se sentent utilisés comme des objets et tous deux savent, lorsqu'ils ressentent un sentiment de sécurité et de bien-être — sentiment découlant de l'abandon de leurs réflexes de défense — qu'ils sont réellement aimés.

Un mariage sain est l'aboutissement naturel d'une relation équilibrée et bien conçue; ce n'est pas le but d'une relation. Il n'est pas besoin de s'y forcer, d'en parler, d'y réfléchir. Ce désir naît tout seul et ne fait plaisir aux deux partenaires qu'à la condition que ceux-ci ne soient pas animés de besoins défensifs et polarisés.

Comment un homme peut-il reconnaître un besoin défensif d'engagement?

1. Vous vous sentez coupable de ne pas vous donner davantage.
2. Vous finissez par être persuadé que vos problèmes de couple sont dûs à votre «peur de l'intimité».
3. Vos conversations reviennent toujours sur les questions de mariage, d'intimité et de rapprochement et cela devient une source constante de tension.
4. Quand elle parle des hommes en général, il est évident qu'elle les croit «handicapés» dans leur relation ou dans leur capacité de vivre une relation intime.
5. Vous vous sentez coupable quand vous freinez l'évolution de la relation.
6. Vous craignez d'exprimer votre résistance à un attachement plus profond par peur de lui faire de la peine ou de l'inciter à rompre votre relation.
7. Vous vous sentez moche, méchant quand vous vous comparez à elle.
8. Vous êtes tous deux d'accord pour dire que *vous* êtes responsable de vos problèmes de couple.

4

Un des deux fait la sale besogne: comprendre la rupture de votre relation

Dans les derniers temps du mariage de Marc et de Marie, il semblait évident à leurs proches que Marc en avait déjà assez de sa femme. Marie tenait bon par masochisme, semblait-il, et supportait les bouderies de Marc et ses refus de lui dire où il allait et à quelle heure il comptait rentrer à la maison. «Es-tu chargée de me surveiller?» demandait-il. Elle essayait de fermer les yeux sur son comportement ambigu, lorsqu'il regardait les autres femmes, même mariées, quand ils allaient à l'église le dimanche, l'une des seules choses qu'ils faisaient encore ensemble.

Poussé par le prêtre et inquiet à l'idée que Marie fasse une dépression nerveuse — ou, pire encore, qu'elle fasse appel pour le divorce à l'«un de ces requins vicieux d'avocats» —, Marc a accepté de suivre avec elle une thérapie conjugale.

Pendant la première séance, Marie a pleuré et Marc est resté assis, silencieux. «J'ai l'impression d'être une ordure! a-t-il dit finalement. Je ne peux pas être si cruel, *personne* ne peut être aussi cruel.» Marc a reconnu qu'il voulait en finir avec ce mariage. «Cela peut paraître dénué de tous sentiments, mais, au fond de moi, je crois que le divorce nous sauverait. Avant notre mariage, Marie était enjouée, énergique, active et optimiste. Je peux dire que, dès le lendemain de notre mariage, elle est devenue une fanatique du ménage, se plaignant continuellement de douleurs ou de fatigue. Elle épluchait son horoscope, cherchait le dernier gourou à la mode ou la philosophie qui la sauverait et le rendrait heureuse. Plus aucune énergie, aucune vitalité, fini les rires. Je sais pourtant qu'elle n'est pas comme ça. Je la connaissais depuis six ans avant de l'épouser et croyez-moi, je sais quelle femme agréable, amusante elle peut être.»

Jeanne et Philippe ont connu la situation contraire. C'est Jeanne qui, de temps en temps revenait très tard de ses cours du soir. Elle mentait d'une façon éhontée sur les endroits qu'elle fréquentait et les gens qu'elle y rencontrait: «J'étais prise par une discussion passionnante avec les autres étudiants. Je ne savais pas que cela t'ennuierait si je rentrais tard. Tu me répètes que je dois avoir ma propre identité et ne pas calquer mon comportement sur le tien. N'es-tu pas ravi que je vive ma vie?»

Quand une aventure d'un soir est devenue une liaison passionnée, le divorce s'est révélé inévitable. Au yeux de leurs amis, le comportement de Jeanne était ou bien hostile ou bien autodestructeur, car ils ne comprenaient pas pourquoi elle voulait divorcer de Philippe qui passait pour un garçon patient, gentil et riche de surcroît. Pour la fierté de Philippe, l'idée d'être trompé était insupportable et pourtant, il en était sûr, il se passait quelque chose.

D'une part, Philippe était furieux et déplorait l'échec de son mariage, de leur vie de famille «idéale» avec leurs deux garçons et, d'autre part, dans ses moments de lucidité, en son for intérieur, il remerciait Jeanne, ce qui ne l'empêchait pas de la maudire et de l'insulter. Sa propre culpabilité lui interdisait de briser un mariage qui, à ses yeux et à ceux de ses amis intimes, avait fait de lui «un vieil homme» en six ans à peine. Il avait pris dix kilos, fumait beaucoup trop, était continuellement épuisé et s'abrutissait de travail et de télévision; ses prouesses sexuelles n'étaient plus que des souvenirs. Un mois après le divorce, Philippe ne fumait plus, avait minci et retrouvé sa vigueur sexuelle d'antan; il ne lui arrivait plus que très rarement de pousser le bouton de la télévision quand il était à la maison où il vivait maintenant seul.

La fin d'une relation

Quand un couple se sépare, on recherche systématiquement les causes de la rupture, on veut pouvoir montrer du doigt et blâmer, on recherche les raisons pour lesquelles la relation s'est éteinte ou s'est détériorée. Mais une rupture est toujours le fait de deux volontés, qu'on l'admette ou non.

Dans une relation traditionnelle, l'un des conjoints apparaît comme «l'empêcheur de danser en rond», mais on peut facilement démontrer que l'autre, «l'abandonné» a sa part de responsabilités dans l'éclatement de la relation bien qu'elle soit moins évidente ou qu'elle soit niée. Quand une relation, où l'équilibre entre deux personnes est essentiel, se déstabilise, les deux partenaires ressentent de la colère et du chagrin même si l'un d'eux refoule, nie ou dissimule sa souffrance et sa tension dans une implication professionnelle excessive, dans l'éducation des enfants, dans la maladie, etc. Quand ces sentiments deviennent trop violents pour être contenus, la relation explose et l'un des partenaires se trouve projeté dans le rôle d'instigateur.

Depuis quelques décennies, ce sont les femmes qui, le plus souvent, sont les instigatrices des ruptures, car les hommes sont paralysés par un sentiment de culpabilité et une dépendance qui les empêchent d'agir en fonction de *leur* colère et de *leur* souffrance. Cependant, le fait que l'homme soit la plupart du temps «surpris» et perplexe quand il est subitement abandonné — il pensait que tout était pour le mieux — laisse supposer qu'il met la femme de côté en faisant la sourde oreille à la réalité de ses sentiments. Il ne voit pas ou n'accepte pas *sa* façon de vivre la relation. Inconsciemment, l'homme souffrait probablement autant que la femme mais il a dû refuser cette souffrance par peur, soit parce qu'il dépendait d'elle ou parce qu'il se sentait coupable. Ou peut-être échappait-il à la réalité en buvant, en s'abrutissant de télévision et de travail ou en ayant des aventures extraconjugales.

Les ruptures sont très souvent un jeu subtil de pouvoirs dont le but est de clore une relation en en rendant l'autre responsable ou en lui imposant le rôle du traître. Nous pouvons comparer cela à une guerre entre deux nations où le désir de faire apparaître l'antagoniste «méchant» et l'autre «bon» est plus important que de rechercher les causes profondes qui sont à l'origine de cette interaction destructive. Vue sous cet angle, la situation ne peut évoluer positivement ni pour l'un ni pour l'autre.

J'ai fréquemment remarqué que la personne abandonnée n'aimait pas réellement son partenaire en tant que personne mais qu'elle refusait de l'admettre. Elle ressentait même peut-être une profonde antipathie pour l'autre ou du moins ne le voyait-elle pas dans son entière réalité. Attachée à un fantasme, à un besoin de complémentarité, cette personne était incapable de voir l'autre telle qu'il ou elle était réellement. Le partenaire qui était délaissé provoquait continuellement celui qui partait, en l'ignorant, en l'insultant, en créant une dépendance destructice, etc. Cependant, le «laissé-pour-compte» ne savait pas qu'au fond, c'était lui qui voulait chasser l'autre ou désirait qu'il parte, il l'a seulement compris quand il s'est trouvé face à l'évidence.

Jacques et Nathalie: Il veut se séparer d'elle. Elle refuse la séparation. Quoi qu'il lui demande, elle l'oublie: elle oublie qu'il ne veut pas de sel dans sa nourriture, elle oublie qu'il ne veut pas qu'on aborde les sujets douloureux — les problèmes qu'ils ont avec leur fille par exemple. Quand ils partent en vacances ou en voyage d'affaires, elle s'empresse de lui faire part de quelque mauvaise nouvelle qui ruine son espoir de se détendre ou de s'amuser.

François et Laure: Il dit qu'il ne veut pas qu'elle parte. Il la domine, il se montre très critique et très froid envers elle bien qu'il connaisse son besoin de tendresse. Lui aussi est malheureux; ses rages soudaines «à propos de détails insignifiants» le trahissent. Il lui trouve peu de qualités mais, malgré cela, il ne veut pas qu'elle le quitte.

Pierre et Christine: Il a eu l'impression de faire une bêtise quand il l'a épousée. Elle est très séduisante, provocante avec les autres hommes. Il la trouve superficielle, infidèle et menteuse, ce qui ne l'empêche pas de la supplier désespérément de ne pas le quitter, mais elle continue quand même à s'éloigner de lui. Par ses critiques incessantes, il est également responsable de son éloignement. Elle lui a clairement expliqué son profond besoin d'indépendance, mais il ne lui laisse aucune liberté; il tourne autour d'elle, l'appelle sans cesse et l'étouffe. Il ne se rend pas compte qu'il la rejette constamment et qu'inconsciemment il accélère son départ.

Donc, *il y en a toujours un des deux qui endosse le mauvais rôle.* Quand la relation est saturée de colère, de frustration et d'incommunicabilité, l'un doit partir pour le bien-être des deux. Leurs colères respectives, dissimulées ou exprimées, atteignent un tel degré d'intensité qu'ils sont capables, l'un comme l'autre, de se rendre malade ou de se nuire mutuellement. Il n'y a pourtant aucune raison à cela, ils ne sont pas plus responsables l'un que l'autre: c'est l'aboutissement d'un cheminement auquel ils ont contribué tous deux et dont ils désirent sortir même si l'un ou l'autre refuse cette évidence.

Dans une relation polarisée, la femme a habituellement refoulé son agressivité; c'est pourquoi sa participation à la rupture est souvent «invisible». Elle a besoin de sentir et de légitimer son état de victime. En outre, puisque le mâle a le rôle actif, — son conditionnement social le tourne vers l'extérieur alors que la relation sentimentale est un processus d'intériorisation axé sur les besoins «personnels» — c'est presque toujours lui qui *semble* être responsable du problème qui est à l'origine de la rupture.

Tel qu'il est conçu, le mariage est une institution essentiellement féminine, les qualités requises pour sa réussite étant beaucoup plus développées dans la conscience féminine. Dans le naufrage d'un mariage, l'homme joue presque toujours le rôle de «méchant» parce qu'il est moins apte à établir cette sorte de relation centrée sur elle-même et ne possède pas la sensibilité altruiste que demande le mariage.

Dans beaucoup de cas, il est celui qui a évité et refusé les efforts de sa femme pour établir une communication claire entre eux; il est celui qui pensait qu'intimité signifiait relations sexuelles; il est celui qui a souvent préféré passer la journée dehors à travailler sur sa moto ou sur sa voiture plutôt que d'aller se promener avec sa famille. Il est encore celui qui a «choisi» de se consacrer à sa carrière au détriment de sa vie privée alors que sa femme ne partageait pas cette ambition.

Néanmoins, elle non plus n'a pas rempli son contrat, et ses dons pour établir une relation n'étaient qu'une semi-illusion puisqu'elle a refusé de prendre la responsabilité de sa propre vie et a manœuvré adroitement afin de lui faire endosser cette responsabilité pour ensuite se plaindre d'être dominée ou «traitée comme une enfant». Il est vrai qu'elle était très proche des enfants et qu'elle s'en occupait parfaitement. C'est vrai aussi qu'elle gérait la maison et faisait beaucoup de choses pour lui: elle entretenait de bonnes relations avec sa famille; on pouvait lui faire confiance pour rappeler un anniversaire ou mettre la correspondance à jour.

En résumé, ni l'un ni l'autre n'avait une conduite responsable. Elle «abandonnait» son identité et présentait une image réactive, passive et désarmée alimentant ainsi la tendance de l'homme à prendre sur son dos la culpabilité et les responsabilités. Quand ils discutaient, au lieu de *se battre* pour appliquer une résolution salutaire, sans victime, elle fondait en larmes. Elle se montrait impatiente et lui reprochait ses façons «insensibles» et «frustrées». Elle lui demandait l'impossible. L'ayant inconsciemment transformé en père, elle attendait de lui assistance financière, soutien physique et moral pour toutes les difficultés qu'elle rencontrait; en même temps, elle lui reprochait les restrictions que lui et leur relation lui imposaient. En résumé, elle était incapable d'affirmer son identité, sa réalité et de le voir tel qu'il était réellement, de le comprendre, de l'assister sur un pied d'égalité au lieu de réclamer de la «tendresse» et «des rapprochements», expression de son besoin inconscient de se décharger des responsabilités. Elle donnait l'impression de tout faire parfaitement, mais, sous cette couverture, elle lui abandonnait entièrement tout ce qui n'était pas son objectif essentiel.

Bien souvent les hommes parlent de leur femme en ces termes: «C'est une bonne épouse»; «C'est une bonne mère»; «Elle est très gentille»; «Elle ne ferait pas de mal à une mouche»; etc. L'auditeur perspicace se rendra vite compte que cela sonne creux, qu'il faut y ajouter la souffrance émotionnelle de l'homme, ses vaines et inexprimables détresse et aliénation — inexprimables parce que ses possibilités de dévoiler ses émotions sont sous-développées et contrariées soit par des explosions de colère et de passion, soit par un repli sur lui-même; inexprimables parce qu'il s'estimerait fou, puéril et se traiterait de «femmelette» s'il agissait autrement; inexprimables parce que le schéma tordu de la relation ne lui permet pas de comprendre ce qui se passe et le laisse seul avec ses désirs inassouvis.

Ils sont donc, tous deux, de plus en plus malheureux, déçus; ils ont perdu leurs illusions, chacun à leur manière. Ils sont prisonniers d'un système qu'ils ne peuvent ni voir ni comprendre, mais qu'ils alimentent tous deux. Ils se haïssent tout en restant agrippés l'un à l'autre pour satisfaire leurs besoins inconscients. La tension qui se crée entre eux s'échappe par des mécanismes caractéristiques: pour lui, excès de travail, repli sur soi-même, etc.; pour elle, maternage, boulimie, etc.; tout cela entrecoupé de rites sentimentaux qui les rassurent quant à la normalité de leur couple.

Lorsque la tension atteint un point culminant, quand la femme surprend son mari avec une autre femme ou bien que la passion de celui-ci pour sa maîtresse l'emporte sur son sentiment de culpabilité, ou pour toute autre raison flagrante, ils se séparent.

Depuis de nombreuses années, l'homme a donc été, presque toujours, responsable de son divorce. Il arrive quelquefois que la souffrance, l'ennui et l'engourdissement le poussent à agir d'une manière insensée pour essayer d'échapper à la structure du mariage qui ne lui convient pas; il aura des aventures extraconjugales, se réfugiera dans la boisson ou le travail. Toutes ces réactions sont, chez les mâles, des symptômes de tension, de frustration.

Sa structure psychique lui interdisant de jouer le rôle du «méchant», la femme exprimera ses frustrations par des larmes, des reproches, en «souffrant». Après tout, elle semblait posséder plus qu'il n'était nécessaire pour réussir son mariage et elle était prétendument plus impliquée dans celui-ci que son mari.

Dire que le mariage est une institution féminine et que les hommes sont systématiquement inadaptés à ses structures n'est ni une critique ni une façon de rejeter les responsabilités sur les femmes. Le mariage est une conjoncture qui demande une évolution intérieure — possibilité de communiquer, d'exprimer ses sentiments et ses besoins. Aucun de ces éléments ne relève des habitudes ni des compétences du mâle traditionnel dans une relation polarisée.

Le pire, c'est que les petites choses qui font d'un homme un bon mari potentiel font généralement de lui un partenaire médiocre dans le mariage. S'il est prévoyant et protecteur, s'il prend facilement les décisions et s'il est responsable, il est à peu près certain qu'il accusera des insuffisances dans les domaines privés et «intimes». Invariablement, avant le mariage la femme le regardera comme un héros, puis cette image se ternira progressivement jusqu'à ce qu'elle se sente et se dise déçue. «Il n'est pas comme je le pensais. Je croyais qu'il serait plus aimant, plus attentionné. En fait, c'est un égoïste, un bourreau de travail; il est moins intéressé par sa famille qu'il ne l'est par sa carrière.»

Dire qu'un bon mari est un bon partenaire dans une relation est donc une contradiction, particulièrement dans les relations traditionnelles. Bien souvent l'homme qui réussit le mieux son mariage est celui qui accepte, qui s'en remet à la volonté de sa femme. Il n'a peut-être pas l'apparence d'un joyeux partenaire, mais au moins ce n'est pas un fauteur de troubles. On dit de lui: c'est un «brave gars», un garçon attentionné veillant aux choses symboliques qui rendent sa femme «heureuse». Il apporte des fleurs, fait les courses, travaille dans la maison, il est patient quand sa femme ne se sent pas bien et il n'a pas d'exigences sexuelles. Toutes ces petites choses font de lui «un bon mari».

Par contre, cet homme prévoyant et protecteur n'est pas en mesure de communiquer ses sentiments personnels. Il est incapable de se rapprocher, avec succès, de sa femme, parce que les besoins intériorisés de celle-ci sont «insondables» et que son conditionnement «extériorisé» à lui l'empêche d'y répondre, le rendant ainsi «inapte».

En résumé, dans ce genre de rapports conjuguaux et dans les relations polarisées — et la majorité des mariages le deviennent —, les tensions s'exacerbent de part et d'autre. La femme a le sentiment d'être dominée, frustrée, maltraitée, violée, délaissée, déçue; l'homme étouffe parce qu'il ne trouve pas l'excitation, la stimulation et le défi que son tempérament extériorisé réclame, il est accablé par son rôle d'acteur et de pourvoyeur.

Marthe et Robert: Robert était un homme d'affaires très occupé; son ambition était d'accéder à un poste de directeur dans la firme qui l'employait. Marthe travaillait à mi-temps comme assistante scolaire, mais elle passait la majeure partie de son temps à la maison à s'occuper de leurs quatre enfants.

Marthe se souvient qu'à l'époque où ils se sont rencontrés, Robert ne parlait que de la famille qu'il voulait fonder, de ce que les enfants représentaient pour lui — il en voulait plusieurs. Il trouvait que les femmes enceintes étaient très belles. Peu de temps après, Marthe s'est rendu compte de l'importance que Robert accordait à son travail. Même quand il était à la maison, son travail était toujours présent à son esprit; si on lui téléphonait pour lui dire qu'il y avait un problème dans une des succursales de sa firme, en deux temps trois mouvements il avait pris l'avion pour se rendre sur place.

Un samedi après-midi, Marthe avait organisé un barbecue, mais elle a dû s'absenter pour courir au magasin afin d'aller chercher une sauce spéciale. Quand elle est rentrée, son mari se préparait à partir. Cette belle journée était fichue et, accablée par sa déception, sa colère et ses désirs frustrés, Marthe lui a crié qu'il ne s'occupait ni d'elle ni des enfants, que tout ce qu'il faisait, il le faisait pour lui-même. «C'est pour toi! Toi! Ton propre ego! Il n'y a rien pour nous, pas de moments en famille, pas de vacances ensemble, rien, rien du tout!»

Au début, le statut professionnel de Robert, son importance, ses responsabilités au sein de l'entreprise la remplissaient de fierté mais, au fur et à mesure que le temps passait, elle se sentait de plus en plus déçue et solitaire. Quand «il filait sur son cheval blanc», comme elle disait, elle était furieuse et devenait accusatrice. «Tu disais que tu voulais une épouse et une famille et c'est comme ça que tu le prouves! Tu n'es jamais là ni pour moi, ni pour les enfants. Je m'en occupe seule. Quand tu es là, tu es dans ton bain, tu lis ton journal, le reste du temps tu le passes devant la télévision, et je ne peux t'adresser la parole que pendant les annonces publicitaires. Même le jardin je le fais seule; nous ne discutons jamais!»

Il aurait voulu répondre: «Je fais tout cela pour vous. Pourquoi crois-tu que je travaille?» Robert pensait qu'il travaillait pour sa famille. Il estimait qu'il était un bon mari et un bon père, bien qu'il reconnaissait que son travail l'obligeait à s'absenter souvent. Étant le principal soutien de la famille, il pensait qu'il ne devait pas seulement apporter aux siens le nécessaire, mais aussi poser des bases confortables pour sa retraite et celle de sa femme.

Il était très déçu du peu de soutien que Marthe lui apportait, il avait toujours l'impression qu'elle essayait de le blesser. Quand il lui en a fait part, elle n'a pas compris ce qu'il voulait dire.

Quelquefois, Marthe lui disait des paroles méchantes. Mais c'est *parce qu'il* l'avait mise en colère ou qu'*il* l'avait blessée. S'il avait voulu faire un effort pour «apprendre à la connaître», il aurait su qu'elle voulait seulement se rapprocher de lui et être aimante. Si au moins ils avaient pu en parler vraiment…, pensait-elle.

Robert se moquait d'elle et appelait ses «discussions» de simples diatribes. Elle a continué à se plaindre de plus en plus de la vie difficile et misérable qu'il lui faisait mener. Lui se plaignait de ce que ces «discussions» étaient interminables, c'est pourquoi il les évitait.

Au fil du temps, leur relation a continué à se détériorer, avec de plus en plus de crises de colère entrecoupées par de courtes périodes de calme relatif et des moments où ils se repliaient sur eux-mêmes. Ils ne s'apportaient plus rien l'un à l'autre.

Robert a alors réalisé que la fin de leur union était proche, que leur relation était morte même si elle existait encore physiquement. Marthe refusait de le reconnaître et de l'accepter. Elle pleurait et promettait de faire des efforts. Plus il essayait de se détacher d'elle, plus elle s'accrochait et reniait tous les sentiments négatifs qu'elle avait constamment exprimés.

Elle n'était pas vraiment heureuse avec lui, mais elle était incapable de prendre la responsabilité de la séparation ni d'accepter d'être «l'abandonnée» ou «la rejetée». Le jour où Robert a annoncé sérieusement son départ, il a donné à sa femme l'opportunité d'exploiter sa position de martyre.

Robert savait que personne ne comprendrait son geste, ni elle ni sa famille, et que la rançon à payer pour sortir de cette relation morte était d'accepter le rôle du «méchant»; c'est pourquoi il n'a même pas essayé de s'expliquer. Il a quitté la ville sans revoir personne sauf les enfants; Marthe a pleuré et tous l'ont plainte.

Elle n'avait pas consciemment poussé son mari à partir. Mais au fur et à mesure qu'elle s'adaptait à sa nouvelle situation, elle s'est rapidement rendu compte que non seulement elle l'acceptait mais que la liberté et le pouvoir retrouvés la stimulaient. C'est alors qu'elle a compris qu'elle n'avait jamais réellement désiré le mariage — ce qu'elle n'aurait pu comprendre plus tôt —, réalisant peu à peu qu'elle avait été tout aussi responsable de leurs problèmes que son mari.

Au fur et à mesure que Marthe reprenait confiance, Robert se sentait de moins en moins coupable et sans reprendre la vie commune, ils furent bientôt à même de rétablir une communication équilibrée et de développer un climat agréable où les enfants pouvaient aller et venir librement, chacun des parents apportant son soutien à l'autre. Robert et Marthe ont pu sortir de cette situation avec intelligence et faire évoluer leur conscience et leur compréhension de la relation. Ils avaient réalisé que personne n'était à blâmer, que seule leur polarisation était responsable du marasme dans lequel ils avaient vécu. Ils sont devenus de très bons amis.

Une relation se brise parce que la tension accumulée est trop forte de part et d'autre et la souffrance engendrée trop grande. La violence du choc est alors proportionnelle à la polarisation. La relation succombe sous son propre poids. Au moment où les liens se brisent, inconsciemment la course est commencée. S'ensuivent une bousculade et un combat pour le pouvoir. Qui quittera la relation avec un minimum de culpabilité? Qui a le plus de choses à reprocher à l'autre? Qui partira en se disant que sa démarche est justifiée?

Les relations: des conflits de pouvoir

Les relations traditionnelles sont des conflits de pouvoirs. Au début de la relation, l'enjeu est la défense des besoins et des orientations de chacun. Le rôle de la femme est de rendre l'homme plus humain, plus sensible. En l'épousant, elle est persuadée qu'elle pourra le changer. Lui essaie de contrôler et de dominer l'orientation et l'évolution de la relation. Il veut, tout à la fois, sa liberté et les bienfaits de la relation, il veut l'espace et l'intimité.

Elle prétend lui laisser sa liberté tout en manœuvrant pour le rapprocher d'elle. Elle ne comprend pas son besoin d'espace, croit qu'il s'agit d'une séquelle de ses habitudes d'adolescent, plutôt que de réaliser que ce besoin est une réaction intérieure intense due à son extériorisation et que, quand il se rapproche d'elle, il se sent mal, inquiet et tendu, craignant que cette intimité ne l'affaiblisse et ne diminue ses chances de survie dans le monde extérieur.

Au début d'une relation, très souvent, la femme veut se marier; l'homme, lui, ne veut pas, non pas parce qu'il craint le mariage en lui-même mais parce qu'il a peur du conflit de pouvoir qui va contrôler le rythme et le déroulement de la relation. Tant qu'il refuse de s'engager alors qu'elle le demande, c'est lui qui détient le pouvoir; une fois mariés, c'est elle qui le prendra.

Après le mariage, l'homme peut agir comme s'il avait été manipulé, mais en réalité il ne l'a pas été. En fait, l'homme désire le mariage autant que la femme mais pour des raisons différentes. Il veut être materné, s'assurer de «sa propriété», prouver sa virilité et ses aptitudes à être aimé, mais très souvent, il refuse la responsabilité de dire: «Je voulais me marier.» Il dit plutôt: «Je me suis marié pour lui faire plaisir, pour satisfaire ses besoins.» En fait, il est surtout là pour combler ses propres besoins, sa dépendance, son isolement, son désespoir, son désir de domination, son besoin de s'assurer la fidélité de la femme, même si, dans les premiers temps, il essaie de se faire croire qu'il s'est marié pour elle (et elle ne le contredit pas); cela allège un peu les responsabilités qui reposent sur ses épaules.

Au début, l'homme ne veut pas prendre la responsabilité de dire: «Je veux me marier», et à la fin, la femme celle de dire: «Je veux divorcer.» Elle préfère dire: «Son comportement m'a poussée à partir.»

Dans chaque cas, on peut constater que les deux partenaires veulent vraiment mettre un terme à cette relation dans laquelle ni l'un ni l'autre ne veut ou ne peut négocier avec la réalité de l'autre. C'est ce que j'appelle la «peur du terrain d'entente». Tous deux maquillent leurs véritables sentiments et promettent des choses qu'ils ne peuvent donner, ou bien ils sont furieux, se haïssent, se blâment et se menacent de divorce. Si, à ce moment-là, vous essayez de les pousser à écouter les revendications de l'autre ou à voir celui-ci tel qu'il est, ils ne veulent rien savoir. Après tout, ce n'est pas *excitant* d'être simplement soi-même dans une relation. C'est pourquoi ils passent de l'euphorie de l'idylle amoureuse à la dépression, à la colère et à l'affrontement; de cette façon, ils ne sont jamais confrontés à la véritable personnalité de l'autre ni au besoin d'équilibrer harmonieusement la relation.

Elle veut qu'il parte parce qu'elle est constamment à la recherche de l'homme parfait et qu'elle ne le trouve pas. Par conséquent, quand un homme avec lequel elle vit dans l'intimité se révèle imparfait, une partie d'elle-même désire avoir une nouvelle chance de trouver l'homme parfait. Pendant ce temps, lui suit presque toujours la direction de la «déconnection», il est ainsi programmé, il s'éloigne d'elle.

Briser une relation peut être un moyen d'échapper à la mort psychologique car la relation stagne et devient malsaine, comme les individus qui la vivent. La plupart du temps, les couples mariés refusent d'admettre leur malaise. Chacun se dit heureux d'être marié avec la personne de son choix. Les relations conjugales sont donc surchargées par les blocages et les dénégations des conjoints qui ne sont plus en contact avec la réalité de leur expérience. S'ils ne divorcent pas, les ressentiments et les souffrances cesseront simplement d'être exprimés. La relation est fondée sur des rites d'évitements, puisque chacun se cache de l'autre le mieux qu'il peut.

L'un des deux ou même les deux sont en train de «mourir». La tension et la rancœur sont palpables. Les deux conjoints ont de moins en moins de contact et deviennent de plus en plus indifférents l'un envers l'autre; ils insistent beaucoup trop sur l'éducation des enfants, sur leurs maladies — réelles ou psychosomatiques —, ils sont dépressifs, prennent du poids, et ont l'impression d'être piégés, étouffés, isolés. Ils s'empoisonnent lentement.

Quand une relation se brise, chacun peut enfin reprendre contact avec la réalité de ses sentiments. Il peut voir les autres — et se voir lui-même — tels qu'ils *sont* et non plus tel qu'il a besoin de les voir.

Il y en a donc un qui fait la sale besogne pour les deux, permettant ainsi à chacun de reprendre pied dans la réalité, de redevenir «lui-même», d'échapper au refoulement. Bien souvent, après un divorce, on se redécouvre soi-même, on retrouve des sentiments qui étaient restés enfouis quelque part en nous, mais qu'on ne voulait pas voir.

Une femme racontait ceci: «Je ne voulais pas quitter mon mari. Je refusais l'idée de cette séparation par tous les moyens dont je disposais. Je pleurais. Je me torturais. Je sentais que je n'accepterais pas cet «échec». Nous avons quand même fini par arriver au terme de notre relation et quand mon mari est parti, je me suis tout de suite sentie comme un oiseau enfin libéré de sa cage, puis j'ai ressenti un magnifique sentiment de puissance, une merveilleuse sensation d'harmonie intérieure, de bien-être. Je sentais que j'allais enfin reprendre pied dans ma réalité et être parfaitement honnête avec moi-même.»

De même qu'à la mort d'une personne nous refoulons le ressentiment que nous nourrissions à son égard, ne nous souvenant plus tout à coup que de ses «bontés», nous avons tendance, lorsque nous sommes «rejetés», à oublier combien nous avons fantasmé, désiré être seul. Nous nous souvenons seulement de la douceur des choses, des efforts que nous avons faits ensemble ou de l'amour que nous éprouvions. Mais si nous réussissions à «ramener» rapidement notre partenaire, nous nous retrouverions sans aucun doute tôt ou tard confrontés aux problèmes qui nous ont amené à la séparation.

Ces changements extrêmes d'attitude servent à dissimuler le manque de consistance et de réalité de l'interaction ainsi que l'absence de véritable amitié, de bonne volonté. S'il n'y a ni perspective «mature» ni compétences pour examiner, avec bonne volonté et ouverture d'esprit la responsabilité de chacun dans le conflit, il est souvent plus salutaire pour les deux partenaires de rompre leurs liens. Il ne s'agit pas de négocier avec le processus mais bien de le changer. Si cela se révèle impossible, la séparation est alors un soulagement. Accuser, blâmer, culpabiliser et, pour finir, assouvir sa rage en refusant de «laisser-partir» l'autre, tout cela n'amène que fatigue et souffrances.

Il n'est possible de développer la relation qu'une fois le voile de romantisme levé et la crise installée — le plus tôt sera le mieux. La motivation et la volonté de changer sont plus fortes au début, quand l'énergie nécessaire pour agir n'est pas encore émoussée.

Vous «n'auriez rien pu faire» pour le ou la garder. C'est le principe même de ce type de relation qui la ruine — un objet a épousé un autre objet — deux personnes qui s'utilisent l'une l'autre à des fins d'évitements défensifs, deux êtres qui ne se connaissent ni ne s'aiment vraiment comme devraient s'aimer deux personnes qui veulent établir un engagement à long terme.

Les ruptures, quand elles sont bien comprises, sont des réactions de survie, comme d'ailleurs toutes les expériences quand elles sont analysées et assimilées sainement.

«Remerciez» la personne qui vous quitte. *Il y en a un qui part parce que l'autre ne le fera jamais. C'est celui qui part qui fait la sale besogne, supprimant ainsi le fruit empoisonné. «Remerciez» la femme qui prend votre mari, «remerciez» l'homme qui vous enlève votre femme parce que c'est celui qui s'en va qui assume la responsabilité et la culpabilité du geste posé. Celui qui reste devient la victime.*

Les ruptures acceptées et comprises font progresser et préparent à une relation future plus saine, mieux vécue. Souvenez-vous que lorsque vous vous mariez, vous choisissez la personne qui sera le centre de votre vie. Vous devez l'aimer et la connaître intimement pour poser un bon choix et vous devez surtout, en premier lieu, abandonner votre position défensive pour ne pas fausser votre jugement.

5

Prévoir l'avenir
de votre relation:
comment choisir un partenaire

Albert était un célibataire endurci qui avait essayé toute la gamme des expériences amoureuses: les grandes idylles romantiques où «il avait travaillé à approfondir la relation» (qu'il appelait, en riant, «RPS»: relation profonde et significative); les aventures d'une nuit et les «pas plus que trois ou quatre rendez-vous».

«Toutes mes relations avec les femmes se classent invariablement en deux catégories, dit-il. Il y a les relations dans lesquelles je poursuis mon fantasme de perfection et de beauté — et où je finis par être anéanti par mes propres illusions et les relations dans lesquelles je tente de me conduire en adulte. Au lieu de suivre mon instinct auquel — toute psychologie mise à part — j'ai appris à ne plus faire confiance, je me retrouve impliqué dans une relation que mon cerveau estime «bonne pour moi», mais au fond de moi quelque chose crie: «Je m'ennuie», ou: «Tout ça c'est du bidon, tout cela est faux.»

«Le résultat, c'est qu'après toutes ces années passées avec différentes femmes, je me sens plus seul que jamais, plus effrayé, plus méfiant — le mot convient mieux — dans le choix de mes partenaires. Je me suis trompé tant de fois et j'ai placé tant de femmes sur un piédestal! Pour finir par voir l'euphorie et l'adoration se muer en souffrance et en colère.

«Avec les femmes, «bien sous tous les rapports», «qui me conviennent», j'ai constaté que je négligeais d'autres choses importantes parce que ces femmes possédaient les signes extérieurs de la réussite professionnelle, l'indépendance et qu'elles avaient l'air d'être «bien dans leur peau». Je voulais vraiment m'attacher à elles mais, finalement, je devais reconnaître que j'avais négligé mes véritables aspirations. Pourtant je commence à me connaître — et croyez-moi j'y ai travaillé: thérapie, introspection, etc. Mais tout semble devenir de plus en plus confus. Au lieu de me donner confiance, mes expériences me rendent encore plus prudent — non! le mot juste est: paranoïaque.»

Découvrir «la bonne personne» malgré l'attirance romantique

Les sentiments romantiques sont puissants; ils voilent et déforment la réalité aux yeux des personnes qui en sont prisonnières. Ils les poussent à rejeter toutes remarques objectives évidentes. Nous avons tendance à négliger ou à refuser les choses pourtant flagrantes qui, à plus ou moins longue échéance, mettraient notre fantasme hors d'atteinte. Nous nous désespérons alors de «l'impossibilité d'établir une relation»; nous sommes abattus, pleins d'amertume, dépressifs et perdons toute motivation.

L'attirance romantique résulte des besoins défensifs qui empêchent de voir l'autre tel qu'il est. La collusion est souvent réciproque. L'autre *ne vous voit pas* non plus. L'objectif des deux personnes étant momentanément atteint, un ressentiment et un rejet accueillent toute information objective susceptible de détourner l'un ou l'autre de son but. Quand ils parlent d'eux-mêmes, les partenaires romantiques font attention à ce qu'ils disent et à la façon dont ils le disent afin d'éviter que des arguments profonds, troublants ne leur sautent aux yeux.

Le principe de l'attirance romantique est irrationnel. La perte de la raison objective et l'émerveillement délirant qui s'ensuit forment l'essence du «coup de foudre». Le processus romantique tient néanmoins la promesse faite d'une évolution personnelle et émotionnelle pour ceux qui arrivent à tirer des leçons de cette expérience, car la personne qui nous attire si puissamment est un «gourou» qui peut nous en apprendre beaucoup sur nous-mêmes si nous sommes prêts à l'écouter.

La regarder avec objectivité

Pour évaluer nos possibilités d'établir une relation avec une personne en particulier, il faut la voir d'une façon réaliste et comprendre ses processus intimes. Rappelez-vous toujours que les sentiments romantiques travaillent inévitablement à l'encontre de l'objectivité. Pour vous aider, imaginez-vous que vous êtes quelqu'un d'autre, que vous conseillez un ami à propos d'une femme. Ceci peut vous aider à «détacher» votre ego et à éclaircir vos idées.

Ses aventures avec les hommes

À moins qu'une prise de conscience n'ait développé chez elle une volonté intense d'évolution, le meilleur moyen de prévoir l'avenir d'une relation avec une femme est d'analyser objectivement son passé:

1. Éprouve-t-elle du ressentiment pour les partenaires de ses aventures passées? Reproche-t-elle à chaque homme d'être responsable de la ruine de leur relation, se pose-t-elle en victime, en femme «aimante» ou est-elle capable de reconnaître sa participation dans le processus qui a entraîné l'échec de la relation? Regarde-t-elle objectivement le passé et assume-t-elle sa part des responsabilités? Se rend-elle compte de la peine et de la confusion que son partenaire a lui-même endurées ou est-il simplement devenu le «méchant»? Si tel est le cas, avant longtemps vous serez vous aussi jugé et déclaré coupable. Un accusateur restera toujours un juge.

2. Comment perçoit-elle et décrit-elle les hommes en général et comment parle-t-elle d'eux? Fait-elle un portrait négatif de la majorité des hommes qu'elle a connus; les classe-t-elle par catégorie, leur apposant des étiquettes péjoratives telles qu'«égoïstes», «sexistes», «exploiteurs», «misogynes», etc.? Si tel est le cas, vous serez inévitablement classé dans une de ces catégories dès que votre relation ne comblera plus ses besoins.

3. Quels sont les schémas de ses relations précédentes? Ont-elles été longues et solides? Courtes et irrégulières? Inexistantes? Comment ses relations se sont-elle terminées? A-t-elle été infidèle aux hommes avec qui elle vivait? Les réponses à ces questions vous donneront une idée de la profondeur de ses sentiments et de ses aptitudes à s'engager de façon durable.

4. A-t-elle toujours vécu avec un homme? Semble-t-elle incapable de rester seule? A-t-elle centré sa vie sur un homme? Représentait-il toute sa vie? Aucun homme ne pourra satisfaire une telle femme; elle attend d'une relation fusion et perfection, créant ainsi une dépendance semblable à celle de l'homme qui ne peut pas se passer de femmes. Il a été «intoxiqué» par ses conquêtes sexuelles comme elle l'a été par ses relations amoureuses.

    A-t-elle un style de vie bien défini qui lui permet de rester seule, sans homme?

    A-t-elle maintenu ses amitiés personnelles, ses priorités au cours de sa dernière liaison?

5. Si elle est divorcée, quelles sont ses relations avec son ex-mari? Dans quelle mesure estime-t-elle mériter l'aide qu'il lui apporte? Si elle travaille beaucoup et pourvoit elle-même à ses besoins, accepte-t-elle sa situation de façon positive et prend-elle ses responsabilités avec dynamisme ou se plaint-elle d'être épuisée, brisée de fatigue et malade? Est-elle irritée et tendue face à ses responsabilités? Est-elle furieuse contre son ex-mari parce qu'il ne subvient pas à ses besoins?

6. Quel est son degré de motivation et comment s'est-elle prise en main? Comment a-t-elle réalisé et vécu les choses importantes de sa vie? A-t-elle souvent échoué ou a-t-elle attendu que quelqu'un d'autre agisse à sa place? Si elle a continuellement manqué ou abandonné ses objectifs, il est probable qu'elle continuera de la même manière et restera malheureuse et insatisfaite.

Souvenirs de famille

Le processus relationnel des hommes et des femmes est fortement influencé par ce qu'ils ont vécu dans leur enfance et par la relation qui existait entre leurs parents. C'est pourquoi il peut être utile de vous enquérir du vécu familial de votre partenaire. Celui-ci peut vous donner un pronostic sur l'avenir de votre relation.

1. Quels souvenirs a-t-elle gardés de son père? Était-il absent, faible, physiquement ou moralement, ou tout cela à la fois? Son père l'a-t-il abandonnée quand elle était petite? Si tel est le cas, elle s'attendra toujours à un nouvel abandon. Elle projettera inconsciemment sur vous la peur, la souffrance et la colère

qu'elle a ressenties lors de l'abandon de son père. C'est pourquoi, lorsque vous parviendrez à un certain degré d'intimité, elle retirera son épingle du jeu et nourrira une telle rancœur envers vous que vous vous demanderez ce que vous avez bien pu faire pour mériter cela.

Son père l'adorait-il, était-elle «la lumière de sa vie»? Dans ce cas, elle voudra peut-être reproduire la même relation avec vous et attendra de vous la même adoration, le même comportement indulgent. C'est pourquoi, dès le début, elle pourrait se conduire comme une enfant gâtée et jamais contente.

Parle-t-elle de son père simplement, affectueusement? Leur relation était-elle fondée sur le respect, l'autonomie et le dialogue? A-t-elle une perception réaliste de lui? Si vous répondez affirmativement à ces questions, c'est de très bonne augure pour votre relation.

2. Quel genre de rapports entretenaient ses parents? Quel modèle en a-t-elle gardé? Elle aura tendance à répéter ce modèle ou, si elle l'a mal vécu, à aller dans le sens inverse par réaction, par rébellion. Si vos attentes à l'égard de votre relation ressemblent trop à ce qu'elle a vu et «haï» chez ses parents, elle restera sur la défensive.

Elle pourrait imiter la conduite de sa mère qui était hostile envers son mari ou être en colère contre sa mère tout en étant très proche de son père. Dans le premier cas, vous aurez à vous montrer «différent» de son père. Dans le second cas, il est possible qu'elle se «punisse elle-même» par réaction défensive et qu'elle ait une piètre estime d'elle-même.

Si elle a une relation saine et équilibrée avec chacun de ses parents et surtout si ses parents s'aiment, cela laisse présager une orientation positive, non défensive de son développement émotionnel.

Sa vie aujourd'hui

L'estime que la femme se porte est un facteur important pour évaluer les possibilités d'une relation positive.

1. Quelle idée a-t-elle d'elle-même? Projette-t-elle une image négative par une attitude défensive, hypersensible ou est-elle détendue, ouverte, et parfaitement capable de se défendre?

Si elle a une mauvaise image d'elle-même, elle aura tendance à vous prêter la même opinion et à imaginer que vous ne l'aimez pas ou que vous la critiquez; vous serez continuellement obligé de lui prouver qu'elle se trompe. Elle ira jusqu'à provoquer vos critiques et elle répondra avec hargne, colère et reproches à la moindre petite allusion «négative» la concernant.

Si elle a une mauvaise image d'elle-même, vous serez tenté de «l'aider» à reconnaître sa propre valeur. *Ne tombez surtout pas dans ce piège! Elle arrivera seulement à vous haïr.* Vous n'arriverez jamais à lui prouver qu'elle se trompe ni à transformer son mépris d'elle-même en estime.

Imaginer que l'on peut changer ou guérir quelqu'un par la force et le pouvoir de l'amour est un des rêves utopiques des amoureux. Par moments, vous aurez l'impression que vous êtes sur la bonne voie. Cette illusion durera suffisamment pour qu'un engagement difficile à vivre soit pris. Votre fantasme consistant à vouloir l'«aider» et la «changer» se révèle alors aussi illusoire que puissant: vous avez l'impression, vous et non elle, d'être une personne exceptionnelle.

2. Dans quelle mesure est-elle obsédée par le fait d'établir une relation? Vous a-t-elle parlé de façon prématurée d'engagement sérieux? Pensez-vous qu'elle fait pression sur vous pour atteindre son but? A-t-elle très vite commencé à vous menacer de rompre parce qu'elle a «l'impression que votre relation ne mène nulle part?» Se conduit-elle comme une «terroriste» en vous menaçant continuellement de rupture parce que vous ne voulez pas vous engager?

Tout cela est très révélateur de la psychologie de la femme et de sa tendance à transformer l'homme en un objet nécessaire à la satisfaction de ses besoins défensifs. Cela peut se comparer à la recherche systématique de l'acte sexuel chez l'homme. Être vu par l'autre comme un objet est aussi grave pour l'homme que pour la femme. Cela modèle l'avenir de la relation, ainsi que vos possibilités d'être simplement vous-même, un ami plutôt qu'un objet.

L'importance de votre statut d'objet est proportionnelle à l'intensité de son anxiété défensive. Il est également représentatif du degré de son «déséquilibre» et des réactions dictées par ses besoins inconscients, besoins qu'elle niera mais qui pour vous seront évidents.

Elle s'attachera à vous afin de combler ses besoins, *non par amour*. Nous connaissons l'ampleur de la colère que l'auto-défense féminine peut engendrer chez l'un comme chez l'autre, chez elle parce qu'elle vous reprochera de ne pas être assez aimant, attentionné et parce que vous la critiquez, la dominez et la rejetez. Il vous arrivera souvent de ne pas comprendre ses reproches parce qu'ils reflètent ses perceptions défensives et non pas une réalité objective.

3. Le sexe est-il une chose exceptionnelle pour elle? Avez-vous l'impression qu'il vous faut la traiter particulièrement «bien» afin d'avoir des relations? Vous donne-t-elle l'impression de le faire *pour vous*? Dans ce cas, plus tard, elle se plaindra de vos besoins sexuels ou les refusera pour manifester son ressentiment.

4. «Gentil» est-il l'un de ses termes favoris? Dans ce cas, vous constaterez qu'il vous sera de plus en plus difficile d'aborder des sujets déplaisants. En outre, à force de se «trouver gentille», elle finira par se sentir victime et vous reprochera de «ne pas être gentil».

5. Désire-t-elle vraiment être proche de vous? Parle-t-elle constamment de son besoin d'intimité? Dans ce cas, elle sera probablement frustrée et amère parce que *vous* ne satisferez pas ce besoin. En outre, vous finirez par vous sentir étouffé par ses besoins profonds de «garanties» et d'«amour» tandis qu'elle, de son côté, se sentira frustrée par votre incapacité à arriver à une «réelle intimité».

Des sujets tels que la santé et la diète sont-ils souvent abordés? Se préoccupe-t-elle de ces problèmes? Se plaint-elle la plupart du temps de ne pas se sentir en forme? Dans ce cas, cet état de choses va s'intensifier après le mariage et ses sentiments négatifs refoulés vont croître. Les malaises physiques seront pour elle un moyen de contrôler, de refuser et de communiquer ses sentiments.

Chacun de ces éléments sont des réponses défensives typiques. Plus ces éléments seront nombreux, plus elle réagira négativement, se croyant sans cesse dominée et critiquée. Plus elle se sentira «désarmée», plus elle vous blâmera de lui faire subir toutes ces souffrances.

6. Sa vie, sa personnalité sont-ils bien définies? Abandonne-t-elle ses projets de bonne grâce pour être avec vous? Devez-vous toujours la quitter le premier parce qu'elle traîne et ne se décide jamais à partir quand vous êtes ensemble?

Donne-t-elle l'impression qu'il n'y avait rien d'important dans sa vie avant vous? A-t-elle tendance à adopter d'emblée vos amis, vos activités, vos pôles d'intérêt? Semble-t-elle se fondre dans votre vie et votre personnalité? Change-t-elle régulièrement et facilement son emploi du temps pour vous suivre?

Ou, au contraire, a-t-elle préservé ses priorités et ses amitiés après votre rencontre, sans faire de concessions pour vous complaire?

Vous serez sûrement flatté qu'elle veuille faire de vous le centre de sa vie, mais prenez garde, c'est dangereux et paralysant pour vous. Votre relation sera privée de la stimulation qui naît de la rencontre de deux individus ayant une personnalité bien définie. *Une femme qui perd son identité dans la relation est fatale pour l'homme, comme un homme doté d'un ego insatiable, incapable d'«inclure» sa partenaire, l'est pour la femme.*

Le fait qu'aucun des partenaires ne soit enclin à modifier radicalement son style de vie en fonction des goûts de l'autre est un bon présage pour une future relation saine.

7. Est-elle féministe? Si oui, au début vous considérerez cela comme un élément positif synonyme d'indépendance et d'assurance. Mais si son féminisme n'est qu'une réaction aux «hommes sexistes» qui oppriment les femmes, tôt ou tard elle vous classera dans cette catégorie et vous aurez à lui prouver le contraire. Les féministes qui agressent pour se protéger sont des accusatrices déguisées.

Votre première rencontre

Comment l'avez-vous rencontrée? Les circonstances et le climat de votre première rencontre sont déterminants pour l'avenir de la relation.

1. Était-elle mariée ou vivait-elle avec un autre homme? Étiez-vous marié ou viviez-vous avec une autre femme? Si l'un de vous trompait son partenaire, quelles en sont les répercussions sur votre relation? Ce détail est très révélateur de vos personnalités respectives et de ce que sera votre relation.

Elle était mariée quand vous l'avez rencontrée mais elle s'est attachée à vous très rapidement et très profondément. Quelle signification donnez-vous à ce comportement? Êtes-vous infatué au point de vous croire réellement irrésistible ou alors était-ce une rencontre «magique»?

Vous tient-elle pour son sauveur? Fait-elle partie de ces femmes qui «ont besoin d'un homme» pour les aider à changer leur vie et qui s'accrochent à la première personne qu'elles rencontrent pour sortir d'une situation malheureuse? En d'autres mots, organise-t-elle les changements dans sa vie en s'attachant aux hommes et en les manipulant?

2. Vous êtes-vous rencontrés au cours d'une période de sevrage affectif? Était-elle désorientée? Et vous? Avait-elle des difficultés? Vous sentiez-vous très seul? Pendant ces périodes où l'on se sent particulièrement vulnérable sur le plan émotionnel, on est tenté de choisir une personne dont la polarisation est très différente de la nôtre, pour qu'elle nous sauve ou qu'elle nous protège. Plus le besoin défensif d'être secouru est important, plus nous déformons la réalité pour l'adapter à nos besoins. La «chimie» dans ces cas-là est très puissante, mais ses éléments sont volatils.

Chez la femme, les sentiments romantiques sont à leur apogée quand elle est en difficulté. Lorsqu'elle est malheureuse, qu'elle a peur, elle a tendance à se repaître de rêves romantiques. Inconsciemment, elle veut fusionner avec son «sauveur», son prince charmant. Si vous vous sentez seul vous aussi, cette solitude va réveiller votre potentiel romantique.

Ses besoins et son «incapacité à s'en sortir» vous donnent un sentiment de toute-puissance. Vous croyez que vous allez pouvoir lui offrir une relation différente de toutes celles qu'elle a vécues, que vous allez changer sa vie. Cette promesse d'une relation accomplie et différente de ce que vous avez vécu jusque-là est un cas classique de «paroles en l'air».

3. Y a-t-il situation d'«urgence»? Si vous ressentez le besoin d'établir immédiatement une relation, il y aura sûrement quelque chose qui va clocher! Une véritable relation progresse lentement, avec au début des obstacles, des conflits; l'amour évolue lentement. Foncer dans une relation équivaut à dire: «Engageons-nous avant de savoir à quoi nous nous engageons.»

C'est pourquoi vous devez vous méfier des relations qui démarrent trop vite et trop facilement et dans lesquelles vous êtes tous deux toujours et tout de suite disponibles. En agissant ainsi les deux partenaires avouent la piètre qualité de leur vie personnelle. En effet, ils déclarent que rien n'est réellement bon ni significatif dans leur vie et en rejettent sûrement la responsabilité sur les autres. Vous n'avez été choisi que parce que vous êtes susceptible de faire les choses correctement et valablement.

Si les débuts de votre relation sont trop faciles, si celle-ci ne rencontre aucun obstacle alors que, habituellement, vous êtes prudent dans vos affections et ne faites pas facilement confiance, cela veut dire que vous vous trouvez face à un mirage romantique. *Idéalement, il faut que vous vous attachiez à elle avec la prudence et la retenue dont vous faites généralement preuve lorsque vous vous engagez dans une nouvelle relation. Elle doit agir de la même façon. Il faut donc que vous soyez tous deux «vrais». Ce sont les meilleures bases pour une relation.*

Autocritique

1. *Votre «moi profond» est votre principale référence pour prévoir l'avenir.*

   Que pensez-vous des femmes? Qu'attendez-vous de celle-ci en particulier?

   En quoi cette femme-ci ressemble-t-elle à celles que vous avez aimées dans le passé? Croyez-vous qu'elle soit différente des autres femmes que vous avez rencontrées? Si tel est le cas, vous allez probablement être victime d'une «illusion sur le contenu», c'est-à-dire être victime d'une conviction fausse et défensive consistant à croire que c'est sa personnalité et non votre approche de la femme qui a créé un relation différente.

2. Désirez-vous réellement établir une relation et pourquoi? Il est primordial que vous soyez honnête avec vous-même quant à la place que vous voulez que la femme occupe dans votre vie. Avez-vous de la place pour elle et acceptez-vous, désirez-vous la participation que cela implique?

   Et, le plus important, avez-vous l'illusion que, cette fois, *vous* serez vraiment différent malgré que vous n'ayez fait aucun effort pour modifier votre comportement? Si vous n'avez pas évolué depuis votre dernière relation, mais que vous croyez cette petite voix magique qui vous souffle que cette fois-ci ce sera différent en raison de ce que «vous ressentez pour elle», alors vous vous leurrez.

L'illusion macho

Les erreurs, les déformations et les tendances machos les plus communes dont il faut tenir compte sont les suivantes:

1. *La conviction que vous pouvez délivrer une femme de sa détresse* (motivation d'inspiration très romantique). Il est très excitant, très valorisant de croire que vous pouvez la «délivrer» — en particulier des griffes d'un autre homme — et la «rendre heureuse». C'est le fantasme classique du preux chevalier, mais sa structure polarisée le voue à l'échec.

2. *La conviction qu'avant vous les autres hommes l'ont maltraitée* tandis que vous, vous la comprenez vraiment, que vous «savez comment l'aimer». Ceci apporte de l'eau au moulin de l'illusion romantique macho: la femme est une victime désarmée qui attend le seul homme au monde capable de la comprendre et de l'aimer comme elle en a besoin.

   Les femmes saines qui s'estiment choisissent des hommes qui les respectent. La femme qui a été «blessée», «maltraitée» ou humiliée a sa part de responsabilité dans le processus dont découlent ces excès. Ses choix reflètent le peu d'estime qu'inconsciemment elle a pour elle-même, attitude que vous aurez à combattre inévitablement et qui minera votre énergie.

3. *La conviction que cette femme n'a pas été comprise, qu'elle n'est pas ce que les autres en disent.*

   Vous croyez que vous avez trouvé l'exception, la perle que les autres ont manquée. La fée qu'ils ont mal comprise ou mal jugée.

   L'illusion macho est que *vous* l'aiderez à atteindre ses *vraies possibilités*. Vous lui donnerez les conseils et le soutien qui lui permettront de devenir la personne exceptionnelle que vous seul avez su deviner.

   Faites attention à l'importance de chacune de ces «illusions macho». Elles sont de très mauvais conseil.

Comment répondez-vous à sa réalité?

1. Aimez-vous sa famille et ses amis? Si une femme vous aime vraiment, si elle vous convient en tous points, généralement ses amis vous aimeront et vous les aimerez. Les amis reflètent le

fond et les sentiments véritables d'une personne. Elle leur ressemble sans doute. S'ils ne vous aiment pas, c'est parce qu'elle ne vous aime pas *vraiment*. Le même raisonnement est valable pour sa famille.

Quelles sont les valeurs prônées par les gens qui l'entourent? Comment les interprète-t-elle? Ne vous basez pas sur ce qu'elle dit, mais sur la façon dont elle vivait avant de vous rencontrer. Que vous révèle la vie qu'elle menait avant de vous connaître? Comment vivait-elle? Quels sont ses rapports avec l'argent? Quels sont ses liens avec sa famille et ses amis? Quelles sont la durée et la qualité de ses relations avec les autres?

Il est essentiel d'évaluer honnêtement ses choix personnels pour déterminer si vos caractères seront compatibles à long terme.

2. Lui donnez-vous la liberté d'être elle-même comme vous le faites pour les femmes avec lesquelles vous n'avez aucun engagement émotionnel? Êtes-vous plus critique, plus exigeant envers elle, et par conséquent la traitez-vous différemment? Par exemple, quand d'autres femmes vous parlent de certains états d'âme ou comportements, vous les écoutez sereinement mais, quand votre partenaire exprime ces mêmes idées, cela vous dérange. Vous arrive-t-il d'avoir un mouvement de recul? Si vous la placez sur un piédestal de pureté, vous l'obligez, pour «vous garder», à «cacher» certaines choses et à tricher plutôt que d'exprimer librement ses sentiments profonds et d'être elle-même. Cette attitude peut faire échouer votre relation.

Si vous estimez qu'elle est très différente des autres, vous allez probablement au-devant de grandes déceptions. Dans notre société, les hommes et les femmes diffèrent par leurs valeurs intrinsèques, mais les relations suivent la règle du comment et non du pourquoi. Le fait de croire que votre élue n'est pas comme les autres, plutôt que d'accepter que le combat que vous mènerez avec elle sera le même qu'avec la majorité des autres femmes, reflète votre peur et votre résistance face aux réalités d'une relation.

En la plaçant sur un piédestal, vous montrez que vous n'aimez pas les femmes «vraies». Vous lui en voudrez quand vous commencerez à vous sentir berné ou manipulé. Vous pensiez qu'elle était différente et elle est comme les autres. Ce n'est pas en la blâmant que vous apprendrez quelque chose sur vous-même!

Votre relation a de grandes chances de réussir si vous considé-

rez que votre amie est identique aux autres femmes ou du moins pas tellement différente, qu'elle pense la même chose de vous par rapport aux autres hommes et que vous continuez néanmoins à vous aimer. Elle va au-devant de grandes désillusions si elle vous croit différent des autres hommes avec qui elle a vécu ou si elle est persuadée que vous êtes l'exception qu'aucune autre femme n'a eu la chance de rencontrer. Vous, vous n'y échapperez pas non plus si vous croyez avoir enfin découvert une femme qui dépasse toutes les autres par son comportement et ses valeurs morales. Plus vous la voulez différente, plus elle se révélera pareille, sinon «pire» que les autres.

3. Changez-vous votre comportement quand vous êtes avec elle? Pourquoi? Craignez-vous de montrer le mépris que vous vous portez ou croyez-vous qu'elle vous abandonnera si vous lui dévoilez votre véritable identité? Tôt ou tard votre naturel reprendra le dessus.

Avez-vous changé votre façon de vous vêtir pour lui plaire ou pour l'impressionner? Choisissez-vous, pour les partager avec elle, des activités qu'en d'autres temps vous n'auriez pas trouvées amusantes? Lui cachez-vous des choses importantes vous concernant? Pourquoi?

Les nouvelles expériences sont souvent enrichissantes, mais si vous vous montrez différent de ce que vous êtes en réalité, ou si elle essaie de vous donner le change, une tension va s'installer car vous aurez peur de rencontrer ou d'affonter la réalité et vous sentirez que vous n'êtes pas aimé pour ce que vous êtes.

4. Comment vous sentez-vous en sa compagnie? Êtes-vous détendu? Vous sentez-vous à l'aise quand vous exprimez librement vos idées, vos sentiments, vos intérêts ou vous sentez-vous anxieux quand vous abordez des sujets difficiles? Tenez-vous compte de ses réponses, de ses idées parce que vous pensez qu'elle vous quitterait si ce que vous dites ne lui convenait pas? Comment votre corps réagit-il?

Comment vous sentez-vous quand elle n'est pas là? Êtes-vous anxieux à l'idée qu'elle pourrait ne pas revenir, ne pas vous téléphoner ou ne plus être disponible?

Vous sentez-vous plus détendu, plus tranquille en son absence, en dépit de l'attirance que vous ressentez pour elle?

Il est très important de bien cerner ces sentiments. Dans le premier cas, vous remarquerez peut-être qu'elle ne s'intéresse pas vraiment à vous et, dans le second, que vous ne vous sentez vraiment pas libre avec elle. Ces sentiments s'amplifieront avec le temps.

Les sentiments les plus favorables à la réussite de votre relation seraient que vous vous y sentiez serein et confiant de telle sorte que, même si elle vous manque, les moments que vous passez seul soient aussi vivants, actifs et satisfaisants que ceux que vous passez avec elle. Si vous éprouvez une sensation de soulagement ou, au contraire, un sentiment d'anxiété quand vous passez d'une situation à l'autre, cela laisse présager de gros problèmes pour le futur.

Le processus contre le fond

En définitive, ce sont les processus de la relation qui créent les problèmes. Que l'autre personne soit merveilleuse ne change rien; chaque relation devient «comme les autres» dès que le processus profond de chaque partenaire l'emporte sur cette relation. Il est facile de contrôler une image au début, mais vivre vingt-quatre heures sur vingt-quatre sans trahir cette image est impossible.

Ne vous limitez pas à observer le fond, le «pourquoi» d'une femme. Observez *comment* elle se voit par rapport à vous. Elle peut, par exemple, parler d'indépendance, de carrière professionnelle, de la nécessité de garder chacun sa liberté et ses propres amis. Mais dans quelle mesure a-t-elle fait de votre relation le centre de sa vie, tout de suite après vous avoir rencontré?

Est-elle capable de prendre ses distances avec votre relation? Si vous vous disputez, lui arrive-t-il, au terme de cette discussion, d'être incapable d'aller travailler? Vous en tient-elle responsable?

À quel point vous sentez-vous coupable quand vous avez envie de sortir seul ou avec vos amis?

Vous sentez-vous obligé de lui dire où vous allez et quand vous comptez rentrer? Vous sentez-vous obligé de lui mentir lorsque, au début de votre relation, vous avez rendez-vous avec une autre femme ou que vous voulez faire quelque chose qu'elle n'approuverait peut-être pas?

Devez-vous souvent cacher un sentiment vrai, tel que l'ennui ou l'envie d'être ailleurs, quand vous êtes avec elle? Devez-vous censurer beaucoup de sentiments «négatifs»? Vous êtes-vous rendu compte que vous ne pouviez pas tout lui dire de peur de la blesser?

Avec le temps, ces façons d'agir auront tendance à augmenter plutôt qu'à disparaître et la relation deviendra progressivement fragile, superficielle et désagréable. Les manipulations remplaceront rapidement les échanges.

L'équilibre des pouvoirs

Évaluer l'équilibre des pouvoirs permet d'avoir une idée précise sur l'avenir de la relation. Quand l'équilibre est rompu et que l'un des partenaires a peur de l'autre, mais fait des efforts pour s'en accommoder, la relation devient explosive et fragile, oscillant entre une sentimentalité excessive et des explosions de colère.

Quand un homme est insécurisé dans un couple, il perd son pouvoir car il est toujours disponible et conciliant alors qu'elle le repousse et reste évasive. Au début, ce genre de situation est exaltante parce qu'elle apporte une sensation de défi, de distance et d'incertitude. Mais qu'est-ce qu'une telle situation vous apprendrait sur ses sentiments à votre égard?

En général, dans une relation, la personne qui détient le pouvoir a tendance à s'ennuyer tandis que l'autre reste «affamée» de certitudes, d'amour et est par conséquent sans cesse en proie à de vives émotions. Ces vives émotions ne sont pas de l'amour et n'apporteront que souffrance et confusion.

Les habitudes

Il est important de vous faire rapidement une idée sur les habitudes de votre nouvelle partenaire et d'être honnête avec vous-même quant aux réactions qu'elles suscitent en vous. Des habitudes ou des manières qui ne plaisent pas deviennent, avec le temps, aussi irritantes qu'un robinet qui coule goutte à goutte.

Voici quelques exemples de choses auxquelles vous devez être particulièrement attentif: Est-elle régulièrement en retard? A-t-elle tendance à oublier ou à remettre les choses au lendemain? Comment occupe-t-elle ses loisirs? A-t-elle des activités ou reste-t-elle passive? Est-elle énergique? Vous tient-elle parfois des propos surprenants, qui relèvent du surnaturel? Est-elle influencée par l'astrologie, par la guérison, par la parapsychologie et quel impact ces choses ont-elles sur elle? Et sur vous? «Adore»-t-elle les gens et passe-t-elle «sa vie» au téléphone? Quand vous écoutez une de ses conversations téléphoniques, avez-vous envie de rentrer sous terre ou êtes-vous agréablement surpris?

Est-elle sérieuse? Pouvez-vous compter sur elle pour respecter une promesse, un contrat, prendre des responsabilités? Lui arrive-t-il de ne pas venir à un rendez-vous ou de ne pas tenir une promesse? Ou, au contraire, êtes-vous tout à fait rassuré parce que vous savez qu'elle fera parfaitement ce qu'elle s'est engagée à faire et parce que vous êtes sûr de pouvoir compter sur elle en toutes circonstances?

Avez-vous des discussions sur des sujets tels que la température? A-t-elle toujours froid alors que vous avez envie d'ouvrir les fenêtres? Se nourrit-elle de hamburgers et de plats surgelés alors que vous préférez des repas plus naturels, plus diététiques ou vice-versa? Passe-t-elle des heures à se maquiller? Prend-elle des médicaments régulièrement et souffre-t-elle «toujours» d'un quelconque malaise? Toutes ces petites choses qu'au début on a tendance à ignorer ou à considérer avec indulgence peuvent devenir à la longue des motifs d'irritation croissante si habituellement on ne les supporte pas.

Un de mes clients était amoureux d'une femme qui passait sa vie au téléphone avec sa famille et ses amis. Au début, il regardait cette habitude avec indulgence bien que dans son for intérieur cela l'ennuyât. «Elle aime tellement ses amis et sa famille. Elle est si gentille», disait-il. Au fond de lui, il était contrarié de la voir passer tant de temps au téléphone. Au bout de quelques années, ce détail, sous-évalué au départ, est devenu un des problèmes majeurs de leur relation. Ces appels téléphoniques incessants le mettaient dans des rages folles qui ont sérieusement nui à leur union.

Les dynamiques de la relation

1. La maîtrise d'un conflit ou d'une colère est un élément crucial. Dans quelle mesure, après une dispute, arrivez-vous à une meilleure compréhension, à une harmonie renouvelée, à des échanges détendus? Chaque conflit comporte-t-il sa part de reproches et de sentiments de culpabilité? Fond-elle en larmes dès que vous élevez la voix ou vous accuse-t-elle de l'attaquer, de l'insulter, de la blesser, vous empêchant ainsi d'exprimer votre colère ou votre ressentiment?

2. La trouvez-vous parfaite et vous sentez-vous imparfait face à elle? Partage-t-elle cette opinion? Est-elle «l'aimante», «l'attentionnée» tandis que vous êtes «l'insensible», celui qui a un «problème»?

   Quand un problème se présente, prenez-vous à votre compte la plus grande part de la culpabilité et des responsabilités? Cette tendance à vous culpabiliser s'intensifiera avec le temps et créera un sentiment d'irritation et de mépris pour vous-même.

3. Votre relation est-elle explosive? Y a-t-il des hauts et des bas? Y a-t-il de fréquentes séparations et réconciliations? Vous sentez-vous incompris et blessé? En d'autres mots, devez-vous être prudent quand vous êtes avec elle pour éviter d'activer le processus de «mise à feu»? Intellectualisez-vous cette relation? Tentez-vous toujours de la comprendre? Ce sont là des signes révélant que vous avez peur de rencontrer les réalités de l'autre et celles de la relation ou alors que vous craignez de vivre avec elle une relation ordinaire, dépourvue de romantisme, une relation qui ne soit pas déformée par des perceptions fausses.

La meilleure ou la plus saine des relations ne commence pas par des sentiments romantiques intenses mais par des sentiments authentiques, amicaux, chacun éprouvant un réel plaisir à être en compagnie de l'autre, sans qu'il y ait ni engagement ni projets d'avenir. Ajoutez à cela un va et vient équilibré du pouvoir, la volonté de résoudre les conflits sans reproches ni culpabilité, le sentiment d'être vu tel que l'on est et de voir son partenaire de la même manière, le désir d'être complètement présent au lieu de celui de s'échapper par le biais de sorties et de distractions, et vous aurez les conditions idéales au développement d'une bonne relation.

6

Aux femmes qui croient aimer trop

Marcelle estimait qu'elle «aimait trop». À l'entendre, les hommes se classaient en deux catégories: les «psychopathes narcissiques» qui se servent des femmes mais ne peuvent aimer qu'eux-mêmes; et les «petits garçons» qui sont gentils et doux mais qui ont peur de la vie et se mettent en quête d'une femme qui pourra les rassurer et les materner. Elle lisait fréquemment des livres et des articles écrits par des psychologues féministes partiales qui classifiaient les hommes en deux groupes où, à différents degrés, faibles et salauds sont incapables d'apprécier et de combler cette multitude de femmes attentionnées, adultes, aimantes et généreuses qu'on trouve de par le monde.

Au fur et à mesure de ses lectures, sa perception et son évaluation des hommes se dégradaient et le fossé qui la séparait d'eux devenait de plus en plus profond. Cela expliquait sa colère, ses jugements et l'analyse qu'elle en faisait. Bien entendu, Marcelle était convaincue de la justesse de ses opinions.

Ses amis lui faisaient remarquer qu'elle en demandait beaucoup trop et qu'elle aurait intérêt à être moins perfectionniste et moins critique. «N'attends pas de guirlandes ni de flonflons. Il y a beaucoup de braves gars — mais n'attends pas le coup de foudre. De toute façon, il ne dure pas.»

Mais tout cela n'était pour elle que bavardages futiles: elle estimait avoir beaucoup trop évolué pour en rester là et n'acceptait plus
cette société dans laquelle on ne trouvait que des femmes malheu-
reuses essayant de s'attacher à des hommes égoïstes, misogynes et
immatures qui se jouaient de leur vulnérabilité et de leur besoin
d'amour. De temps en temps, elle essayait d'«oublier» afin de pouvoir
nouer une relation. Bien évidemment, cela ne durait pas longtemps et
son opinion sur les hommes, ces handicapés émotionnels, se renforçait
encore. Elle croyait qu'elle «aimait trop», mais ignorait que les sentiments profonds qu'elle ressentait réellement pour les hommes
n'étaient que mépris et rage; ces sentiments, que consciemment et
inconsciemment elle laissait transparaître, mettaient les hommes en
fuite.

Les femmes qui aiment trop

La femme qui croit qu'elle aime trop est comparable à l'homme
qui croit que son travail forcené est un cadeau pour sa partenaire. En
fait, chacun fait ce qu'il peut pour satisfaire ses propres besoins, utilisant l'autre, inconsciemment, pour justifier ses motifs défensifs et ses
instincts. Les conséquences de ce comportement sont semblables pour
tous deux: déception, sentiment d'être rejeté, colère et frustration
consécutifs au fait qu'on ne se sent ni apprécié ni compris. Aucun
d'eux n'est à même d'entendre, d'accepter les arguments de l'autre, ni
d'y réagir sainement en lui disant: *«Ne fais pas cela pour moi, cela
n'est pas ce dont j'ai besoin.»*

Lors d'une émission télévisée sur «les femmes qui aiment trop»,
une invitée parlait de ses frustrations, occasionnées selon elle par
l'homme qu'elle «aimait trop»: «Je savais que c'était un salaud, qu'il
buvait trop et qu'il regardait les autres femmes. Mais je pensais que je
pourrais le changer.» Lorsqu'on écoutait cette femme, il ne fallait pas
être fin psychologue pour s'apercevoir que son amour n'était que le
fruit de son imagination. La description qu'elle faisait de cet homme
était carrément hostile, dénuée de tout amour. Ce qu'elle «aimait»,
c'était le rêve de pouvoir satisfaire ses besoins à travers lui.

Les femmes qui croient qu'elles aiment trop et qui sont blessées
par l'insensibilité des hommes n'aiment pas vraiment. Ce qu'elles
aiment, c'est la projection de leurs propres besoins. Ce n'est pas
l'homme qui blesse, mais bien les illusions qu'elles se font à son sujet,

qui leur font attendre l'«intimité», que l'homme ne peut atteindre. Elles n'incluent pas la réalité de l'homme dans le cadre de la relation. En d'autres termes, dans une relation avec une femme qui «aime trop», l'homme prendra inévitablement ses distances, «il n'aimera pas assez» pour se protéger de l'étouffement qu'il ressent. *Dans ce contexte d'une relation romantique polarisée, l'homme ne peut pas se rapprocher de la femme, pas plus qu'elle ne peut se détacher de lui.*

Inévitablement, dans une relation polarisée qui a dépassé le stade du coup de foudre, la femme accuse l'homme (le mâle «macho») d'être égoïste, critique, distant, froid, dominateur, insensible et incapable d'intimité. Bien qu'il y ait une part de vérité dans ces épithètes — le conditionnement masculin de l'homme le poussant à s'extérioriser, — la femme ignore généralement à quel point ses propres processus défensifs et intériorisés la poussent à «donner à l'homme ce dont il ne veut pas». Elle lui réclame des choses qu'il n'est pas en mesure de donner et lui tient beaucoup plus rigueur de ce qu'il est que pour ce qu'il ne peut donner. Elle «tombe amoureuse de lui», attirée par sa «virilité», pour ensuite se sentir frustrée par les limitations que lui impose le conditionnement qui a fait de lui «un homme»: ce sont pourtant là les qualités qui ont suscité son attirance initiale.

Betty avait trente-quatre ans et, son âge et sa situation financière l'inquiétant, elle était impatiente de se marier et d'avoir des enfants. Elle a rencontré Jean, publiciste, qui occupait son temps libre à des activités «machos»: courses dans le désert, alpinisme et soirées bien arrosées avec des copains.

Betty croyait aimer Jean, mais elle ne pouvait pas s'empêcher de lui faire remarquer qu'il était critique, insensible, égoïste et rustre. Quant à elle, elle se disait attentionnée, patiente, aimante et sensible — cette comparaison était en quelque sorte une insulte pour Jean.

La jeune femme ne réalisait pas qu'elle agressait constamment son ami tout en se croyant constructive et «serviable». Elle ne manquait pas une occasion de lui rappeler le moindre faux pas, la moindre remarque blessante, mais oubliait, minimisait ou ignorait ses gestes généreux qu'elle disait motivés par sa culpabilité ou par l'intention d'acheter sa bienveillance. Elle parlait de lui sur un ton railleur, même s'il était clair que la réussite matérielle et professionnelle de Jean lui plaisait énormément. Elle lui rappelait fréquemment les incidents passés afin de lui montrer combien il pouvait être blessant et sexiste. Elle lui déclarait même que ses manières machos la terrifiaient et qu'elle vivait dans la peur qu'il ne la brutalise sous l'emprise de la colère. Ensuite, après l'avoir attaqué sur tous les fronts, elle lui réitérait son amour et son désir de l'épouser.

Betty ignorait à quel point son processus défensif — les réactions insistantes, contraignantes et impitoyablement négatives causées par ses besoins, ses manques puissants et frustrants — obligeait Jean à prendre ses distances et à réagir, pour se protéger, par ces moyens machos qu'elle haïssait. Elle ne savait pas que c'était sa propre attitude qui engendrait la majorité des réactions et des comportements qu'elle abhorrait.

La jeune femme alternait les appels à l'intimité avec les reproches quant au manque d'attention de son ami: elle lui disait vouloir «être plus proche» de lui, puis elle devenait blessante et se mettait en colère quand il lui disait des choses qu'elle n'avait pas envie d'entendre. «Elle se consacrait à lui» même s'il lui disait clairement ne pas le souhaiter; elle était alors peinée parce qu'elle considérait cela comme un mouvement de recul face à un engagement et comme un désir de la dominer.

Cécile, elle aussi, «aimait trop». C'était une femme «très féminine», qui pleurait pour un rien et se sentait constamment blessée par les hommes auxquels elle s'imaginait avoir tout donné et qui, elle le sentait, étaient trop égoïstes ou «effrayés par l'intimité» pour répondre à ses attentes.

Quand Cécile est venue, accompagnée par son mari, me demander conseil, elle croyait qu'elle était là pour «aider» Martin, disant devant lui qu'il était «handicapé» dans le domaine de «l'amour» et des relations. Selon elle, il était immature, ses amis étaient frustes, il faisait l'amour égoïstement et était trop ambitieux et trop préoccupé par son travail pour donner à leur couple l'attention qu'il méritait.

Cécile répétait que son mari était égoïste car il ne semblait ni apprécier tout ce qu'elle «faisait pour lui» ni avoir à cet égard la moindre réaction positive. Pourtant Martin lui disait sans cesse qu'il ne voulait pas que sa vie soit centrée sur lui et qu'il refusait cette implication excessive dans la relation, lui expliquant que son habitude de toujours lui demander ce qu'il faisait et avec qui il était l'étouffait et l'irritait.

Après quelques séances, il était clair que Cécile était incapable de voir *qui* était Martin. Elle était «tombée amoureuse» de l'idée qu'elle se faisait de lui et de son «fantasme» de relation. Quand la «réalité de

Martin» intervenait et entrait en conflit avec son «fantasme», la jeune femme souffrait et se mettait en colère. Elle était incapable de remarquer que sa déception la poussait à agresser et à accuser continuellement son mari, et que cette attitude rendait celui-ci encore plus polarisé et l'obligeait, pour se protéger, à se replier sur lui-même.

Sylvie avait quarante-quatre ans et était diététicienne. Elle aimait «beaucoup trop» son mari, François, professeur à l'université — ils étaient mariés depuis vingt-quatre ans. Elle ne l'agressait pas ouvertement, mais répétait constamment qu'il était dépressif et avait besoin d'une aide psychiatrique. Sylvie croyait que son mari avait de gros problèmes émotionnels parce qu'il était renfermé et revendiquait sa liberté et son droit de ne pas passer tous ses temps libres avec elle s'il n'en avait pas envie, maintenant que leur fils était grand et indépendant.

Quand ils étaient ensemble, François restait souvent silencieux; il avait l'air malheureux et lui disait qu'il s'ennuyait avec elle. Sylvie avait «diagnostiqué» que son mari souffrait de la crise de la quarantaine et qu'il fuyait l'intimité parce qu'il haïssait sa mère. Elle le poussait à consulter un psychiatre, ce qu'il refusait catégoriquement. «Ma *maladie*, c'est que je n'ai jamais eu le cran d'être moi-même, lui disait-il, et aucun psychiatre au monde ne pourrait changer cela. Je suis le seul à pouvoir faire quelque chose pour moi et je suis en train de le faire.»

François expliqua à sa femme que, depuis le début de leur mariage, il n'avait jamais aimé les réunions de famille ou d'amis, mais s'était toujours senti trop «responsable» et trop coupable pour accepter ses sentiments et réagir en fonction d'eux. De plus, il en avait assez de se sentir «toujours responsable» de *tout* et ne voulait plus faire semblant car il ne lui restait plus que quelques décennies à vivre.

Sylvie se croyait très aimante et pourtant il était clair qu'elle n'écoutait ni ne connaissait réellement François, pas plus qu'elle ne pouvait accepter la véracité de ses propos. Elle se croyait très aimante parce qu'elle répondait constamment aux besoins de son mari à partir de ses *propres* besoins. Cette attitude était motivée par la peur, peur dont elle n'était pas consciente mais qui exacerbait la culpabilité de François et son mépris pour lui-même; c'est pourquoi il était dépressif et se sentait opprimé. Bien qu'elle menât sa carrière professionnelle avec succès, Sylvie n'avait jamais pu affirmer son identité et sa volonté dans ses rapports de couple. Son besoin d'être rassurée était insatiable et elle tenait bon malgré la froideur de son mari, son attitude distante, «vivant» pour son «amour» et son approbation, ce qu'il ne lui avait jamais vraiment donné ni jamais clairement ressenti.

En outre, Sylvie estimait qu'elle «aimait trop» puisqu'elle était restée avec François malgré une aventure qu'il avait eue peu de temps après leur mariage. Elle ne s'était jamais vengée en ayant elle-même des aventures, persuadée qu'elle ne pensait qu'au bonheur de son mari alors qu'en fait c'étaient ses principes religieux et l'éducation traditionnelle qu'elle avait reçue qui lui interdisaient ce genre de liaisons. François lui avait pourtant assuré qu'il se sentirait moins coupable, moins méprisable et peut-être même «excité» et plus amoureux si elle aussi avait une aventure. Cela lui démontrerait, disait-il, qu'elle pouvait s'occuper d'elle-même et il se sentirait moins coupable.

Leur mariage a pu être sauvé car Sylvie a compris, grâce à la thérapie, qu'elle vivait leur relation en fonction de son fantasme qui consistait à voir son mari tel qu'elle avait besoin de le voir — et que, par conséquent, elle l'avait, sans le savoir, critiqué et rejeté. Cette attitude avait forcé François à se replier sur lui-même et engendré sa froideur. Le nouveau comportement de Sylvie a permis à son mari d'apprécier enfin ses nombreuses et merveilleuses qualités.

Dans cette «nouvelle relation», ils passent beaucoup moins de temps ensemble, mais la qualité de leurs rapports est bien meilleure. Ils sont maintenant à même de révéler le meilleur d'eux-mêmes.

Les femmes animées par leurs défenses féminines, «aiment» inconsciemment leur mari avec les mêmes distorsions que les hommes machos «aiment» leur femme: ces partenaires constituent un prolongement de leurs propres besoins et ne sont que des objets destinés à satisfaire ces besoins.

Ni Sylvie, ni Betty, ni Cécile n'aimaient véritablement. Il est impossible d'aimer réellement quelqu'un et de le craindre en même temps. Vous n'aimez pas si vous êtes incapable d'affirmer votre volonté et votre personnalité face à votre partenaire, si vous ne pouvez pas le voir tel qu'il est sans le critiquer ni lui reprocher ses insuffisances dans le cadre de votre relation. Dans les cas que nous venons de décrire, même le «dévouement» de ces femmes ruinait la relation parce qu'il était perçu comme une oppression, une contrainte et non comme une marque d'intérêt. Beaucoup d'histoires d'amour auraient duré plus lontemps si seulement les femmes avaient montré qu'elles disposaient d'assez de force et de fierté pour se prendre en main plutôt que de se «sacrifier».

Aimer quelqu'un, c'est être fort et bien dans sa peau, c'est être capable de résister, de dire non, de ne pas être simplement conciliant et surtout de ne pas être la victime qui reproche sans cesse aux autres son propre malheur. Les femmes fortes, indépendantes qui perdent leur volonté et leur autonomic dans une relation et qui font plaisir à leur partenaire par crainte et pour acquérir la certitude d'être aimées ne font pas cela pour l'homme; on peut même dire qu'elles ne l'aiment pas du tout.

La femme qui aime trop ne cherche qu'à satisfaire ses besoins défensifs parce qu'elle ne contrôle pas son comportement, pas plus qu'elle ne pose un choix. Elle est guidée par des besoins et des sentiments niés et refoulés qui l'amènent à réagir souvent, d'une manière incontrôlée, à l'encontre du bon sens. Elle n'est pas plus à même de changer sa façon d'aimer compulsive que l'ergomane qui justifie son rythme de travail par les besoins et les exigences de sa femme et de ses enfants. Si elle laissait venir les choses, elle pourrait alors rencontrer l'amour, mais elle en est incapable.

Lorsqu'une femme «aime trop», ce qu'elle offre n'est pas seulement inopportun mais nuisible à la relation qu'elle chérit. Elle ressemble à la femme qui passe des heures à préparer un bon repas «pour son homme» alors qu'il n'en a pas envie, qu'il n'a rien demandé. Elle le pousse à manger alors qu'il n'a pas faim. Et puis elle se sent blessée, rejetée parce qu'il n'a pas apprécié ses efforts, qu'il n'a pas montré d'enthousiasme.

Les femmes se sont souvent plaintes de l'attitude protectrice et condescendante que les hommes ont à leur égard: («Je ne veux pas que tu prennes mes décisions à ma place, que tu livres mes batailles», leur répètent-elles souvent). La contreparte féminine de cette tendance masculine est un «don de soi» à l'homme. Non seulement celui-ci ne veut pas de ce don, mais cette attitude le rend encore plus polarisé, l'étouffe et lui fait du mal parce qu'il se sent coupable de ne pouvoir y répondre et que, par conséquent, il a encore plus tendance à se «mépriser».

En outre, en «l'aimant trop», elle prépare le terrain pour «le haïr trop», ce qui arrivera finalement quand elle prendra conscience de ses ressentiments et qu'elle commencera à exprimer la colère et la déception qui grandissent, dissimulées derrière son attitude de femme «trop aimante». Lorsque cette colère finira par exploser, elle l'insultera, en plus de le blesser, le rendant responsable de la situation et estimant qu'il mérite ce qui lui arrive.

Nous préférons tous être aimés pour ce que nous sommes que d'être adulés, surtout quand nous réalisons que la personne qui nous «adore» le fait en fonction d'un fantasme et pour satisfaire ses besoins et non les nôtres. Il n'y a rien de plus agréable que d'être apprécié et aimé pour ce que nous sommes; être l'objet de «l'amour» de quelqu'un pour qui nous devons nous cacher ou nous changer afin de ne pas le décevoir est aussi frustrant, insatisfaisant, paralysant et même désespérant que de ne pas être aimé suffisamment. Inévitablement, l'amour tourne au ressentiment.

Si vous croyez «aimer trop», c'est que vous aimez mal. Aimer quelqu'un sans égoïsme, c'est l'aimer comme il désire être aimé, pour ce qu'il est et non pour ce que nous avons besoin qu'il soit ou parce que nous avons besoin d'aimer.

L'amour de la femme féminine, comme celui de l'homme macho, est un amour centré sur lui-même. Tous deux «tombent amoureux» de leur fantasme de l'autre et, à cause de leurs besoins défensifs, ne peuvent pas et ne veulent pas reconnaître et accepter la réalité de la personne qu'«ils aiment», ni composer avec elle. C'est la raison pour laquelle les relations se brisent si brutalement avec tant de souffrances, laissant un des partenaires choqué, déçu ou profondément blessé. Si les «parties lésées» avaient réellement vu avec qui elles vivaient, il n'y aurait pas eu d'aussi mauvaises surprises.

L'inconscient féminin, en intensifiant les besoins personnels des femmes, perpétue le déséquilibre qui favorise la polarisation et engendre, chez les hommes, la sensation d'étouffer; pour leur part, les femmes se sentent alors rejetées, affamées et mal aimées, résultats de l'extériorisation et du besoin de distance exigés par les défenses et l'inconscient masculin. C'est pour cette raison que les femmes sont d'abord indignées, puis haïssent les hommes: elles les croient égoïstes et renfermés alors qu'en fait c'est la polarisation ou leurs schémas psychologiques qui les paralysent. Ils sont incapables de donner *plus,* de même que les femmes sont incapables de donner *moins,* même après avoir été informées par des personnes dignes de foi qu'en donnant moins elles amélioreraient la relation et pourraient ainsi aimer mieux et sans souffrance.

La polarisation conduit à une impasse. La femme est incapable de se modérer et l'homme est incapable de se rapprocher davantage. Quand ni l'un ni l'autre ne met un terme à la relation, tous les éléments sont réunis pour le «terrorisme de l'intimité». L'homme reste mais ne donne presque rien, la femme reste et donne «beaucoup trop». Il est «paralysé» par la culpabilité et elle l'est par la peur.

La femme qui «aime trop» d'aujourd'hui est l'homologue, sur le plan émotionnel, de celle d'hier qui «souffrait» et culpabilisait sa famille en jouant le rôle de la martyre, de la victime, celle qui répétait sans cesse: «Personne ne se rend compte de tout ce que je fais.»

La femme qui «aime trop» finit souvent par croire qu'elle a «tiré le mauvais numéro», c'est-à-dire qu'elle est tombée sur un homme incapable de l'apprécier. Puisqu'elle est installée dans le rôle de la victime d'un «mauvais choix», elle n'apprendra rien de cette expérience. Le problème naît de son déséquilibre intérieur. Tant que les déséquilibres de son système de défense ne seront pas rétablis, chaque nouvelle relation sera une copie conforme de la précédente.

En résumé, les femmes devraient savoir qu'en «aimant trop», elles encouragent l'autodestruction de l'homme: pour se protéger, il se replie plus encore sur lui-même, ses démarches étant destinées à fuir plutôt qu'à se rapprocher; il se comporte comme s'il se méprisait et se sentait coupable; il coupe le contact pour échapper à l'anxiété, à l'ennui, à la colère et recherche des moyens de se distraire afin de ne pas être tenté de mettre un terme à la relation dont il dépend malgré tout pour combler ses besoins défensifs.

Il semble évident que les hommes et les femmes ne cherchent pas à être ensemble pour se nuire ou se frustrer. C'est pourquoi, pour établir une relation sans victime, ni reproches, ni culpabilité, il faut avant tout prendre conscience de ce que les problèmes rencontrés dans une relation sont créés inconsciemment par ce que nous sommes et parce que nous donnons; en outre, nous devons savoir que la polarisation crée un courant néfaste qui empêche la relation d'aller dans la bonne direction. Si les hommes ne sont pas parfaits, les femmes ne le sont pas non plus; tous deux sont soumis au même processus.

Dépasser les défenses polarisées qui nous obligent à percevoir, à réagir et à choisir en nous tenant sur la défensive constitue la bonne «réponse»; cette réponse n'a rien à voir avec la poursuite d'un «mieux», c'est-à-dire d'un fantasme perpétuant «l'illusion de la différence» ou de faux espoirs créés par les tentatives de changements que nous centrons sur nos attentes alors qu'il faut que nous changions nos processus.

Quelques lignes directrices pour les femmes qui «aiment trop»

Vous n'aimez pas votre partenaire:

1. Si vous êtes continuellement irritée par sa personnalité quand vous êtes ensemble.
2. Si vous êtes conciliante et incapable de définir et d'affirmer vos préférences et vos limites.
3. Si vous avez peur de lui.
4. Si vous recherchez constamment des preuves de son amour.
5. Si votre «amour» vous rend malheureuse et que vous vous sentez victime de son insensibilité ou de son incapacité de répondre à votre besoin d'intimité.
6. Si vous espérez que votre «amour» le transformera en cette aimable personne que vous lui reprochez de ne pas être.
7. Si vous croyez qu'il est responsable des problèmes de la relation et que vous refusez votre part de responsabilités dans ces problèmes.
8. Si vous le considérez comme «handicapé» et «incapable» d'amour et que vous croyez qu'il a besoin d'une aide psychiatrique alors que vous vous croyez, vous, équilibrée.
9. Si vous estimez que votre rôle est de l'*aider* à dépasser *ses* problèmes.
10. Si vous souffrez de *ses* résistances et de *ses* problèmes d'intimité.

Deuxième partie

La sexualité

7

Le sexe pour le sexe, le sexe déguisement

La vie sexuelle de Charles commençait à le rendre fou mais, hélas, pas fou de joie. «Je ne me comprends plus, pensait-il. Quand j'ai rencontré Anne, elle m'excitait terriblement. Je pensais que si j'arrivais à l'amener à mon lit, je lui ferais l'amour jusqu'à la fin des temps. Par chance, elle me désirait aussi et nous sommes rapidement passés aux actes. Nous avons commencé à faire l'amour, j'ai joui, et puis je ne sais pas ce qu'il s'est passé, mon désir a tout à coup disparu. Cela ne m'intéressait plus du tout de la revoir. Peu après, j'ai rencontré Alice qui n'était pas très sexy et ne voulait pas que je la touche. Pourtant, bien qu'elle ne fût pas *vraiment* sexy, mon envie d'elle ne me laissait pas de repos.

«Le sexe a ruiné mon mariage. J'aimais ma femme mais plus nous nous rapprochions, plus elle voulait faire l'amour et moins j'en avais envie. Cela me fait rire quand je me rappelle les discours de femme que je lui tenais: «Ne pouvons-nous pas rester dans les bras l'un de l'autre et laisser faire les choses?» On pourrait penser que c'est là une réaction d'homme libéré, mais honnêtement, en disant cela j'avais l'impression d'être un eunuque, je savais que mon but était seulement de m'échapper — peut-être de m'endormir dans ses bras — avant que rien ne soit dit ni fait et, bien entendu, elle l'avait compris. Elle me connaissait trop bien. J'étais toujours en érection quand je l'ai rencontrée. À cette époque, elle vivait toujours avec Simon et je pensais qu'elle ne le quitterait jamais.»

Ce qui a commencé à inquiéter particulièrement Charles, c'est qu'il s'est mis à ramasser des femmes dans les bars et lors de ses voyages en dehors de la ville. Le jour où il a pris une auto-stoppeuse sur le chemin du bureau et qu'il s'est surpris en train de l'implorer de faire l'amour avec lui, il a touché le fond de la confusion et de son mépris pour lui-même. La nuit précédente, il avait refusé les avances de sa femme et maintenant, il s'évertuait à séduire une femme qu'il ne connaissait pas et qui n'était même pas attirante. Bien qu'il fût embarrassé à l'idée que quelqu'un puisse le voir en compagnie de cette femme, celle-ci l'excitait tellement qu'il n'arrivait pas à se concentrer sur la route.

Son attitude envers le sexe le troublait tellement et faisait naître en lui un tel sentiment de culpabilité et de dégoût pour lui-même qu'il en arrivait à souhaiter que la sexualité n'existe pas. Le maigre plaisir qu'il en retirait lui coûtait beaucoup trop cher.

La sexualité polarisée

Nous pouvons arriver à comprendre la sexualité, avec ses innombrables dilemmes, illusions, problèmes et aspects trompeurs, en n'y pensant pas en tant que sexe mais en tant qu'expression des besoins de distance polarisés des hommes et des femmes.

Par conséquent, quand nous nous sentons excités et que nous *désirons réellement avoir une relation sexuelle,* cela veut souvent dire que quelque chose d'autre s'est déclenché en nous et que notre appétit sexuel est l'expression de ce besoin. On peut comparer alors la sexualité à la nourriture qui, dans notre société contemporaine, est un substitut. Nous mangeons non seulement pour satisfaire nos besoins biologiques et nutritionnels mais aussi — le plus souvent — pour tromper notre ennui, nos tensions et notre anxiété. Manger sert aussi à structurer les interactions sociales, à sublimer l'amour et les besoins de dépendance, à étouffer la colère, à nous faire plaisir, à nous fournir des distractions, à nous récompenser nous-mêmes ou à récompenser les autres, à «prouver notre amour», à ritualiser la journée et à éviter les conflits et les chagrins. Manger est devenu l'expression indirecte d'une multitude de besoins autres que biologiques, particulièrement chez les personnes qui manquent de gaieté, de sociabilité et de spontanéité.

Si le sexe était simplement le sexe, c'est-à-dire l'expression d'un besoin biologique, il serait relativement facile à diriger et nous pourrions négocier raisonnablement avec lui. Il serait simplement utilisé d'abord dans le but de procréer et non dans celui de satisfaire une myriade d'autres besoins. Étant donné que le désir sexuel, dans l'inconscient polarisé, ne signifie que de façon occasionnelle et accidentelle un véritable appétit sexuel, il se crée un véritable fouillis de motivations compliquées et confuses, d'illusions, de déceptions, d'attentes, de distorsions, de tensions et, éventuellement, de désespoir lorsqu'on n'arrive pas à faire l'amour «correctement». Nous connaissons tellement peu ces motivations relatives à notre sexe qui sont à la base de nos désirs et de notre vie sexuelle qu'ils nous devient impossible de nous en sortir.

Nous finissons par croire que nous avons un problème alors qu'il n'en est rien. Si nous persévérons dans cette direction sans essayer d'y voir clair, nous arrivons à la conclusion que nous avons un problème physiologique ou un problème provenant de notre «ignorance» ou d'un manque de compréhension. Et nous entrons alors dans le monde cauchemardesque des gadgets, des «traitements éducatifs», des thérapies ou des consultations avec un sexologue qui tiennent temporairement leur promesse d'un «mieux-être» en réduisant notre anxiété et en changeant nos pôles d'intérêt. Cependant, étant donné que nos problèmes sexuels ont très peu ou rien à voir avec le sexe, nous finissons un jour ou l'autre par payer le prix de ce soulagement temporaire. Le cheminement est le même en ce qui concerne nos mauvaises habitudes alimentaires: il nous faut soit suivre un régime, soit changer notre façon de manger (mâcher plus lentement, changer les horaires des repas, etc.).

Distance et excitation

Les féministes nous ont appris que le viol est une manifestation de pouvoir, non de sexualité. Le violeur cherche à dominer, à humilier, à libérer sa colère et à se soulager de l'insupportable tension que provoquent en lui ses ressentiments inconscients contre le sexe opposé.

Les femmes libérées sexuellement, qui ont appris à rester en contact avec leurs désirs et leurs besoins sexuels et qui cherchent à les satisfaire, ont découvert que le mâle mené par le sexe, quand il s'en rend compte, a tendance à se replier sur lui-même et à se sentir menacé par les besoins sexuels des femmes même s'il essaie de les satisfaire. Lorsque son fantasme devient réalité — une femme désire faire l'amour avec lui   , il découvre, à son grand désespoir, qu'il ne peut pas répondre à ses avances ou que son intérêt pour elle tiédit ou disparaît.

Le nombre croissant des célibataires nous montre que l'excitation et le désir sexuels sont une question de distance. Après un premier ou un deuxième rendez-vous, les deux partenaires concrétisent leur attirance sexuelle en faisant l'amour, animés, semble-t-il, par un grand appétit sexuel et par un puissant désir l'un de l'autre. Le rapport physique est «fantastique» mais l'homme, qui pourtant croyait avoir envie de vivre une expérience sexuelle extraordinaire, disparaît dans la nature; ou la femme qui semblait excitée ou attirée sexuellement n'a plus aucune envie de renouveler l'expérience.

Voici la «complainte des célibataires» si souvent entendue: «Celles qui m'attirent vraiment ne me regardent pas, tandis que celles qui me regardent ne m'excitent pas.» Et ils arrivent à cette conclusion inquiétante: «Les bonnes sont toutes prises, il ne reste que les indésirables ou les *malades.*»

Les composantes du fantasme qui avaient donné l'impression que ce dernier n'était dirigé que vers le sexe étaient transformées et devenaient un problème de distance. L'homme sentait peut-être que la femme avait en réalité «besoin» d'autre chose et qu'elle voulait l'attirer, par le biais de la sexualité, dans un piège qu'il cherchait instinctivement à éviter; ou alors celle-ci se rendait compte que son partenaire se servait de la sexualité pour combler ses besoins de domination, de contact ou de valorisation et qu'elle était l'objet qui était censé satisfaire ces besoins. Elle préférait alors couper court à une liaison dans laquelle elle se sentait utilisée. Ni l'un ni l'autre n'avait plus envie de renouveler cette expérience pourtant satisfaisante, à moins peut-être qu'il ne s'écoule suffisamment de temps pour que chacun redevienne le symbole du fantasme de l'autre et pour que leurs besoins psychologiques respectifs changent et suscitent un nouvel intérêt sexuel.

Il est notoire que les hommes traditionnels s'excitent en regardant, dans les revues pornographiques, des photos de femmes nues qui sont le symbole de l'objet sexuel inaccessible. En fait, ces hommes peuvent se masturber devant une photo en fantasmant alors qu'une épouse ou une petite amie séduisante et disponible se trouve dans la pièce voisine.

Quand un homme qui n'est plus attiré par sa compagne apprend qu'elle le quitte ou qu'elle a trouvé quelqu'un d'autre, il se remet à éprouver tout à coup pour cette femme qui ne l'intéressait plus un appétit sexuel insatiable.

Laurent avait mis au point, en secret, une stratégie pour amener sa compagne à le quitter. Il venait d'émigrer d'un pays du Moyen-Orient et d'ouvrir une bijouterie quand il avait rencontré Catherine, une Américaine de la classe moyenne, classique, blonde et charmante, à une réunion de bijoutiers. Ils ont dîné ensemble, puis passé le reste de la soirée à faire l'amour et à batifoler dans leur chambre d'hôtel.

Très peu de temps après, Catherine s'est installée chez Laurent; elle semblait s'intéresser de moins en moins à sa carrière, mais de plus en plus à ce que Laurent faisait quand il était seul. Son insécurité la poussait à parler fréquemment de mariage. Leur lune de miel s'est vite transformée en nuits froides pendant lesquelles ils se chamaillaient; ils ne firent bientôt plus l'amour qu'occasionnellement.

Bien qu'il essayât de résister à la tentation, Laurent s'est mis à avoir des rapports sexuels avec d'autres femmes, d'abord occasionnellement quand il quittait la ville seul, puis régulièrement lorsqu'il commença à voir secrètement la secrétaire de l'un de ses clients. La tension et la frustration dont il souffrait provenaient de l'insécurité de Catherine et le poussaient à s'éloigner d'elle et à se tourner vers d'autres femmes.

Laurent a alors décidé qu'il était temps de rompre avec Catherine, mais chaque fois qu'il essayait d'en parler, elle devenait hystérique et il se sentait trop coupable pour lui demander de partir. Il a entrepris une thérapie pour trouver le moyen de clarifier la situation et de mettre un terme à leur vie commune d'une manière constructive.

Pendant les premières séances, Laurent ne pensait qu'«aux moyens de s'en sortir», mais un jour, un renversement de situation spectaculaire a eu lieu. Il est arrivé à sa séance de thérapie en pleurs: Catherine avait trouvé du travail — acheteuse dans un magasin de vêtements — et il avait remarqué qu'elle était devenue distante, évasive quant à son emploi du temps, et qu'elle le faisait régulièrement attendre quand il l'appelait à son travail, chose qu'elle n'avait jamais faite auparavant. Il avait fini par lui faire avouer, en la harcelant de questions, qu'elle était amoureuse d'un autre homme. Quand Laurent, en colère, lui avait reproché «son infidélité», elle lui avait annoncé qu'elle allait déménager.

Il était désespéré. Le play-boy célibataire implorait maintenant le mariage. Alors que c'était lui qui jusque-là avait «papillonné», sa passion sexuelle pour Catherine s'était tout à coup réveillée au point qu'il était complètement obsédé par l'idée de lui faire l'amour comme lors du premier week-end qu'ils avaient passé ensemble. En même temps son intérêt pour les autres femmes avait disparu. Il a finalement réussi à la convaincre de quitter son rival et de l'épouser. Après six semaines de mariage, ils étaient revenus à la case départ. Laurent ne s'intéressait de nouveau plus à Catherine et elle le pressait de lui répéter sans cesse son attachement et de lui faire l'amour, mais il était toujours «trop occupé».

Trois mois plus tard, il a recommencé à appeler les femmes qu'il voyait avant d'épouser Catherine. Son désir sexuel pour elle avait de nouveau disparu.

Ce genre de comportement existe aussi chez les femmes. Quand une femme «frigide» apprend que son amant ou son mari va la quitter pour vivre seul ou pour une autre femme, elle ressent alors un puissant besoin de faire l'amour avec lui. Elle arrivera à dire: «Fais-moi l'amour, s'il te plaît», ce qui ne lui ressemble pas du tout.

Un objet est «sexy»; une «personne réelle» ne l'est pas

Un homme est marié depuis vingt ans et il a toujours la même attirance sexuelle pour sa femme. Il veut faire l'amour avec elle tous les soirs et quelquefois plus souvent encore. En tant que psychothérapeute, j'ai rencontré et conseillé un grand nombre de couples de ce genre. Quand je discutais avec la femme seule, il en ressortait invariablement qu'elle ne se souvenait pas avoir *jamais* ressenti durant toutes ces années de désir sexuel spontané; elle avait toujours une raison «légitime» de faire l'amour: la crainte d'être délaissée ou la peur de la colère du mari, un sentiment de culpabilité ou le besoin de se montrer conciliante. L'homme ne savait pas toujours que sa femme ne tirait pratiquement aucun plaisir de leurs rapports sexuels. En fait, le plus souvent, elle était contrainte et irritée par ses assiduités. Pour elle, les relations sexuelles tenaient plus du cauchemar que du plaisir. Lui pensait qu'il avait une vie sexuelle accomplie; quant à elle, elle s'était complètement refermée.

Le cas de Jim est l'inverse du précédent. Il avait cinquante ans et était marié depuis vingt-six ans à une femme dont l'appétit sexuel n'était jamais assouvi. Il était son idéal masculin: il pourvoyait aux besoins de la famille, était indépendant, peu émotif, charmant, maître de lui et toujours responsable. Sa femme le trouvait très sexy.

Dans son for intérieur, Jim n'avait jamais accepté le mariage. Il se sentait piégé. S'il avait été honnête et s'il ne s'était pas senti si coupable, il aurait dit à sa femme que faire l'amour avec elle ne l'intéressait pas. En fait, celle-ci devait l'avoir deviné, mais son besoin d'être rassurée, sa peur d'être abandonnée, la grande distance psychologique qui la séparait de cet «homme parfait» dont elle «avait besoin», tout cela avait créé en elle une envie insatiable de faire l'amour avec lui. *Il était l'objet et elle était toujours prête à faire l'amour,* ce qui était à l'inverse de la polarisation traditionnelle commune où la femme est l'objet distant, non consentant, «non disponible»; ou elle est mystérieuse quant à ses sentiments réels; ou elle n'est que l'objet d'une nuit puisque l'homme a toujours l'impression que chaque nuit peut être la dernière — garder une telle femme représente toujours un défi pour l'homme qui, par conséquent, ne perd jamais son intérêt pour le «sexe».

Grâce à la psychothérapie, la femme de Jim a compris qu'elle réagissait à la distanciation de son mari et à l'insécurité qui en résultait; elle a par conséquent cessé de poursuivre son mari de ses assiduités. Celui-ci a recommencé à désirer sa femme et leurs relations sexuelles sont devenues meilleures qu'elles ne l'avaient jamais été.

Il y a des années, quand les femmes n'avaient pas conscience de ce que la sexualité faisait partie de leurs besoins ou qu'elles ne s'y intéressaient pas, le schéma d'«une bonne relation sexuelle» était le suivant: l'homme était toujours prêt à faire l'amour et la femme était heureuse d'être désirée parce que cela la rassurait quant à l'attachement de son partenaire, même si, au fond d'elle-même, elle se sentait forcée, dominée, et «utilisée» par lui. Elle n'était peut-être pas consciente de ces sentiments qui couvaient en elle, mais son corps, ses émotions et son moi profond, eux, savaient; c'est pourquoi elle «souffrait» sans cesse de malaises physiques ou de «mystérieux» changements d'humeur allant de la crise de larmes à la dépression. Aussi longtemps qu'elle aimait son mari et voulait vivre avec lui, elle était heureuse qu'il la désire, même si elle-même ne retirait aucun plaisir de cette intimité physique.

Elle cachait la vérité. Et lui ne savait jamais vraiment qui elle était, ce qu'elle ressentait ou ce qu'elle voulait. Elle demeurait un objet mystérieux. La distance dont il avait besoin pour maintenir son «désir sexuel» était toujours respectée et, par conséquent, il gardait toujours sa puissance sexuelle. Nous avons entendu beaucoup d'histoires sur nos grand-pères «en rut» qui troussaient sans cesse leurs épouses, des femmes qui n'étaient pas conscientes de leurs propres besoins sexuels mais qui voulaient faire plaisir à leurs maris aussi longtemps qu'ils les traitaient avec gentillesse. Quelques femmes disaient prendre plaisir à l'acte sexuel, mais la majorité aurait tout aussi bien pu s'en passer.

La masculinité est un état d'extériorisation, de détachement. En conséquence, le stimulus inconscient le plus efficace de l'excitation sexuelle chez l'homme est un reflet de son besoin de distance et de domination. Aussi longtemps que la femme restera un objet distant et non consentant et que l'homme contrôlera et réduira les tensions que le contact physique crée en lui, il la désirera. Elle a les atouts dont il a besoin pour affirmer sa virilité (un joli visage, une poitrine opulente, etc.). Avec lui, elle n'est qu'un objet vivant sans vie intérieure propre. Il la désire longtemps encore après qu'elle en est arrivée à lui en vouloir, à le haïr et même à souhaiter sa disparition ou sa mort. Ou soudainement, dans une explosion de colère, elle le quitte dès qu'elle a pris de l'assurance, le laissant surpris, choqué et terrifié.

Et maintenant, cette femme prétendument frigide rencontre un homme qui possède tous les symboles de l'intimité. C'est soit un gentleman, ou une personne «spiritualisée», ou un thérapeute compréhensif ou l'homme qui va la «sauver et lui offrir la compréhension et l'intimité dont elle a tellement besoin. Il est tout ce dont elle rêvait. Maintenant c'est lui l'objet, il n'existe pas en tant que personne. Il ne se dévoile ni ne se donne, il n'est pas intéressé par un engagement ou par un mariage. C'est *elle* qui maintenant déborde de désir sexuel parce qu'il *la* connaît très bien. Il reste distant, il est l'objet de ses rêves; elle croit le connaître mais en réalité il n'en est rien. Il est son fantasme comme elle était, précédemment, celui de son mari.

Elle «irait jusqu'au bout du monde» pour lui, elle ferait l'amour tout le temps, elle irait jusqu'à se rendre ridicule pour être souvent avec lui. C'est elle maintenant qui est aux prises avec le fantasme de la distance; aucun élément de sa réalité à lui ne s'impose à elle, ainsi elle est toujours «prête». *Elle* se maintient à la distance idéale; son besoin d'être rassurée et de dominer cette situation inquiétante est très puissant. Elle croit être une femme sensuelle et elle l'est en effet, comme l'était son mari quand il était excité par son attitude distante, par son *indisponibilité* et par le défi qu'elle représentait.

Il est un objet, distant et irréel malgré qu'il *semble* réel, exactement comme elle l'était dans sa relation précédente. Il n'est nullement motivé pour s'engager véritablement même s'il utilise à merveille le langage de l'intimité et du rapprochement. Il la manipule au moyen de symboles de cette intimité dont elle a besoin, comme une belle femme manipule un homme par le truchement des symboles qui valorisent la masculinité dont il a tellement besoin. Il croit avoir trouvé le véritable amour alors qu'elle sait au fond d'elle-même qu'il n'a pas la moindre idée de sa vraie nature. Aussi longtemps qu'elle aura «besoin» de lui, elle s'arrangera pour qu'il se sente aimé et pour que ses besoins machos soient satisfaits. Elle reste un objet très désirable tant que sa sexualité et sa réalité restent totalement distanciées.

Celui qui possède les symboles dont l'autre a besoin et tait sa nature profonde parce qu'il n'est pas réellement engagé crée l'«excitation» chez l'autre. Chez les célibataires, par exemple, les deux partenaires peuvent réagir de la sorte lors d'un premier rendez-vous, quand l'attirance est réciproque. Mais quand la *réalité* de l'un s'impose à l'autre, l'excitation n'est plus équilibrée et le désir sexuel reste rarement réciproque.

Les femmes traditionnelles ont compris ou appris que pour maintenir le désir sexuel chez l'homme, elle doivent garder la plus grande distance possible — «rester mystérieuses», taire leur moi intérieur pour ainsi éveiller l'excitation de l'homme. Elles gardent leurs distances par rapport à leurs compagnons qui croient les dominer alors qu'en fait ce sont elles qui les manipulent. Dans leur for intérieur, elles savent qu'ils ne sont que des petits garçons; elles les trouvent peut-être même stupides mais ils sont des maux nécessaires.

Distance et dysfonctionnement (absence d'excitation)

Si nous pouvons comprendre que l'excitation n'existe que grâce au facteur distance, nous pouvons également comprendre la détresse sexuelle, de même que les «symptômes», le dysfonctionnement ou l'absence d'«excitation».

Le mâle qui est impuissant ou «dysfonctionnel» est souvent devenu une machine masculine qui a des besoins inconscients de distance et qui se trouve dans la situation suivante:

1. Il est incapable d'imposer des limites à sa partenaire dont les besoins féminins profonds d'intimité sont énormes et menacent de l'étouffer. Cela l'irrite et le met en danger. Son sentiment de culpabilité l'empêche de rompre avec elle ou du moins de lui dire «non». Sa nature masculine le contraint à essayer de faire l'amour.

2. Elle le harcèle impitoyablement par sa quête d'«intimité» et peut-être aussi, inconsciemment, pour l'humilier et le punir parce qu'il la domine, qu'il est insensible et qu'il est incapable de lui donner l'«intimité» qu'elle désire. Le sexe est son arme, l'«intimité» son alibi. Elle «exige» une intimité et une participation qu'il ne peut pas donner. Elle lui paraît «déséquilibrée» et exigeante. Elle n'est plus la femme distante, indisponible et mystérieuse ni l'objet contrôlable dont il a besoin pour se sentir excité.

3. Elle est en proie à une colère intense (bien que niée et refoulée) qu'elle cache sous un vernis de gentillesse, sous le désir de «l'aider» à résoudre ses «problèmes d'intimité»; tout ce qu'elle arrive à faire, cependant, c'est à ce qu'il se sente encore plus étouffé, plus piégé et encore plus coupable. Elle est «toujours présente», en personne ou dans son esprit, et il devient totalement incapable de créer la distance dont il a besoin pour être excité. Même quand elle semble lui laisser l'initiative en ne lui demandant pas de faire l'amour, il la sent là, impitoyable; il ressent la contrainte non exprimée qu'elle représente et sa perpétuelle attente.

4. Il *essaie* d'être excité davantage parce qu'il se sent coupable et veut prouver qu'il est capable de faire l'amour alors qu'en fait il n'en éprouve pas un réel désir. Il est obsédé par l'idée de réussir l'acte sexuel et, à cause de cela, rien ne va plus.

5. Inconsciemment il désire cette distance qu'il ne peut avoir. Il est paralysé par ses réflexes défensifs qui le protègent de l'étouffement et de la rancœur de sa compagne, sans parler de son ressentiment personnel dont il n'est pas conscient mais qu'il exprime par son «dysfonctionnement».

6. Elle va réagir à cette attitude en demandant encore plus de relations intimes, afin de se rassurer. L'impuissance momentanée de

l'homme fait pencher la balance des pouvoirs du côté de la femme. Si son anxiété et son mépris pour lui-même augmentent parce qu'il ne réussit pas à faire l'amour, c'est elle qui prend le contrôle.

7. Pendant tout ce temps, elle sera «gentille» et «compréhensive» avec lui, ce qui intensifiera le sentiment qu'il a d'être responsable de leur problème et son incapacité de comprendre pleinement sa situation. Il est convaincu qu'elle l'aime vraiment et que c'est lui qui a un problème parce qu'il a peur de l'intimité (ce qui est vrai dans certains cas, mais ce n'est qu'un élément du tableau). Il en arrive à croire — il espère même — que son «dysfonctionnement» est un problème physiologique puisqu'il ne peut pas y trouver de raison émotionnelle. Il se sent de plus en plus désarmé ou «impuissant».

8. Pour essayer de «réparer» la situation, il va peut-être fermer les yeux et transformer sa partenaire en une autre personne, en un objet sexuel distant qui peut l'exciter. Cela fonctionne quelquefois mais il faut, pour cela, que l'attitude de sa compagne ne l'oblige pas à se retrouver face à elle, face à ce qu'elle est réellement, et qu'elle lui laisse assez de liberté pour qu'il puisse fantasmer.

9. Si elle lui laisse approcher sa réalité de trop près, la fin de leurs relations intimes est proche. La distance dont il a besoin a disparu et il va devenir «impuissant» avec sa compagne «réelle». Il n'y a ni solution ni échappatoire à moins que le schéma ne soit revu et corrigé. À ce moment-là, il devient anxieux, ses idées sont confuses et il est vulnérable à toute promesse de «cure» rapide ou autre solution externe, mécanique proférée par un «expert en sexualité» qui profite de son besoin et de son envie désespérée de réussir à faire l'amour pour préserver son orgueil masculin et pour échapper ainsi à son intense et douloureuse anxiété.

Son «dysfonctionnement» n'est pas d'ordre sexuel, il n'est pas le reflet de sa virilité. Il s'agit là d'un problème de distance non équilibrée et la majorité des «cures» et des «traitements» qui prônent une plus grande intimité sont l'antithèse de la solution. La seule chose qui lui permettra de retrouver son excitation c'est de retrouver l'objet distant, très beau et non contraignant qui n'est normalement pas intéressé par le sexe et qui reste un mystère pour lui.

Distance et impuissance

Pour comprendre un dysfonctionnement qui résulte d'un manque d'excitation, il suffit d'inverser les fantasmes sexuels masculins habituels. L'objet distant et indisponible est devenu une femme bien réelle exigeant intimité et relations intimes; c'est justement cela qui dépouille l'homme de la distance et du contrôle qui sont le fondement de son excitation sexuelle optimale.

La femme «frigide», qui était auparavant la norme, était, comme l'homme impuissant, «frigide» parce qu'elle se sentait étouffée par son partenaire qui la poursuivait de ses assiduités, la traitait comme un objet et était incapable de voir qu'elle était un individu à part entière. Ses besoins défensifs la contraignaient à se montrer conciliante et à se taire. Le schéma est le même pour tous ceux qui sont animés d'un sentiment de culpabilité: le mâle impuissant qui prétend être réellement attiré par le sexe, mais qui est trahi par un problème «technique»; la femme «frigide» qui est incapable de fixer les normes dont elle a besoin et qui n'est pas capable de réagir de façon spontanée sur le plan sexuel. Sa «frigidité» et le refus de sa sexualité sont une façon de se protéger et représentent le besoin de redéfinir les normes de la réalité psychologique qu'elle nie et refoule par son «bon mouvement» consistant à essayer d'aimer son partenaire tout en se sentant dominée et impuisante.

C'est pourquoi, dans les relations traditionnelles, nous avons toujours, d'une part, un homme excité mais qui utilise la femme pour affirmer sa masculinité et sa domination et, d'autre part, une femme qui n'est jamais excitée. Le besoin de distance de l'homme est satisfait. Néanmoins, son excitation n'est pas motivée par la femme en tant qu'individu et celle-ci le sait. Elle est un outil et elle est rejetée en tant que personne, tout comme elle utilise le mâle impuissant dont elle renie la réalité en le «désirant» tout le temps et en réprimant ainsi son besoin incontournable de distance. Il est donc devenu un objet destiné à la rassurer, tout comme elle était auparavant un objet destiné à valoriser sa masculinité.

Les éléments nécessaires à une excitation sexuelle optimale chez l'homme traditionnel sont les suivants:
- une distance psychologique de sa part;
- une résistance et une absence d'intérêt sexuel chez elle;
- un perpétuel défi;

- le besoin d'avoir le contrôle sur «sa propriété» et la sensation de posséder ce contrôle;
- un besoin de contact et d'intimité qui ne peut être satisfait que par des relations sexuelles;
- l'absence de la «réalité» de la femme: il ne sait pas qui elle est réellement ni ce qu'elle pense ou ressent;
- le fait qu'il n'est pas obligé de faire l'amour puisqu'elle n'en a *jamais* réellement envie; en fait, quand elle accepte de faire l'amour, elle lui donne l'impression de lui «faire une faveur»;
- le fait qu'elle le manipule à distance pour atteindre ses objectifs personnels en ne lui montrant aucun de ses sentiments réels.

Les problèmes naissent quand les facteurs qui viennent d'être cités sont inversés. Dans ce cas:
- il n'a aucune distance psychologique;
- il n'y a ni résistance ni marque d'intérêt sexuel chez elle;
- elle n'entretient pas le défi;
- il n'a pas l'impression de contrôler ni elle ni la situation;
- il n'a pas besoin de relations intimes pour canaliser ses besoins de contact et d'intimité non exprimés;
- elle est «trop réelle».
- il se sent obligé de faire l'amour car elle en manifeste un besoin *réel*; c'est elle qui veut avoir des relations sexuelles.
- elle exprime ses sentiments réels.

Les éléments qui provoquent le manque d'excitation, le dysfonctionnement et l'impuissance sont alors réunis.

Distance et libération

Il existe un problème grandissant chez les hommes «libérés» et chez les «couples libérés» dont les partenaires semblent être très bien ensemble excepté que la femme ne suscite chez l'homme aucun intérêt sexuel ou qu'ils n'ont aucun intérêt commun.

C'est le besoin profond de distanciation de l'homme qui se manifeste — alors que ses attitudes libérées et son désir d'«intimité» ont suscité une tentative de rapprochement motivée par son sentiment de culpabilité.

Il recherche l'intimité parce que son moi «libéré», idéaliste et abstrait lui dit que c'est une chose bonne et saine, une chose qu'il se doit de désirer. Mais là, hélas, son moi masculin profond ou ses réactions de défense qui exigent une distance pour parvenir à l'excitation et qui ne se modifient pas simplement en adoptant des attitudes de «bonne volonté» saccagent ses «idéaux».

Sa compagne se sent alors frustrée parce qu'elle croyait avoir trouvé «l'homme parfait», libéré, mais qui accuse maintenant une «défaillance fatale». Ils essaient tous deux de rationaliser en ayant recours à des philosophies selon lesquelles les hommes ne se doivent pas de «réaliser des performances», etc. Mais, s'ils ont souvent recours à cette rationalisation, ni l'un ni l'autre n'y croit *vraiment* ni ne peut s'en accommoder parce que la tension et l'obsession sous-jacente sont ranimées tous les soirs par le problème qui est toujours là, même s'ils le nient ou le contournent en invoquant toutes sortes d'excuses — «Je travaille trop»; «Je suis trop préoccupé»; «Je suis fatigué» ou: «Je ne me sens pas en forme.» L'homme s'est piégé lui-même par ses prétentions de libération qui ont transformé en «péché» l'acceptation de sa structure psychologique masculine.

Aborder les problèmes de sexualité est inutile si la structure profonde ou la polarisation n'ont pas été modifiés. Considérer le fait d'«en parler» comme une «cure» ou un antidote aux problèmes créés par la polarisation ne sert à rien. La culpabilité et le désir d'être «bon et compréhensif» recouvrent les résistances profondes; il est donc très difficile de les reconnaître et de les corriger honnêtement.

On se tourne alors vers des solutions extérieures comme faire l'amour moins souvent, se «préparer» artificiellement, prendre ses distances jusqu'à que l'autre en redemande. Ces «solutions» sont vaines; c'est comme si un alcoolique voulait régler son problème en changeant les circonstances dans lesquelles il a l'habitude de boire.

L'élément ultime, le dernier coup de pouce vers le précipice, est l'absence de limites dans la sexualité — limites qui existent dans le monde animal où l'accouplement n'a lieu que pendant la période de «chaleurs». Les défenses polarisées créent une sexualité sans limites. Ces «chaleurs artificielles» sont motivées par le besoin défensif insatiable de l'homme de prouver sa virilité et par le besoin tout aussi insatiable d'intimité et de certitude d'être «aimée» de la femme.

Le couple en crise est confronté à la cruelle réalité: ils sentent qu'ils «devraient» faire l'amour régulièrement, même si l'un ou l'autre — ou les deux — éprouve une puissante résistance.

Les théories stéréotypées sur la santé mentale selon lesquelles il est vital de maintenir une «vie sexuelle saine» pour entretenir une bonne relation démoralisent encore plus le couple polarisé à la recherche des ingrédients qui créeront cette situation merveilleuse et feront d'eux un couple «normal».

Le sexe n'est donc pas seulement le sexe; si c'était cela l'homme qui ne «pensait qu'à ça» quand, au début de la relation, ce n'était pas permis, perdrait aujourd'hui tout intérêt pour le sexe alors que maintenant il est permis. Il réagit au besoin structurel puissant d'intimité de la femme qui la tourne vers lui et le détourne d'elle.

Si le problème était uniquement sexuel, l'intérêt et le désir sexuel ne seraient pas si versatiles — importants aujourd'hui, inexistants demain, toujours présents chez l'un et absents chez l'autre. En fait l'un des deux chercherait simplement un partenaire habile et de bonne volonté pour créer à long terme une liaison sexuelle satisfaisante.

La biologie au service de la «récréation»

Quand la biologie doit se mettre au service des besoins défensifs structurels, c'est que nous sommes mal en point. Lorsque les aliments servent à autre chose qu'à nos besoins nutritionnels, nous sommes sous leur emprise et ils nous dominent. En effet, nous vivons aujourd'hui dans une société où la nourriture est devenue une calamité autant qu'un plaisir: la majorité des gens ont un «problème d'alimentation»; les cas d'anorexie et de boulimie arrivent à un niveau presque épidémique; l'obsession des «kilos en trop» est quasiment universelle et la recherche du régime parfait constitue une grande préoccupation pour beaucoup.

Il semblerait que la sexualité suive le même cheminement. Au départ on l'a utilisée pour des motivations non sexuelles, pour des «récréations» (réduction de la tension nerveuse, distraction, réconfort, structure). Aujourd'hui, le sexe a tendance à nous «rendre fous» psychologiquement et, en même temps, il devient une menace sérieuse pour notre santé étant donné qu'il y a de plus en plus de graves maladies vénériennes.

Il ne faut toutefois pas utiliser ce «danger» comme un argument en faveur de la fidélité ou du puritanisme qui ne sont pas non plus des solutions. Les effets et les résultats de la polarisation ne sont nulle part aussi puissants que dans le domaine de la sexualité, car la fontaine de délices promise se retourne contre nous et menace de tourner au cauchemar, comme cela se passe quand les gens utilisent la nourriture à des fins de «récréation».

Les vérités profondes de notre schéma psychologique sont révélées par nos réactions sexuelles, ce qui nous attire ou nous repousse ainsi que les éléments de distance qui sont l'expression de l'homme extériorisé ou de la femme extériorisée et qui s'expriment à travers la sexualité. Il va implacablement vers un détachement et elle va implacablement vers la fusion. Ce qui nous «excite» ou ce qui nous «repousse» nous fait prendre conscience douloureusement des vérités touchant à nos défenses polarisées les plus profondes. C'est pourquoi nous avons beaucoup à apprendre de nos choix sexuels, de nos fantasmes et sur la façon dont ces choix interviennent eux-mêmes sur nos réactions sexuelles.

À travers la sexualité polarisée, les deux partenaires se servent l'un de l'autre pour satisfaire des motivations non sexuelles qui, bien qu'elles puissent exciter l'un ou l'autre (cela dépend qui voit ses «besoins» comblés, qui est menacé d'abandon, qui se sent dominé, étouffé ou piégé), créent finalement une rupture dans la communication, les poussant ainsi à s'éloigner l'un de l'autre et à avoir envie de fuir.

Si c'était réellement des rapports sexuels que l'homme voulait, laisserait-il de côté une partenaire consentante et poursuivrait-il une femme non consentante et manipulatrice? Ou la femme quitterait-elle un mari aimant pour suivre un manipulateur psychopathe qui ne peut que feindre l'intimité?

La sagesse du pénis retrouvée: une justification partielle

Dans un de mes premiers ouvrages, un chapitre intitulé «La sagesse du pénis» suggère que le pénis révèle des vérités profondes qu'il vaut mieux respecter. Si je devais réécrire ce chapitre aujourd'hui, j'ajouterais que le pénis et nos «déclencheurs» sexuels authentiques sont les véritables indicateurs de ce que nous sommes réellement. Cependant, si cela veut dire qu'un homme est une machine qui a inconsciemment besoin d'une grande distance psychologique et de domination pour être stimulé, l'érection — évidemment — ne l'amènera pas vers une partenaire pour établir avec elle une relation équilibrée et constructive. L'homme qui est excité par des «objets» — que ce soient des prostituées, des revues, des «femmes mystérieuses» ou toute autre personne irréelle — doit se rendre à l'évidence qu'il lui faudra changer énormément s'il veut arriver à établir une relation durable, enrichissante et valorisante.

Tant que le sexe sera polarisé, l'excitation sexuelle restera une référence sujette à caution pour choisir un partenaire ou évaluer la «santé» ou la qualité d'une relation. Quand nous sommes excités sexuellement, nos besoins de distance, et par conséquent nos besoins défensifs, sont temporairement satisfaits. C'est notre système de défense qui, au niveau inconscient, guide nos choix et non pas une préférence objective ou rationnelle. Nous marchons sur des mines qui explosent sous nos pieds dès que l'équilibre des distances structurelles change et modifie d'une manière spectaculaire ce que nous appelons notre désir sexuel.

Malheureusement, beaucoup de gens, les hommes surtout, sont dépendants de l'excitation initiale qui naît de la satisfaction de leur besoin de distance; ils ne sont plus capables d'être excités sans elle. Quand l'excitation disparaît, nous sommes convaincus que la relation est terminée alors qu'en fait, cela peut marquer le début de la connaissance de soi.

Notre excitation sexuelle n'est pas un piège diabolique, mais ceux qui ne comprennent pas la réalité des structures psychologiques profondes des sexes sont tentés de la voir comme telle. Quand nous nous laissons guider par notre excitation sexuelle pour choisir un partenaire et que nous nous retrouvons pris au piège dans des relations qui promettent monts et merveilles et qui se détériorent progressivement, cela ressemble en effet à une ruse du démon.

Le sexe en «bonne santé»

Une sexualité saine se satisfera vraisemblablement d'une relation fondée sur l'amitié plutôt que sur l'excitation sexuelle. Cette attitude suppose que l'homme comme la femme ont évolué considérablement depuis l'interaction polarisée.

Nous préférons solliciter des solutions simples, externes et mécaniques qui nous sont proposées par les médecins, les scientifiques et les guides et praticiens de la santé mentale parce que les structures défensives des hommes et des femmes sont difficiles à modifier et que de grands risques psychologiques semblent inhérents à ce changement. Le prix pour échapper à notre moi profond est celui que nous payons pour être «drogués», ce qui nous dispense de comprendre notre souffrance. Cependant, le sablier des dieux s'écoulera lentement et nous paierons inévitablement pour n'avoir pas fait face aux mobiles profonds qui nous mènent.

Nous vivons dans un quasi-cauchemar sexuel parce que notre moi profond réclame protection et, si nous n'interprétons pas correctement le message, nous serons condamnés à répéter les mêmes erreurs, à vivre un désespoir de plus en plus intense et à rendre impossible la communication sexuelle avec nos partenaires. Il faut absolument que nous nous libérions des illusions et de la torture de la polarisation. Le problème ne réside pas dans le sexe, mais bien dans le déséquilibre de nos défenses et dans les distorsions qui résultent de la façon dont nous choisissons notre partenaire et dont nous nous rapprochons de lui.

8

Dieu merci, il y a l'impuissance! C'est la seule chose que l'homme ne puisse pas contrôler

Quand Thomas a constaté que son désir pour sa femme Annette diminuait, il a commencé à paniquer. Jusque-là, tout s'était très bien passé dans sa vie, et voilà qu'il devenait impuissant. Son «érection était absente»; il lui semblait que son pénis était devenu plus petit. Il se répétait qu'il avait pourtant tout pour être heureux: une femme aimante et très sexy qui semblait l'adorer, deux charmants enfants, un troisième en route et une récente promotion dans son travail — il venait d'être nommé directeur d'une succursale de sa compagnie.

Il cherchait une solution immédiate à son problème car, bien que sa femme lui répétât tous les soirs que ce n'était pas grave, la tension était insupportable. Il n'aurait jamais imaginé qu'un jour il aurait «peur» de la sexualité. «Mon Dieu! pensait-il, est-ce de cela que les femmes parlaient et que j'ai toujours considéré comme une excuse pour ne pas faire l'amour?»

Il savait que sous ses dehors pleins d'affection et de compréhension, sa femme était frustrée, irritée. Il n'était pas fier de son attitude, de sa façon de fuir et de la manipuler et des mensonges qu'il lui racontait pour éviter d'aller se coucher en même temps qu'elle. Ou bien il «tombait endormi» ou bien il «travaillait tard» — ne rejoignant sa femme que lorsqu'elle était assoupie. Il lui arrivait même de lui dire le lendemain matin qu'il avait eu très envie de lui faire l'amour, mais qu'il n'avait pu se résoudre à la déranger dans son sommeil. Quand elle lui disait qu'elle était «affamée d'affection et d'intimité», il évitait de répondre, ne voulant pas feindre quelque chose qu'il ne ressentait pas. De plus, il avait peur qu'un contact physique, si léger soit-il, mène à un désir sexuel et que son «impuissance» soit ainsi étalée au grand jour.

Après quelques mois, Thomas était devenu très dépressif, ne s'intéressant plus à rien. Il se disait que la vie n'avait plus aucun sens.

Il est allé consulter un urologue pour s'assurer qu'il n'avait aucun problème physique, bien qu'au fond de lui il sache que ce n'était pas le cas puisqu'au cours de ses deux précédents voyages d'affaires, il avait fait l'amour avec des prostituées et s'était montré «incroyablement à la hauteur». Néanmoins, il pensait qu'il valait mieux s'en assurer. Et bien sûr les résultats des tests se sont révélés négatifs.

Thomas s'est ensuite tourné vers un sexologue spécialisé dans la thérapie par la visualisation et les modifications du comportement. Après quelques séances, il était clair pour lui comme pour le thérapeute que son problème était plus profond qu'une simple peur de ne pas arriver à faire l'amour. Thomas était obsédé par le désir de régler ce problème parce qu'il voulait protéger l'illusion du monde parfait qu'il «avait créé» et qu'il contrôlait presque totalement. Il ne ressentait nullement le besoin d'explorer ses sentiments profonds ou sa vie intérieure puisqu'il aimait son univers tel qu'il était, disait-il.

La médecine traditionnelle n'ayant pu lui proposer d'autre solution que le port d'une prothèse pénienne — ce qui donnait à son impuissance l'allure d'une infirmité (même son esprit technique et mécanique ne pouvait accepter cela) — et aussi parce qu'il n'avait que trente-neuf ans, Thomas est allé trouver, à contrecœur, un psychologue spécialisé en hypnose, méthode qui lui plaisait.

Le thérapeute l'a fait entrer en transe et deux heures plus tard, il était évident, même pour l'esprit défensif de Thomas, qu'il était assis sur une montagne de sentiments refoulés qu'il avait reniés mais que son corps et particulièrement son pénis avaient enregistrés. Il a découvert qu'il vivait une relation qui, malgré sa culpabilité et ses efforts pour être «bon», «proche de sa femme» et «attentionné», était entièrement opposée à ce dont il avait réellement besoin. Il vivait selon l'image que sa femme se faisait d'une famille et d'une relation heureuses.

Le thérapeute a expliqué à Thomas que la question n'était pas de savoir si la relation était bonne ou mauvaise; ce qu'il fallait c'était qu'il prenne conscience de tout ce qu'il avait refoulé en voulant vivre le fantasme d'une vie de famille parfaite. Les émotions intenses qu'il avait étouffées au cours des dernières années étaient à l'origine d'une prise de poids considérable, d'une plus grande passivité à la maison («Je me sens comme un limaçon, toujours collé à la télé»), de malaises et de faiblesses inexplicables qui lui donnait l'impression d'être un vieillard prématuré. En fait, s'il s'était regardé dans un miroir, il y aurait vu son père quand il était déjà un vieil homme. C'est plein de bonne volonté qu'il avait payé de sa personne sa vie de famille idéale. Seuls son pénis et ses besoins sexuels avaient protesté contre les violences qu'il s'était faites et maintenant ils le forçaient à regarder ce qu'il était réellement et non ce qu'il voulait être.

Il a fallu près de deux ans d'une psychothérapie intensive pour qu'il vienne à bout de son sentiment de culpabilité, de son anxiété et de son mépris pour lui-même. Thomas a repris possession de ses sentiments réels et à commencé à réagir, dans le cadre de sa relation avec sa femme, d'une manière adaptée à sa personnalité. Au lieu de créer des problèmes supplémentaires, cette nouvelle attitude lui a rendu sa puissance sexuelle et son mariage a repris un souffle nouveau.

Le moi masculin profond

L'armure de la masculinité est très rigide. Plus un homme est «macho» pour satisfaire ses besoins défensifs, plus il est profondément ancré dans des schémas destructeurs qui lui font considérer, inconsciemment, l'autodestruction comme plus «attrayante» ou moins menaçante qu'un changement profond de sa personnalité.

La «voix de la vérité» de son moi profond, c'est sa réponse sexuelle; cette voix est cette partie de lui-même qui peut éveiller une anxiété intense et mettre à nu les fissures de son armure, jouant le rôle du «déclencheur» qui peut l'aider à changer son comportement quand les choses ne «marchent» pas comme elles le «devraient». Pour beaucoup d'hommes, ce «déclencheur» est le seul auquel ils puissent avoir recours car leur réponse sexuelle est le dernier bastion de la résistance de leur moi profond: ils ne peuvent pas la contrôler. Elle est, par conséquent, le dernier moyen d'intériorisation ou d'analyse de leur moi ou de ses processus, la seule partie d'eux-mêmes restée authentique, contrairement à celle qui est obsédée par leurs objectifs, leurs performances. L'«impuissance» est le chemin par lequel ils peuvent «entrer en contact avec eux-mêmes» et modifier leur comportement pour améliorer leur existence.

Il existe chez l'homme, en fonction de ses processus masculins insconscients, un besoin défensif et implacable de garder le contrôle sur toutes les choses de sa vie. Le vernis masculin cache un besoin de se distancer des choses et de les intellectualiser dans le but d'échapper au moi intérieur très puissant contre lequel l'homme doit se battre.

Son moyen de défense est la domination qui lui donne la possibilité de se protéger sur tous les fronts. Ses défenses lui permettent de s'extérioriser et l'obligent à vivre d'une manière mécanique et orientée vers ses objectifs et ce, en fonction de sa peur et de son besoin d'éviter ses réalités profondes. Il s'entoure progressivement de personnes et de situations qu'il peut contrôler.

Cela ne veut pas nécessairement dire qu'il maîtrise toujours tout ouvertement ou d'une façon évidente. Il peut établir ce contrôle en se limitant à des relations ou à des situations qui lui permettent de se maintenir à une distance émotionnelle et de «rester détaché». Il semble alors que ce soit sa compagne qui le dirige, qu'il «lui laisse faire» tout ce qu'elle veut. Cela ne veut pas dire pour autant qu'il n'a pas la situation en main. Cette attitude est plutôt un moyen de «rester détaché» afin de ménager sa tranquillité.

Il ne veut pas être contraint. Il ne veut pas non plus que quoi que ce soit fasse obstacle à sa carrière ni au but qu'il poursuit ou qu'on lui pose des questions sur ses sentiments ou sur ce qu'il vit intérieurement. Il peut déléguer certains de ses pouvoirs à son entourage, si cela sert son objectif: rester détaché sur le plan émotionnel.

Pour satisfaire ce puissant besoin de contrôle, il choisit une femme féminine avec laquelle, au début, il se sent bien parce que celle-ci, étant donné qu'elle le craint, se montre accommodante et n'essaie pas de le manipuler ni de l'«utiliser» pour satisfaire ses propres besoins. Elle ne le contraint pas à s'engager ni à «s'ouvrir» en exposant ses sentiments profonds parce qu'elle en a autant peur que lui, en dépit de ses revendications en vue d'une plus grande intimité. Inconsciemment, elle lui donne tous les pouvoirs en *réagissant* plutôt qu'en *agissant,* lui abandonnant son identité même lorsque, inévitablement, la colère, voire même la haine, monte en elle. Du fait de son intériorisation féminine, elle a peur et n'ose pas prendre ouvertement le contrôle ou le pouvoir. Elle craint autant de les prendre que lui de les perdre. Ce sont ces renforcements mutuels de leurs défenses qui, au départ, les attirent l'un vers l'autre.

Le chemin de l'impuissance

Au fur et à mesure de la progression de sa relation, le couple romantique — la femme féminine et l'homme masculin — crée une impasse polarisée. L'homme devient distant, obsédé par ses objectifs, mécanique, détaché; il intellectualise et «contrôle». De son côté, la femme, apeurée, devient encore plus accommodante; elle a besoin de certitude et perd son identité. La colère qui monte en elle est dissimulée par son comportement «accommodant» et «aimant», par ses efforts continuels pour «lui faire plaisir», pour, prétendument, trouver un moyen de se rapprocher de lui afin de connaître une plus grande «intimité».

Bien que l'homme n'en soit pas conscient, sa domination est devenue tellement automatique et importante qu'il finit par agir essentiellement comme un tyran. Il croit être, cependant, un mari aimant et responsable puisqu'il subvient à tous les besoins et «fait tout» pour sa femme et ses enfants, et jusqu'à un certain point il a raison puisqu'il s'acquitte parfaitement de ses devoirs. D'une certaine façon, sa femme le désire et l'aime tel qu'il est, pour ce qu'il lui donne, parce qu'il «prend soin d'elle». Mais, en même temps, elle est consciente d'être dominée et écartée, diminuée, traitée «comme une enfant» ou comme une quantité négligeable, et au fond d'elle même une puissante colère s'installe.

«Mes besoins d'intimité ne trouvent pas de réponses», dira-t-elle. Elle exprimera ses ressentiments par des explosions de colère périodiques ou bien développera des symptômes physiques ou psychologiques: elle prendra du poids, se plaindra de malaises, de dépression ou de mauvaise humeur, par exemple.

Au lit, elle retrouve un homme dominateur, qui se rapproche d'elle d'une manière mécanique et froide, qui est maladroit dans sa façon de lui faire l'amour et qui n'imagine même pas les répercussions que son comportement peut avoir sur elle. *Il est facilement manipulé parce qu'il ne veut pas savoir ce qu'elle ressent réellement.* Il vit avec une femme qui cache une colère et une frustration intenses, qui «hait» ce qu'il est, sans pouvoir reconnaître ce sentiment parce qu'elle a besoin de lui, ce qui ne l'empêche pas de l'accuser de son malheur. Avec le temps, parallèlement au besoin de domination du mari, sa colère s'intensifiera et elle s'exprimera au fur et à mesure qu'elle prendra de l'assurance.

Son extériorisation masculine empêche l'homme de prêter attention aux sentiments que sa compagne a pour lui. Il vit avec elle comme il vivrait avec un objet et attribue ses explosions périodiques de colère, son chagrin et son hostilité grandissante à ses «problèmes de femme». «Les femmes sont ainsi», pense-t-il et dit-il souvent.

Il est incapable d'aller voir ce qui se passe derrière le masque qu'elle porte, c'est pourquoi, quand elle est affectueuse, quand elle s'occupe de lui, il pense que tout va bien. Il ne sait pas interpréter avec précision ses symptômes physiques et émotionnels et ne remarque pas qu'elle a de plus en plus besoin d'être rassurée ni qu'elle souffre d'une absence d'«intimité». «C'est son imagination», pense-t-il. Il ne voit pas non plus que c'est le processus de la relation qui entraîne chez lui le détachement et chez elle la frustration d'être privée d'intimité.

Son moi conscient ne sait pas tout cela mais, par contre, son moi profond le sait: c'est la raison pour laquelle il va perdre son intérêt sexuel et va voir son plaisir décroître. Le fait qu'il souffre peut-être d'éjaculation précoce, qu'il évite de la caresser vraiment et d'être «doux» le tracasse bien un peu. Mais il n'interprète pas cette diminution de son désir sexuel comme une réponse aux interactions dans lesquelles il est manipulé. Même s'il remarque qu'une immense colère couve en elle, qu'elle est tendue, hostile, se plaignant sans cesse de douleurs d'origine psychosomatique et lui faisant toutes sortes de reproches, même lorsqu'il constate son agressivité indirecte, sa mauvaise humeur et son insécurité, il n'est pas capable de reconstituer le puzzle et d'en tirer une conclusion. Il aura plutôt tendance à se faire des reproches parce que le sexe est censé être principalement son domaine et qu'il ne la rend pas heureuse.

Bien qu'elle soit une mère nourricière dépendante, «gentille», croyante, «dévouée» et inconsciente du ressentiment qu'elle a pour lui, au lit c'est une femme qui est à la fois furieuse et «bien gentille» et refoule ses sentiments réels. Elle lui dit qu'elle l'aime, qu'elle sympathise avec lui. Ce qui ne fait qu'exacerber le sentiment de culpabilité de son mari. En effet, plus sa colère gronde et moins elle en est consciente, plus elle va s'accrocher à lui et essayer de «lui faire plaisir» afin d'étouffer les sentiments qu'elle porte en elle. Elle peut aussi se conduire tantôt en «mère» tantôt en enfant.

Son comportement est le contrepoids inconscient du comportement de son compagnon; ils sont dans un cycle polarisé de plus en plus destructeur. *Quand la relation atteint le stade psychologique final, la colère intense et les manipulations de la femme sont constamment en parallèle avec l'extériorisation croissante de l'homme et son besoin urgent de maintenir son contrôle et la distance qui les sépare.* Pendant un certain temps, ces attitudes peuvent être dissimulées ou refusées, car ils vont ritualiser cette interaction afin d'éviter une rencontre spontanée et non structurée.

Quand il perd sa puissance sexuelle, il est important de considérer que ce problème est le résultat des dynamiques et des interactions du couple et non pas d'un trouble physiologique personnel. Son moi profond se replie sur lui-même, se protège et cherche à se libérer d'un échange toxique et dangereux, exactement comme elle le fait en devenant «frigide» pour le repousser. Son refus sexuel incontrôlable exprime son moi profond et c'est la seule chose qu'il ne peut nier, distancer, contrôler ou intellectualiser. Il le force à affronter sa réalité psychologique qu'autrement il aurait niée et évitée.

Ils ont atteint une impasse et son impuissance est l'ultime réponse à un échange empoisonné. *C'est pourquoi cette impuissance peut le sauver, lui donner une seconde chance, si elle est correctement interprétée et si sa fragile image masculine peut supporter assez longtemps l'anxiété de ne pas arriver à faire l'amour pour que cette même anxiété lui permette de sortir de l'atmosphère émotionnelle toxique dont il respire l'air empoisonné.* Étant donné que l'homme traditionnel garde souvent tout «sous contrôle», cette impuissance est peut-être la seule réponse authentique qui lui reste pour mesurer la toxicité du schéma suivi et constater que le signal d'alarme est tiré.

Les facteurs profonds de l'impuissance

La femme a besoin de se rapprocher toujours davantage de l'homme parce que ses défenses féminines ont besoin de fusion et d'«intimité» et qu'elle est angoissée à l'idée d'être abandonnée et de s'extérioriser. Lui sent inconsciemment qu'il lui est impossible de satisfaire ses besoins et que cela provoque en elle une colère croissante. Il se sent acculé par ces besoins qu'il ne peut pas combler et coupable de la frustrer. Quant à ses propres besoins de stimulation, de défi, de distance, ils ne sont pas non plus satisfaits; par contre, la colère et la frustration qu'elle manifeste commencent à la rendre trop «réelle».

Il ne peut pas la quitter parce qu'il a peur d'être seul, qu'il a besoin d'une raison pour justifier son comportement compulsif et son extériorisation et qu'il éprouve une grande culpabilité. Il ne comprendra pas la signification de ses problèmes sexuels s'il pense: «C'est une femme merveilleuse, aimante, une bonne mère pour mes enfants»; «Elle sacrifie son bonheur pour moi»; etc. Il n'empêche que sous ce «dévouement», cet amour maternel et cet «amour conjugal» se dissimulent des frustrations et des besoins défensifs tyranniques qui rendent sa présence étouffante. Il se sent piégé même s'il le nie généralement (sauf quand il se met en colère). Il l'évite de mille façons indirectes. Il sent la «tension» et s'éloigne d'elle de plus en plus, se renfermant sur lui-même, et son malaise sexuel est tout simplement une manifestation de son malaise général.

Il est «piégé» dans une relation avec une femme qui a perdu son identité dans ses rapports avec lui; il se sent coupable et se méprise de ne pas pouvoir satisfaire ses besoins et son image de l'intimité. Elle est «piégée» dans une relation où elle se sent dominée, frustrée et «méconnue». Sa dépendance envers elle et le fait qu'il la mette sur le piédestal de la «mère dévouée» attise la haine qu'il éprouve pour lui-même et ce sentiment cache tous les autres.

Comme chez elle, la colère s'installe en lui. Il ne veut pas se rapprocher d'elle, mais il ne peut reconnaître ni accepter ce sentiment. Il se dit qu'il *devrait* avoir envie de se rapprocher d'elle et que le problème vient de lui puisque sa compagne est adorable. *Mais son corps sait qu'il ne veut pas de cette intimité.*

La combinaison entre un homme très dominateur qui a besoin de distance et qui est très «à cheval» sur les principes de sa masculinité et une femme pleine de rancœur qui refuse de l'admettre, qui est tendue, frustrée, en manque d'intimité et de protection, est fatale.

Le sexe est l'instrument par lequel l'homme prouve sa virilité et sa puissance sexuelle prouve à la femme qu'elle est aimée. Ils sont engagés dans une expression symbolique de besoins primaires tandis qu'une puissante colère couve en chacun d'eux. À ce moment-là, ils ne ressentent plus de désir sexuel l'un pour l'autre, mais la sexualité devient très importante car *ne pas faire l'amour* ou ne pas en être capable met en péril l'idée que l'homme a de sa virilité et fait que la femme ne se sent plus aimée, plus désirée. En outre, cela risque de mettre au jour les véritables dessous du problème. Si leur intérêt sexuel mutuel décroît, elle se sent en danger, désarmée et veut à tout prix des relations intimes, même si elle lui dit que le fait qu'il n'ait pas d'érection est sans importance. L'«impuissance» de son conjoint la fait se sentir rejetée en tant que «femme», même si elle joue le rôle de l'infirmière, parce que c'est du désir sexuel de son mari qu'elle tire la majeure partie de sa sécurité et de sa protection, même si elle n'aime pas le sexe en lui-même.

Quand il devient impuissant, son besoin de faire l'amour augmente — non pas parce qu'il a envie de relations intimes, mais parce qu'il veut à tout prix échapper à son moi profond qui menace de remonter à la surface et de l'obliger à le prendre en considération. Une érection le rassure en lui prouvant que tout va bien.

L'homme qui a pour principe de demeurer fidèle à sa compagne est sans doute l'homme le plus vulnérable aux tortures de l'impuissance, puisqu'il ne peut vérifier ses capacités sexuelles avec une autre femme. Il ne voit plus sa sexualité qu'en fonction de son comportement sexuel avec sa compagne. Il tombe ainsi dans un piège car une expérience sexuelle extraconjugale lui permettrait de découvrir la vraie nature de son problème.

Il se rend bien compte de la rancœur de sa compagne, de ses besoins et étouffe dans son insécurité. Elle sent sa tension, son besoin de valorisation, sa compulsion à faire l'amour, la peur et la colère qu'elle lui inspire parce qu'il se sent piégé et parce qu'elle représente une menace grandissante pour sa masculinité.

Son extériorisation le pousse à essayer de manipuler les facteurs extérieurs pour «surmonter» son «problème». Dans de nombreux cas, elle se «sentira désolée pour lui» et fera tout pour «être gentille avec lui», attitude qui aura pour seul résultat d'augmenter le sentiment de culpabilité et d'humiliation de l'homme. La balance des pouvoirs penche maintenant de façon manifeste, surtout s'il lui est «reconnaissant» et qu'elle «l'aime toujours» même s'il est «impuissant» («Je t'aime tellement que même si tu es impuissant, je ne te tromperai pas»). Faire du problème son problème à *lui* est en quelque sorte une façon de le blâmer, même si c'est de façon indirecte. Cela sous-entend: «C'est *ton* problème et je le partage parce que je suis une personne aimante.»

Cette attitude «compréhensive», «indulgente» l'enterre plus profondément dans son moi masculin, dans sa culpabilité, dans son sens des responsabilités et dans son mépris pour lui-même. Elle augmente son désespoir de ne pouvoir «surmonter» le problème, l'empêchant de se rendre compte de son besoin de distance et de son désir de se libérer de l'impression d'étouffement qu'il ressent mais, d'une manière ou d'une autre, il doit absolument retrouver sa puissance sexuelle, pour lui-même d'abord.

Ils ne voient ni l'un ni l'autre que cette impuissance est l'expression d'un tout. Il est persuadé qu'il est responsable de la situation; elle croit que c'est un moyen de la rejeter. La seule chose qui pourrait véritablement les aider, c'est que l'un des deux comprenne que la résistance de son partenaire est le signe potentiel d'une plus grande détérioration de leur relation. S'ils sont liés par du respect, de l'affection réciproque, l'«impuissance» pourrait marquer le début d'une analyse de la relation et leur permettrait de comprendre ce qui l'a rendue rigide et empoisonnée. Les reproches ne seraient alors plus de mise et ils comprendraient que la crise qu'ils sont en train de vivre va les rééquilibrer, les revitaliser et les réhumaniser.

La recherche de la connaissance de soi et du changement fait peur, car un symptôme sexuel peut faire surgir des réalités inquiétantes qu'ils ne sont pas prêts à affronter. Ils ont peur de déterrer les racines empoisonnées de leur relation parce qu'aucune autre structure ne leur semble possible.

L'impuissance de l'homme menace d'exposer les dessous de la relation — les sentiments profonds refoulés, les frustrations et la colère qui s'accumulent très vite dans une relation polarisée. Il est possible qu'il boive ou mange trop pour s'esquiver. Ils peuvent se sentir l'un et l'autre très fatigués, tôt dans la soirée, pour la même raison. Elle se plaint peut-être de malaises physiques et lui de surmenage et de tension. Ils rationalisent leurs comportements autant qu'ils peuvent. Mais au fond d'eux-mêmes, ils savent bien, tous les deux, que ce ne sont que des excuses pour cacher autre chose.

Ses besoins masculins sont proportionnels aux besoins de la femme avec qui il vit. Ses ressentiments profonds sont aussi puissants que les siens et l'instinct de survie de son moi intérieur implore, du plus profond de son anxiété, de sa peur et de ses besoins, qu'il s'occupe de lui, qu'il le soulage.

D'un côté, il se protège d'elle par son «impuissance». De l'autre, il la protège contre lui-même. Son désir profond de la blesser, de la rejeter ou même de «la tuer» est neutralisé par son malaise. L'homme impuissant est souvent vulnérable et il est trop effrayé pour être en colère. Il a honte et est convaicu qu'il sera bientôt rejeté, ce qui le rend docile. Son impuissance désarme sa colère et son agressivité. Il devient sentimental, il est en adoration devant elle; c'est une façon de compenser et de se protéger d'une punition ou d'un rejet éventuels. Il la couvrira peut-être de cadeaux et sera peut-être beaucoup plus attentionné pour compenser son insuffisance et pour la «remercier» de «tenir le coup».

La frigidité de la femme exprime une protestation et un refus inconscients d'être traitée comme un objet, dominée, tenue à l'écart et utilisée; l'impuissance de l'homme est une protestation et en même temps une façon pour lui de se protéger parce qu'elle l'utilise, l'étouffe, le manipule en jouant sur sa culpabilité et s'oppose à ce qu'il prenne les distances dont il a tellement besoin.

Les féministes savent combien les hommes peuvent être nuisibles à l'identité et à l'évolution des femmes. Le contraire est également vrai, bien que plus difficile à discerner car la puissance du mâle dissimule ce fait. Il est difficile d'imaginer qu'une femme traditionnelle «gentille», «charmante» et «désarmée» puisse être dangereuse pour un homme. Elle peut pourtant lui faire autant de mal qu'il peut lui en faire. Elle renforce ses défenses machos comme il renforce son intériorisation féminine ou son inhibition.

Dans une relation, la femme est dangereuse pour l'homme (comme l'homme est dangereux pour la femme) quand elle accumule et dissimule de puissants ressentiments à son égard, ressentiments niés mais toujours présents. Ils fermentent sous une façade de «gentillesse» et de «dévouement». L'extériorisation des mâles évite à la plupart d'entre eux de reconnaître ou de «sentir» ces réalités, même si elles déterminent en grande partie l'atmosphère de leurs relations.

Il y a quelques années, la femme sollicitait rarement des rapports sexuels dans les relations traditionnelles; elle se contentait d'être un objet «non disponible». L'impuissance masculine n'avait donc pas une très grande importance. Aujourd'hui la femme est devenue menaçante dans le sens le plus fort du terme. Elle exprime directement sa nature profonde polarisée en exigeant intimité et protection. L'homme a perdu la possibilité de s'échapper que lui donnait l'«indisponibilité» de la femme d'hier.

À cause de son conditionnement masculin, il lui est impossible de considérer sa sexualité en tant que réponse aux dynamiques de la relation. Il croit être à l'origine de son impuissance. La conscience qu'il a de sa sexualité est mécanique; c'est pourquoi il perçoit son impuissance comme une défaillance de son appareil génital et veut régler ce problème. Tous les moyens sont bons pour y arriver: l'hypnose, les drogues, les fantasmes, etc.

La mutilation de la psyché masculine

La médecine, qui est masculine par son orientation mécanique, dominatrice, détachée et intellectualisée, et qui minimise l'influence et les répercussions des émotions sur le corps, se ligue avec le besoin du mâle d'éviter une rencontre avec lui-même et de croire qu'il est victime d'un «problème sexuel» causé par une défaillance physique. Étant donné que son impuissance résulte de son extériorisation, la «solution» mécanique ou extérieure de ce problème renforce ses schémas défensifs d'extériorisation. Il a ainsi ce qu'il «veut»: une réponse instantanée et la possibilité de tout contrôler à nouveau. Ce compromis, cependant, apaise temporairement son anxiété aux dépens d'un changement potentiel à long terme et d'une attitude non défensive.

La littérature médicale insiste de plus en plus sur les facteurs organiques qui sont «à l'origine» des troubles sexuels; elle affirme à l'homme qui veut bien l'entendre qu'en effet son problème n'a aucun rapport avec la relation qu'il a avec sa partenaire. L'industrie des implants et pontages péniens et des médications à base d'hormones est en pleine expansion. On voit de plus en plus de publicités pour des «implants péniens discrets», destinés aux «millions d'hommes impuissants chroniques», qui pourraient en «bénéficier».

Les origines psychologiques de l'impuissance sont difficiles à discerner parce qu'elles sont bien enfouies et parce que les personnes concernées sont souvent tellement «gentilles»! Elles ne pourraient pas admettre qu'elles sont en colère contre leur partenaire, qu'elles refusent l'intimité ou se sentent piégées. La femme est tellement «obligeante» et si prévenante! Elle prend bien soin de son homme et le laisse tranquille au lit. Lui, il l'aime «vraiment», il l'adore même. Il veut «réellement» faire l'amour. Elle le désire «réellement» aussi. Elle essaie de l'aider de toutes les façons possibles. Ils en concluent que ce problème ne peut pas être d'ordre psychologique. *Pour eux, les causes de ce problème ne peuvent être que physiologiques.*

Les sexothérapies, les implants et les thérapies du comportement aident les partenaires à éviter une confrontation entre le contenu de leur relation et eux-mêmes, confrontation inquiétante s'il en est. La réaction sexuelle d'une personne reflète son moi le plus profond ainsi que l'essence de la relation. On peut apprendre énormément de choses en observant ce baromètre puissant, «menaçant» pour les véritables sentiments et les réalités profondément refoulées. On pourrait trouver là un tel potentiel d'humanisation si cette situation était comprise et acceptée comme le miroir des interactions profondes, comme une réponse qui révèle et reflète les «dessous» du problème au lieu d'être interprétée comme une défaillance qu'il faut surmonter ou «soigner».

Le changement nécessaire est une transformation du moi défensif des deux partenaires et ce travail sur soi-même est beaucoup plus inquiétant que le trouble sexuel. L'impuissance est effrayante parce qu'elle menace d'amener au grand jour les refoulements et les mensonges les plus profonds et de montrer la fausseté des fantasmes que l'homme chérit. *C'est pourquoi il a besoin que sa réponse sexuelle existe par elle-même, qu'elle soit due à une défaillance de la «machine». Cela lui permet d'essayer de la «réparer» sans «se réparer» lui-même.*

Il est donc normal que pour la majorité des hommes l'approche médicale soit la plus séduisante. Plus le caractère de l'homme est défensif, plus il sera enclin à choisir une solution mécanique. Voilà donc pourquoi beaucoup préféreront ce genre de solution à la perspective d'exposer le contenu et les courants sous-jacents de leur personnalité masculine. *Les approches mécaniques, en soulignant les causes organiques et en niant l'influence des émotions sur le corps, mutilent la psyché masculine en lui donnant l'argument dont elle a besoin pour éviter une rencontre avec elle-même en renforçant l'extériorisation de l'homme et sa tendance à se dissocier de ses véritables sentiments.* Étant donné que l'impuissance est, dans la plupart des cas, une des seules choses que l'homme ne peut maîtriser, elle éveille en lui une anxiété assez grande pour le motiver à tenter de comprendre ce qui se passe en lui. S'il échappe à cela, il perd toutes ses chances d'évolution.

On lui a dit: «Tu as peur de l'intimité»; «Tu es hostile»; «Tu hais les femmes»; «Tu veux punir ta partenaire»; «Tu hais ta mère et tu réagis avec ta femme comme tu le ferais avec ta mère»; «Tu vois en elle une mère»; «Ton impuissance est causée par la peur de l'inceste»; «Tu ne fais pas confiance aux femmes»; «Tu ne sais pas comment t'ouvrir à elles»; «Tu as peur de devenir vulnérable»; «Tu es trop mécanique»; «Tu dois toujours te prouver des choses».

Toutes ces explications sont insuffisantes, superficielles et indirectement culpabilisantes. Ces commentaires favorisent la culpabilité de l'homme, son mépris de lui-même, son sentiment qu'il est urgent de «surmonter» son trouble, le rejet des dynamiques de la relation et de ses sentiments, et sa peur de partir à la découverte de sa relation avec l'idée d'y apporter des changements.

L'impuissance est un commencement

Ici, nous nous trouvons face à un paradoxe. L'impuissance est probablement la chose la plus effrayante et la plus inquiétante qu'un homme puisse vivre sur le plan psychologique; il n'empêche que, bien souvent, elle suscite et favorise l'unique possibilité d'évoluer et d'opérer des changements significatifs. L'impuissance est, pour certains hommes, la fissure stimulante de l'armure. C'est la dernière chance qu'a l'homme de prendre conscience de lui-même, la seule tension qui puisse provoquer assez d'anxiété en lui pour l'inciter à analyser ses défenses et ses refoulements. L'impuissance est donc un chemin tout tracé vers ses sentiments profonds parce qu'elle menace grandement son ego, le rend vulnérable et l'incite à demander de l'aide. Autrement, il risque de rester entièrement extériorisé.

L'impuissance a le pouvoir de le ramener vers sa réalité complète et oubliée. Elle peut le mettre en contact avec lui-même et forcer les éléments empoisonnés de sa relation à remonter à la surface. Elle donne à l'homme et à la femme l'occasion d'affronter leurs peurs et leurs rigidités les plus profondes et de prendre conscience du jeu dangereux qu'ils sont en train de jouer. Bien sûr, leur résistance sera très forte et aucun d'eux ne veut vraiment cette confrontation parce qu'opérer des changements dans le contexte de leur relation leur paraît peut-être sans espoir et trop pénible.

Si les hommes pouvaient déchiffrer correctement les signaux émis par leur corps, si leur ego défensif ne venait pas leur mettre des bâtons dans les roues, si leurs problèmes de culpabilité étaient réglés et s'ils étaient motivés par un désir d'évoluer, ils constateraient que le pénis est un outil de surveillance du déroulement de la relation et qu'il révèle leurs réalités les plus profondes.

À ce point de vue, l'impuissance peut être considérée comme une crise cardiaque psychologique qui peut soit «tuer», soit être à l'origine d'un remaniement de l'homme et de ses structures.

Comme la crise cardiaque est peut-être le seul événement qui force les hommes qui ont une personnalité de type A* à repérer les conduites qui le détruisent, l'impuissance est peut-être la dernière tentative de la psyché pour casser les schémas rigidifiés avant que le système de défense de l'homme ne soit définitivement enfoui sous ses réactions de défense. Comme la crise cardiaque est un moyen potentiel de reprendre

---

* Les individus du type A sont plus sujets aux crises cardiaques. (*N.D.É.*).

contact avec le corps, l'impuissance est un moyen potentiel de reprendre contact avec le moi authentique, émotionnel et psychologique.

Il existe des hommes du type A qui sont tellement ancrés dans leurs habitudes et que le changement rebute tellement qu'ils préfèrent une solution mécanique comme celles qui sont proposées par la chirurgie. De même, il y a des hommes qui préféreront une solution mécanique et une «mort psychologique» à la perspective effrayante de savoir ce qu'ils ont vraiment dans le ventre. Néanmoins, pour les hommes qui ne sont pas encore ancrés dans des habitudes rigides, autodestructrices, l'impuissance, comme la crise cardiaque, est un moyen de vivre mieux qu'ils ont jamais vécu auparavant.

Quelques règles pour comprendre et traiter un dysfonctionnement sexuel

1. Une relation qui favorise la culpabilité et le mépris de soi dans le cas d'un «dysfonctionnement» est nocive pour vos émotions et celles de votre partenaire.
2. Un trouble sexuel menace de faire surgir des vérités douloureuses vous concernant, vous ou votre partenaire. Ce n'en sont pas moins des vérités. Elles doivent être affrontées et traitées si vous voulez éviter l'apparition d'autres problèmes destructeurs et de leurs conséquences.
3. Puisque la réponse sexuelle est incontrôlable, ce qu'elle vous révèlera sur vous et vos réalités profondes sera donc potentiellement de nature à préserver votre vie et à favoriser votre évolution.
4. S'excuser ou se sentir coupable à cause d'une réponse sexuelle déficiente est une forme de rejet et de mépris de soi qui favorise la même attitude chez votre partenaire — malgré les platitudes et l'intérêt ouvertement exprimés.
5. Une femme qui s'intéresse réellement à vous et qui vous aime vraiment en tant que personne ne vous blâmera ni ne vous rejettera jamais pour un trouble sexuel; elle considérera que ce problème vous concerne tous les deux et qu'il impose, à elle aussi, une introspection et une analyse. Sa réaction ne consistera pas seulement à *vous* aider à «vous exécuter».
6. Si votre partenaire vous rejette ou vous abandonne à cause d'un «trouble sexuel», votre pénis vous aura facilité la fin d'une relation destructrice.

7. Si votre partenaire désire «vous aider» sans affronter son moi profond dans la relation et sans se rendre compte qu'il est inextricablement mêlé au vôtre, son «aide» sera vaine.

8. Il est impossible de soigner un «problème sexuel» en le considérant comme un problème à part entière. Votre sexualité ne doit pas exister par elle-même; c'est une partie de votre comportement global. Si vous changez, «elle» changera aussi.

9. Le temps nécessaire pour «soigner» un dysfonctionnement sexuel sera plus ou moins long suivant la profondeur des sentiments refoulés qu'il représente.

    Il faut être très patient avec les processus de changement. C'est vous qui paierez vos tricheries et vos évasions. En recherchant une solution rapide, vous vous rendez un mauvais service et vous renforcez les défenses automatiques qui nient votre nature profonde.

10. La rapidité avec laquelle s'installe un trouble sexuel peut vous faire croire à un problème physiologique; souvenez-vous alors des moments où vous étiez «en rut» malgré votre épuisement, même malade, comme il vous était facile d'avoir une érection. Rappelez-vous, quand vous étiez vraiment excité, le peu de temps qu'il vous fallait pour être prêt.

11. La vraie force et l'estime que vous vous portez se rejoignent dans la volonté d'affronter patiemment et entièrement vos sentiments profonds, sans tenir compte de ce qu'ils menacent de révéler.

12. Haïr et craindre votre dysfonctionnement, c'est écarter le meilleur guide qu'un homme puisse trouver pour libérer son moi profond.

Troisième partie

La libération des mœurs

9

Les mères
nourricières déguisées

«La majorité des gens soi-disant libérés que je connais sont pleins de prétention», faisait remarquer un homme d'affaires caustique, mais bien articulé, qui assistait à un séminaire que je donnais sur la condition actuelle des relations homme-femme. «Les dirigeantes féministes en sont un bon exemple; elles réunissent en même temps les défauts des hommes et des femmes. Elles ont réponse à tout et rien de ce que vous pourriez dire ou faire ne leur fera jamais changer d'idée. D'après ce que je lis ici et là, elles se retournent les unes contre les autres et n'arrêtent pas de s'attaquer — prétendument pour des raisons idéologiques, mais en fait ce n'est qu'une variation sur le vieux thème rituel de l'ego égoïste mâle: «Je suis pour la vérité, toi pas. Je suis la meilleure, tu n'es rien.

«Ces leaders féministes sont des personnages incroyables! continua-t-il. Vous avez la reine du *glamour* qui essaie de devenir une star de cinéma. On la voit toujours en compagnie de célébrités et elle a toujours rendez-vous avec les gars les plus riches et qui réussissent le mieux. Et il y aussi la mère poule; elle se plaint tout le temps et explique à tous comment changer, comment vivre. Je suis surpris qu'elle ne nous dise pas ce qu'il faut manger.

«J'ai parcouru un de leurs magazines récemment. C'est farci des mêmes publicités que celles qu'on trouve dans les autres revues féminines que ces revues exècrent, paraît-il. Vous savez, les bijoux, les déodorants, les parfums... et les articles ne sont en fait qu'une réédition revue et corrigée sur le vieux thème «pauvres femmes brimées».

«Les gars «libérés» qu'elles posent en brillants exemples du comportement que les hommes devraient avoir sont aussi faux jetons que ces féministes qui se prétendent si pures. Ce sont des ergomanes et des arrogants de la pire espèce qui considèrent que Dieu est à leurs côtés. Si vous ne les imitez pas, vous êtes des cochons malavisés. Ils vous font le même effet que les bigots; ils sont aussi hypocrites, si pas plus, parce que les croyants, eux, ne font pas *semblant* d'être prêts à discuter ouvertement de leurs croyances. Ces gars-là sont sûrs de connaître toutes les réponses.

«Quand madame Machin s'est présentée pour la vice-présidence et qu'elle a perdu, qu'a-t-elle fait? Elle a *blâmé* l'establishment mâle. Dieu nous préserve d'un dirigeant femelle! Elles ne peuvent pas s'empêcher de critiquer, même à ce niveau. J'aurais voulu lui rappeler que ce pays compte dix millions de plus de femmes que d'hommes, que les chances sont de leur côté et que ce sont les autres femmes qui l'ont rejetée et ont vu clair dans son jeu. Mais j'ai mieux à faire que de discuter avec ces bonnes femmes, car elles refusent de voir les réalités!»

Si l'on fait abstraction de la hargne qui se dégage de ces propos, ce que cet homme disait n'était pas très différent de ce que beaucoup d'autres «non-convertis» ont ajouté dès qu'il s'est tu. Même s'ils parlaient en termes plus civils, l'opinion générale s'accordait à dire que les gens «libérés» ne cachent, sous leur façades libérées, qu'hypocrisie et orgueil.

Les motivations psychologiques de cette réaction instinctive sont, à un degré plus profond, basées sur la réalité psychologique.

Libération défensive: tradition déguisée

Quand les femmes se «libèrent» en rejetant leur éducation féminine, le noyau de leurs besoins féminins profonds reste inchangé; elles ne peuvent que le recouvrir ou le déguiser par une série de comportement défensifs rigides opposés à ces besoins profonds.

Lorsqu'une femme dissimule ce noyau sous un masque de femme «libérée», ses relations avec les hommes deviennent vite aliénantes, puis finalement impossibles à cause des signaux contradictoires créés par ces deux niveaux et par le sentiment de frustration et d'inachèvement ressentis car elle ne s'est libérée que pour répondre à des besoins défensifs. Il y a toujours quelque chose qui «ne marche pas».

Le processus de la relation est très compliqué parce que la femme refoule et nie son noyau féminin, qui constitue pourtant le plus puissant des deux niveaux, pour satisfaire ses besoins défensifs en fonction de l'image qu'elle veut donner. Alors que la femme féminine traditionnelle se voit rarement autrement qu'en victime, la «mère nourricière déguisée» (une femme traditionnelle dissimulée derrière une philosophie de libération) vous dira qu'elle prend ses responsabilités et sa vie en main. Ses réactions émotionnelles de colère et de frustration sont déconcertantes parce qu'il est très souvent difficile de comprendre ce qui les a déclenchées.

Cette femme qui semble libérée, mais qui reste au fond traditionnellement féminine, peut se croire prête à s'engager, en pleine connaissance de cause, dans une relation d'égal à égal, de personne à personne. En réalité, elle est mûre pour emmener son partenaire dans un tourbillon explosif de messages confus, dont la compréhension est impossible, et la rupture complète et totale de la communication est inévitable.

Le meilleur moyen d'identifier un mère nourricière déguisée ou un «macho déguisé» (un homme traditionnel sous un masque d'homme libéré) consiste à observer comment ils *fonctionnent* — la manière dont ils se comportent avec les autres, non pas ce qu'ils cachent ou éventuellement font. Ce qu'ils disent ou font, c'est le contenant et ce contenant peut être contrôlé consciemment et manipulé aisément. Les processus plus profonds ne peuvent pas l'être.

La femme traditionaliste

Martine s'occupe de plannings financiers, elle a trente-quatre ans. Elle aime son travail et a l'impression qu'il reflète bien sa personnalité de femme objective et raisonnable qui agit indépendamment des hommes mais prend plaisir à leurs attentions et à leur amitié. C'est une femme très féminine et ses structures sont traditionnelles. Elle s'habille comme une vedette de cinéma et se maquille avec soin.

Dès que Martine ébauche une relation, son traditionalisme émerge et elle moralise à propos des relations sexuelles. Elle éprouve du ressentiment pour son amant parce qu'elle le trouve trop passif, pas assez romantique et réagit à ce manque de domination en refusant les relations intimes d'une manière indirecte. Quant son amant lui caresse les seins, elle dit que cela la chatouille — une sensation qu'elle ne peut pas supporter —, qu'il est trop brutal ou que son corps est trop sensible pour supporter ce genre de contacts. Quand il touche son vagin, elle dit que cela lui fait mal.

Elle choisit des hommes forts, virils, puis les «punit» par les moyens traditionnels tels que les malaises physiques. Elle n'a plus d'énergie, dit-elle, et se plaint d'être fatiguée, ce qui est normal après toutes ces longues heures de bureau; mais en fait, cette fatigue est l'expression de son ressentiment et de son conflit intérieur: «On ne prend pas soin de moi» dit-elle. D'une part, elle nie ce besoin et, d'autre part, elle est en colère parce qu'il n'est pas comblé. C'est seulement quand elle croit qu'elle va perdre son amant qu'elle désire vraiment des relations sexuelles.

Tous ces éléments sont des protestations reflétant ses frustrations profondes et les ressentiments qui émergent de son noyau «non libéré». Il n'empêche qu'elle serait contrariée si un homme lui demandait de travailler quelques heures de moins ou lui faisait sentir que son manque d'énergie ou son refus des relations intimes n'est en fait qu'un moyen de le punir. C'est ainsi qu'inconsciemment elle bloque la communication et le partage des sentiments que son moi «libéré» désire, parce que son noyau féminin réagit mal à la critique ou à une donnée négative, qu'elle considère comme des attaques. Elle «punit» alors son amant.

La femme macho

Marilyne, âgée de trente-deux ans, enseigne à l'université et est également l'auteure de plusieurs ouvrages traitant des problèmes des femmes. En surface, c'est une féministe militante; elle réagit violemment dès qu'elle remarque une note de sexisme chez un homme, déclarant avec véhémence que les femmes ne doivent pas dépendre des hommes; elle est agressive dans le domaine sexuel, où elle exige d'être satisfaite.

C'est une mère nourricière déguisée et elle révèle son noyau féminin en estimant que les hommes sont la cause de tous les problèmes du monde et en refusant continuellement d'assumer ses responsabilités dans le rejet et la détresse vécus dans le cadre de ses relations avec eux. Après chaque rupture, elle jure qu'elle ne veut plus rien avoir affaire avec les hommes; mais elle continue à rechercher celui auquel elle pourrait s'attacher et qui accepterait son interprétation féminine de chaque chose ainsi que son incapacité «macho» à croire que l'autre peut aussi avoir raison. Elle ne peut pas reconnaître qu'elle a tort parce qu'elle considère cela comme une forme de soumission.

Il lui arrive, de temps à autre, de rencontrer un homme «gentil», «sensible» qui accepte ses schémas compliqués, mais elle ne tarde pas à s'ennuyer et à se sentir frustrée. Néanmoins, ses tentatives de relations avec des hommes plus masculins échouent, car elle les accuse d'être insensibles et d'essayer de la dominer.

Parmi les femmes d'aujourd'hui, c'est la femme «macho» qui est la plus susceptible de vous rendre fou avec ses messages contradictoires. «Elle réagit à l'encontre du rôle de la femme traditionnelle en adoptant les attitudes du type de personnalité A, un comportement fait d'entêtement, de recherche d'autonomie et de domination axé sur la sexualité et empreint de contradictions. D'une part, elle veut rester indépendante dans la relation et réagir énergiquement contre toute tentative pour la «retenir» ou pour la «dominer». D'autre part, le manque de romantisme et d'intimité qu'elle reproche aux hommes provoque en elle colère et ressentiment.

Elle réagit passivement devant la faiblesse et la passivité masculines, mais, bien qu'elle désire un homme aussi ambitieux et énergique qu'elle, elle réagit violemment à toute tentative en vue de la «transformer» en épouse. Elle perçoit tout partage de son temps ou de sa liberté comme une contrainte. Quand un homme prend ses distances pour lui donner le temps de faire ce qu'elle veut, elle se plaint que «les hommes ont peur d'affronter les problèmes de la relation».

Toute tentative de dialogue véritable concernant un conflit est voué à l'échec à cause de ses schémas mécaniques, agressivement logiques. Elle devient une victime accusatrice et il est impossible de vaincre ses défenses. Elle ne désire ni connaître ses mécanismes ni admettre sa part de responsabilités dans ce qui lui arrive parce qu'elle est obsédée par la crainte d'être contrôlée ou intimidée par un homme. C'est pour cela qu'elle a toujours besoin d'avoir raison, mais elle le nie. Elle veut gagner à tout prix, mais cela aussi elle le nie. Elle ne veut ni voir ni reconnaître la validité de la réalité de son partenaire. Elle est convaincue que les hommes sont remplis de défauts et que les femmes sont la force positive de ce monde. Toute «retraite» de la part d'une femme équivaut à un asservissement, à une régression.

Elle est classiquement féminine lorsqu'elle se plaint du manque d'intimité, de rapprochements, qu'elle force la culpabilité de l'homme,

qu'elle cherche le prince charmant et qu'elle accuse les hommes d'être
«fermés», sans être consciente que c'est elle qui est en grande partie
responsable. Elle demande du savoir-faire dans les relations sexuelles
et elle accuse son amant d'égoïsme s'il ne la satisfait pas. Elle
s'imagine être une partenaire sexuelle idéale parce qu'elle est ouverte
à toutes initiatives, mais elle ne se rend pas compte que ce sont ses
exigences qui «inhibent» son compagnon. Tous les hommes avec qui
elle a une liaison finissent par être accusés d'être égoïstes, limités et
inintéressants sur le plan sexuel.

Ses partenaires, mis ainsi en accusation, développent des sentiments défensifs. Ils se justifient constamment, se répandant en longues
explications pour prouver qu'ils ne sont pas des «cochons machos».
Ils s'efforcent de démontrer qu'ils sont capables d'intimité, même s'ils
sont maladroits. Ils se sentent exténués comme après une interminable
séance de montagnes russes, acceptés maintenant, rejetés un moment
plus tard.

Comme le mâle macho, quand elle rencontre le partenaire
«sensible», «gentil» qu'elle pense désirer, elle s'ennuie. Elle part donc
à la recherche du «macho déguisé» qui la mettra inévitablement en
colère et qu'elle pourra accuser de sexisme et d'hypocrisie.

La princesse froide libérée

Anne, trente-quatre ans, était, sous ses airs libérés, une traditionnelle «princesse froide». Elle avait des cheveux blonds et un corps
parfait, élancé et sexy; sa beauté et son attitude distante intimidaient
les hommes qui ne savaient comment l'aborder. Elle les excitait en
leur donnant l'impression que réussir à lui parler était déjà une
conquête, une victoire.

La philosophie de libération de la princesse froide est établie sur
l'égalité totale des sexes. Elle peut paralyser un «cochon sexiste» d'un
seul regard meurtrier. Néanmoins, derrière cette image, elle est la
femme distante traditionnelle et difficile à conquérir qui ne permet
jamais aux hommes de savoir ce qu'elle pense ou ressent. Elle joue le
mystère à la perfection et fait en sorte que l'homme qui s'intéresse à
elle sur le plan sexuel se sente coupable et «sale». Elle cherche inconsciemment à être «draguée». L'homme doit prendre l'initiative des premiers pas et, bien sûr, de la relation, mais elle en prend rapidement le
contrôle, passivement, par son détachement.

Quand elle est invitée à une soirée, par exemple, elle se tient là, merveilleuse, inaccessible; il est impossible de savoir ce qu'elle pense ou ressent. Son attitude est *très féminine* et très passive, elle n'a qu'un seul but: attirer les hommes; et pourtant, inconsciemment, elle désire prendre le pouvoir et essaie d'attirer les hommes les plus machos, obsédés par le succès, puissants et compétitifs qu'elle accuse pourtant de détruire et les femmes et le monde.

À cause du défi et du mystère qu'elle projette, les hommes ressentent une constante excitation. Ils ne savent jamais où elle se situe. Son comportement passif suscite des réponses machos traditionnelles, mais elle n'est pas consciente de ce qu'elle fait.

Les hommes n'ont plus qu'une idée: l'emmener dans leur lit. À son contact ressurgit l'orientation «défi et conquête» de l'interaction mâle/femelle. Les hommes se coupent en quatre pour deviner comment lui faire plaisir. Ils veulent s'engager tout de suite, dans leur désir de la «posséder», et ce à cause de l'excitation et de l'insécurité que génère son attitude distante. Ils ont l'impression qu'elle va les rendre fous car ils essaient de la comprendre sans jamais y parvenir.

D'une part, ses idées sont libérées et elle ne veut pas être traitée comme un objet mais, d'autre part, elle agit comme une femme objet, ce qui attire les comportements «machos» de ses prétendants. Elle accuse les hommes de la traiter comme un objet; même lorsqu'ils essaient de se rapprocher d'elle, d'égal à égale, leurs tentatives avortent à cause de son refus ou de son incapacité de leur offrir les moyens de dialoguer librement avec elle.

La motivation profonde de la princesse froide, c'est sa froideur, ses ressentiments contre les hommes qu'elle manifeste par son attitude distante. Sa passivité entraîne sa colère à l'idée d'être dominée, et elle finit invariablement par trouver que les hommes ramènent tout au sexe, qu'ils sont dominateurs et qu'ils sont des «cochons possessifs».

La princesse froide est une mère nourricière déguisée en ce sens qu'elle s'est «libérée» en devenant autonome sur les plans émotionnel et économique. Dans ses relations avec les hommes, elle continue à se comporter avec passivité; elle ne prend jamais de décisions ni l'initiative d'un contact, ni la vedette dans une conversation. Elle crée une double aura d'excitation par son «indépendance» et son indisponibilité féminine. Étant donné qu'elle est plus réactive qu'active, elle fait ressortir les comportements machos extrêmes chez les hommes; ils doivent prendre les initiatives, la satisfaire dans les relations intimes et prendre l'entière responsabilité de leurs échanges mutuels.

Ses caractéristiques peu ordinaires excitent beaucoup les hommes mais, dans une relation, elle est très vite débordée par ses ressentiments parce que ses qualités passives et réactives attirent des hommes dominateurs à qui elle reproche de vouloir la posséder et la dominer. Elle est absolument inconsciente de son processus et le nie d'une manière défensive, et c'est ce qui donne naissance aux sentiments qui l'habitent. Elle se considère comme une femme «parfaite», une femme très féminine qui n'attend rien des hommes. En réalité, elle est l'«accusatrice» parfaite, car sa responsabilité dans les échecs de ses relations est très difficile à discerner.

Les hommes «deviennent fous» quand ils essaient de naviguer entre son attitude indépendante et son processus féminin défensif qui les oblige à être «machos» lorsqu'ils veulent établir une relation avec elle, ce que beaucoup désirent. Ces relations sont vouées à l'échec car ses comportements féminins extrêmes occultent sa part de responsabilité dans les problèmes. Son «indépendance» lui donne la certitude qu'elle est libérée et qu'elle ne peut en aucun cas être responsable de ces problèmes: «Je n'attends *rien* des hommes», dit-elle. Et elle le croit.

Certaines femmes célèbres sont des princesses froides; elles ont fort bien réussi à attirer les hommes les plus puissants et les plus riches de la société qui étaient prêts à tout pour plaire à ces femmes «excitantes». Ils ont fini par échouer et beaucoup d'entre eux estiment qu'ils ont été exploités et détruits. Ces hommes puissants ont rencontré plus fort qu'eux. Ils ont été facilement «battus» parce qu'il leur était impossible de voir sous les attitudes libérées de ces femmes le processus traditionnel qui allait les condamner à être des victimes.

La princesse froide est «sûre d'elle»: il n'y a pas d'hommes valables, réellement libérés. Elle conclut inévitablement que «tous les hommes sont les mêmes». Son processus classe invariablement dans la même catégorie tous les hommes qu'elle attire.

La femme libérée étouffante

Cathy, âgée de trente-six ans, est assistante sociale. Elle est bien dans sa peau, s'occupe parfaitement bien d'elle-même et exprime sans inhibition ses sentiments de colère. Elle travaille beaucoup, est généreuse et se dépense beaucoup pour les autres. Thérapeute experte, elle connaît bien les processus psychologiques et équilibre le tout grâce à une ouverture positive sur le monde. Elle reconnaît ouvertement sa peur d'assurer seule l'éducation de ses enfants et souhaiterait épouser un homme «à l'ancienne mode» qui aime prendre soin des femmes. «Je prendrais bien soin de lui aussi», dit-elle.

Le processus défensif féminin profond de Cathy et des femmes qui lui ressemblent se révèle par un comportement étouffant et asphyxiant à l'égard de leurs amis et de leur famille. Cathy est obsédée par le bien-être de ses enfants, elle doit vérifier s'ils sont «correctement» habillés, nourris, soignés, etc. Elle discute jusque dans les moindres détails de ses soucis et de ses efforts pour s'occuper seule de sa famile et, en dépit de la pension alimentaire appréciable que son ex-mari lui verse, elle dit que les hommes sont égocentriques, refoulés; elle les traite de «psychopathes narcissiques». La victimisation et les reproches traditionnels sont déguisés par un jargon psychologique et sous l'étiquette de «diagnostic». Elle se croit «très généreuse» mais, inconsciemment, cette prétendue générosité ne fait qu'exprimer son besoin de recevoir. Elle est très en colère quand la contrepartie d'un marché qu'elle a accepté sans négociations n'est pas respectée.

Chez elle, elle contrôle la cuisine et la maison. Il n'y a pas un détail personnel ou une toute petite information sur qui que ce soit qui lui échappe. Sous le couvert de la «serviabilité», elle est sûre de connaître tout ce que les autres ressentent ou pensent à tout moment. En fait, elle vous connaît mieux que vous ne vous connaissez vousmême. En outre, elle sait exactement ce qui vous convient le mieux, ce que vous devriez faire et, malgré ses grandes peurs personnelles, elle est sûre de pouvoir donner des conseils sur la meilleure façon de faire tourner le monde. Vous finissez par vous sentir épié. Elle note systématiquement tout ce que vous faites, comme une mère surprotectrice.

Derrière cette image libérée, psychologiquement éclairée, elle contrôle tout par le biais de l'amour maternel. Elle prend tout son petit monde en charge et s'arrange pour rendre chacun dépendant d'elle.

Vous finissez par vous échapper et vous fuyez les rapprochements parce qu'elle est omniprésente, critique et étouffante dans le plus pur style traditionnel. Mais elle vous accuse alors de ne pas être capable de vous laisser aimer. Vous sentez que vous devriez l'apprécier, mais en réalité vous lui en voulez sans savoir pourquoi. Elle vous dit qu'elle n'attend aucune gratitude; elle ne veut pas non plus que vous vous sentiez coupable ni que vous vous comportiez avec elle comme si vous lui deviez quelque chose. Votre moi profond vous dit que son «amour» est vraiment étouffant, que cet amour-là est le moyen indi-rect par lequel elle domine et suscite les sentiments de culpabilité; c'est contre cela que vous réagissez négativement et non contre sa «chaleur» et ses «petits soins».

Vous réagissez à son ingérence — le message constamment sous-entendu qu'elle désire de l'intimité et qu'elle vous surveille. Elle vous nourrit quand vous n'avez pas faim et elle s'inquiète pour vous au point de vous irriter. Son omniprésence accommodante et sa dévotion auxquelles il faut ajouter sa tristesse et les blessures que vous lui infli-gez quand vous la repoussez, tout cela vous culpabilise et vous vous accusez d'égoïsme.

Par moments, vous vous sentez manipulé, dominé, coupable et furieux après elle et, en même temps, vous êtes rassuré par le fait qu'elle est toujours là. Votre désir sexuel n'est plus stimulé; vous êtes alors accusé d'avoir opéré sur elle un transfert des sentiments que vous éprouviez pour votre mère.

La femme libérée étouffante donne une impression de force et de responsabilité, mais la réalité psychologique de la relation est compo-sée de son ingérence traditionnelle dans la vie de l'autre, de l'affir-mation de sa supériorité dans le domaine affectif et d'un amour dévorant.

Quand vous essayez d'expliquer votre besoin de vous «éloigner», elle vous répond que vous êtes simplement un homme qui ne sait ni se laisser aimer ni accepter l'intérêt et l'attention qu'on a pour lui et que vous vous sentiriez menacé par n'importe quelle femme qui voudrait vous donner son amour et vivre une relation avec vous.

Théoriquement, il semble qu'elle ait raison. En fait, vous voulez échapper à son amour. Votre moi profond réagit en se protégeant contre la réalité profonde. Quand vous commencez à vous replier sur vous-même et à ressentir une certaine rancœur contre elle, elle s'inquiète, elle croit que vous avez des problèmes affectifs et que vous avez besoin d'aide.

La femme qui sublime la fusion

Sarah a trente-deux ans; elle est avocate et s'estime impartiale et honnête. Elle n'accepte rien des hommes. Elle a beaucoup d'amis et garde toujours des relations d'amitié avec ses anciens amants.

Sarah poursuit une belle carrière et est propriétaire de sa maison. Ses relations sexuelles sont aisées et enjouées. Elle semble entièrement libérée de l'intérêt traditionnel pour le mariage ou pour les engagements en général.

La femme qui sublime la fusion est la mère nourricière qui se rapproche le plus de l'indépendance féminine authentique. Ses priorités dans une relation sont la liberté, l'indépendance et l'espace. Les hommes la trouve particulièrement attrayante parce qu'elle ne critique jamais personne. Ainsi, au début, elle semble parfaite. Elle est sensuelle mais n'a aucune exigence. Elle est très indépendante et ne reproche jamais aux hommes de ne pas prendre soin d'elle. Elle est chaleureuse, sensible et pleine d'humour. Elle adore rire. Elle a l'air trop parfaite pour être vraie et, en effet, il y a anguille sous roche.

Aucun homme n'a jamais été intime avec elle parce qu'elle est terrifiée à l'idée de risquer de perdre son indépendance. Quand elle arrive à un certain degré d'intimité avec un homme, elle fuit. Elle croit que les hommes ne veulent pas qu'elle soit elle-même. «Les hommes ont peur de ma force», explique-t-elle.

Elle est véritablement terrifiée à l'idée de perdre son identité et son indépendance; c'est pourquoi elle sublime son énorme besoin de fusion en ne s'attachant de façon obsessionnelle qu'aux machos déguisés, sécurisants tels que son gourou et son thérapeute qu'elle voit régulièrement deux fois par semaine depuis sept ans. Elle croit sincèrement à l'astrologie et à ce que révèlent les cartes ou les lignes de la main. Elle ne se donne pas à un homme «réel»; elle préfère s'attacher à une figure masculine assez distante et sécurisante pour avoir l'air «parfaite». Elle n'a donc pas à négocier avec sa peur intense de perdre son indépendance. Son thérapeute, son gourou, son médium subliment son besoin d'adorer, d'aimer et de s'abandonner. Elle permet aux autres de dépendre d'elle tandis qu'elle-même ne dépend que de symboles «sécurisants».

Son processus féminin se remarque aussi dans sa façon de décrire toutes choses comme étant «gentilles», «superbes» et «merveilleuses». Elle refuse ce qui est négatif et appréhende la vie d'une manière exubérante tout à fait positive. Chaque personne qu'elle connaît est unique en son genre. «Je me sens tellement proche d'elle», «Je l'adore, tout simplement», «Nous avons une relation magique» sont parmi ses descriptions favorites de ses nombreux amis «intimes». Son besoin d'intimité est comblé en «toute sécurité»: elle l'étend à tant de gens qu'il ne constitue plus aucun danger ou alors elle s'engage avec des hommes dont elle est sûre qu'ils vont essayer de la dominer et dont elle se séparera. Elle en fera alors des «amis».

Elle est l'image extrême des femmes féminines qui sont dominées, sans le savoir, par leurs peurs de dépendre des hommes. Elle a peur d'être contrôlée et de perdre son identité; elle a peur et leur en veut.

Elle semble être la femme parfaite; une femme avec qui vous vous sentez en sécurité et en qui vous avez confiance. Néanmoins, elle se rend folle et rend fous les hommes qu'elle fréquente parce qu'elle s'implique dans la relation et ensuite retire son épingle du jeu. Elle invite à une intimité intense mais, quand les hommes mordent à l'hameçon, elle les repousse. Dès qu'elle a rejeté un homme, elle se sent à nouveau en sécurité et peut ainsi renouer la relation.

Au fond d'elle-même, les hommes lui paraissent tellement dangereux qu'elle ne peut pas s'imaginer dépendre d'eux.

La masochiste libérée

Julie a vingt-six ans, c'est une belle et talentueuse danseuse. Elle est intelligente, a les pieds sur terre et possède une conscience politique. Sa carrière de chorégraphe est florissante et de temps en temps elle donne des représentations de ses propres chorégraphies.

Elle est idéaliste, généreuse et forte, mais elle révèle son noyau féminin en choisissant des hommes qui la «dirigent» et l'«utilisent». Elle leur abandonne sa force et son identité dès qu'ils commencent à prendre les décisions à sa place et ne proteste pas quand elle donne plus que sa part dans les dépenses communes.

C'est le scénario typique de la «masochiste libérée». Elle choisit des hommes auxquels elle peut céder les rênes, ceux qui lui permettent de jouer le rôle de la femme soumise. Les hommes s'attachent à elle pour ses réussites, sa beauté et son sens des responsabilités, mais aussi parce qu'elle laisse sous-entendre qu'elle ne se révoltera pas si elle est dominée et manipulée.

Elle est tellement idéaliste qu'elle ne veut pas blesser son partenaire, mais elle finit par être blessée elle-même. Une partie de sa libération implique la compréhension du combat que les hommes doivent mener. Elle est triste pour eux et considère qu'ils sont plus opprimés que les femmes. Ce qui explique qu'elle attend très peu d'eux et leur donne tout.

Alors que ses idées sont humanitaires et libérées et qu'elle veut prendre l'entière responsabilité de ce qui lui arrive, son processus est basé sur l'abnégation et procède d'un masochisme traditionnel. Elle est une mère nourricière déguisée parce que, dans ses relations, elle devient la victime, mais, contrairement à l'accusatrice traditionnelle, elle s'accuse elle-même et prend les abus à son compte au lieu de laisser éclater sa rage.

Bien qu'elle ait sa part de responsabilité dans cette situation, cette authentique victime n'a aucune conscience de l'être. Au contraire, elle s'accuse elle-même. Elle s'autodétruit dans le plus pur sens du terme parce qu'elle a peur de son propre pouvoir et qu'elle craint de perdre sa féminité en devenant «trop forte». C'est pourquoi elle laisse son partenaire profiter d'elle et la dominer.

La masochiste libérée va prendre graduellement l'échelle des valeurs de l'homme à son compte et, dans tous les cas, de sérieux dégâts dans son potentiel de force, de puissance, dans l'évolution de sa carrière et dans sa personnalité sont à craindre.

L'intellectuelle

L'intellectuelle manifeste sa libération par son haut niveau de connaissance intellectuelle des problèmes. Elle a une culture littéraire considérable et peut discuter de sujets divers avec une grande compétence.

Dès qu'elle entretient une relation durable avec un homme, son côté mère nourricière déguisée intervient; elle devient rapidement suspicieuse et anxieuse à l'idée qu'il puisse «l'utiliser». Quand elle est offensée ou blessée de quelque façon que ce soit, elle se ferme, refuse de parler et de faire l'amour. «Tu es comme les autres hommes — superficiel et exploiteur», dit-elle souvent aux hommes avec qui elle vit.

Ses réponses émotionnelles profondes et intellectuelles sont polarisées et elle est autant libérée dans ses idées qu'elle est féminine dans son processus. Par conséquent, les hommes la trouvent très attrayante lors de leur première rencontre, mais ils se découragent progressivement parce que ses réactions spontanées révèlent une grande peur et un manque de confiance en eux. Comme la femme traditionnelle, elle les prive de relations sexuelles pour les punir de leurs «crimes», et bien souvent ils ne savent pas pourquoi; en effet, elle préfère se taire plutôt que de risquer une dispute. Quand elle est en colère, plus aucune discussion n'est possible puisqu'elle est persuadée qu'elle a été «gentille» et «honnête» tandis que l'homme s'est montré insensible et superficiel. Elle essaie de dominer son noyau féminin par ses richesses intellectuelles, mais cela ne se révèle probant que lorsqu'elle reste à une distance sécuritaire.

La séductrice libérée

Ginette a trente-trois ans et elle est agent de police. Elle a un physique d'athlète, du caractère et projette une image saine et indépendante. Cependant, sa carrière, «son courage» et son indépendance sont autant d'appâts pour attirer les hommes afin qu'ils prennent soin d'elle. Elle veut un homme qui soit plus fort et qui ait mieux réussi qu'elle, mais elle a compris que, dans la société d'aujourd'hui, si elle laisse voir son besoin de dépendance, elle repoussera les hommes qu'elle désire attirer. C'est une mère nourricière déguisée parce qu'elle utilise son indépendance pour attirer l'homme qui s'occupera d'elle. Elle sait que l'indépendance est le nouveau caprice des hommes; elle projette donc cette image.

Quand la séductrice libérée a séduit et épousé un homme, ses besoins profonds de dépendance vont recouvrer leurs droits et, étant de plus en plus «occupée» par les exigences de son mari, elle va progressivement «laisser tomber» son travail. Leur relation est sa «priorité», dit-elle. Néanmoins, ce n'est pas à lui ni à leur couple qu'elle donne, mais à elle-même. Elle montre son noyau traditionnel par la façon fausse et excessive avec laquelle elle porte son indépendance comme un flambeau. Une telle confiance en soi ne peut être pure et sans taches.

La secouriste

Charlotte a trente-neuf ans et est directrice administrative d'un collège. Ses positions féministes sont très fermes et elle compose avec sa peur de perdre son autonomie en jetant son dévolu sur des hommes fragiles dont l'existence est très troublée. Elle va les aider, les sauver et les dominer. Une fois rééquilibrés, ils la quittent, ce qui renforce son idée qu'il est inutile et dangereux d'être intime avec un homme ou de lui donner quoi que ce soit.

La secouriste est forte, indépendante et apparemment libérée, mais finit toujours par se retrouver dans des situations qui se retournent contre elle, en sauvant des hommes alcooliques ou profondément blessés par un divorce, par exemple; ils sont perdus, effrayés, passifs et instables. Son noyau traditionnel féminin se manifeste par le peu d'estime qu'elle se porte et qu'elle dévoile dans ses relations. Elle s'en arrange en choisissant des hommes qui ont des problèmes. Cela lui donne un sentiment temporaire d'importance et lui permet d'éviter d'affronter ses propres angoisses.

Sa peur d'être abandonnée ne lui permet pas de contrôler la tension et l'anxiété qu'elle ressent avec un homme prospère, un homme qu'elle ne peut pas contrôler. Étant donné qu'elle contrôle toute la relation, les hommes, une fois «rétablis», finissent par s'en irriter et la quittent. Ou alors c'est elle qui brise la relation au moment où l'homme redevient fort, parce qu'elle «s'ennuie».

Elle fait ressortir, très rapidement, le noyau de dépendance masculine que la majorité des femmes ne voient pas. Les hommes la quittent, si elle n'est pas partie la première, parce qu'il est intolérable, pour la majorité des hommes, de se voir faibles et dépendants au-delà d'un certain degré. C'est une mère nourricière déguisée parce que sa grande peur de «perdre sa force» face à un homme l'attire inconsciemment vers des hommes vaincus qui finissent par être irrités par cette domination et qui fuient cette relation. Ou alors ils reprennent leurs forces et c'est elle qui les quitte.

L'adoratrice

Adrienne a trente-quatre ans et s'est mariée quatre fois. Elle vient de recevoir sa licence de courtier immobilier et déborde de projets ambitieux. Elle a eu beaucoup de succès dans son métier pendant ces trois dernières années et elle est folle de joie à l'idée d'ouvrir son propre bureau.

On peut discerner son noyau féminin dans tout ce qu'elle fait; même son plan de carrière était établi en fonction de l'approbation de son dernier mari. Il est évident que tout ce qu'elle faisait était pour lui plutôt que pour elle. Elle recherchait systématiquement son approbation, voulant qu'il la rassure, qu'il lui dise qu'il était toujours «de son côté». Elle lui répétait à longueur de journée qu'il *était* brillant et doué, même lorsqu'il se contentait de faire une quelconque réparation à la maison.

Cette adoration est une manipulation inconsciente et une façon de maintenir le contrôle. L'adoratrice *semble* être généreuse, mais elle ne donne qu'à certaines conditions. Elle craint que le fait d'admettre qu'elle a le pouvoir ne fasse fuir son partenaire.

Adorer un homme est, pour elle, une manière de se donner à lui mais, bientôt, s'il ne répond pas par un sourire ou une phrase gentille, elle commencera à le haïr parce qu'il ne lui rend pas son adoration. Inconsciemment, la colère monte en elle parce qu'elle a l'impression de «ne pas compter» pour lui.

Elle en arrive à «devoir le quitter» afin de récupérer son identité et le respect d'elle-même pour ensuite recommencer le même processus avec un autre homme: elle l'adorera, elle se pliera en quatre pour qu'il l'approuve, elle nourrira de la colère, le quittera et recommencera avec un autre. Elle fusionne avec l'identité de son partenaire et ensuite lui reproche de lui avoir fait perdre la sienne et de ne pas lui témoigner assez de gratitude pour tout ce qu'elle lui a donné.

L'égoïste libérée

Carole a quarante-cinq ans et est directrice d'une compagnie d'assurances. Elle est reconnue pour l'aide qu'elle apporte aux femmes qui cherchent leur indépendance économique et elle est fière de ses compétences et de son succès dans le monde des affaires. Lorsqu'elle mange avec un homme, elle s'empare prestement de l'addition. Elle déclare aimer les relations sexuelles.

Le processus intérieur inconscient de Carole est l'exemple typique d'une personne qui veut deux choses à la fois: les prérogatives d'une femme libérée quand cela l'arrange et les bienfaits émotionnels d'une relation traditionnelle. Elle n'accepterait pas de ne pas recevoir une promotion simplement «parce qu'elle est une femme», mais elle s'attend quand même à tirer quelques avantages de son sexe. C'est comme si une femme sans aucune qualification posait sa candidature à un poste politique et qu'elle soit acceptée parce qu'elle est une femme, mais qui accuserait ensuite une «structure de pouvoirs sexistes» de lui faire perdre les élections.

L'égoïste libérée met inconsciemment son indépendance au service de ses besoins féminins, comme un macho déguisé met sa sensibilité au service de ses objectifs, la séduction par exemple. Le féminisme devient un moyen d'arriver à tout. Les traditionnels reproches féminins et leurs incitations à la culpabilisation sont utilisés pour mettre les autres sur la défensive et en tirer avantage. Les «reproches» sont adressés indirectement et de manière déguisée — ce qui crée une atmosphère dans laquelle l'homme doit constamment prouver qu'il n'est pas sexiste. Toutes critiques ou simples allusions qui ne sont pas franchement positives sont subtilement ou sévèrement interprétées comme autant d'agressions personnelles *parce qu'elle est une femme.*

L'égoïste libérée est une manipulatrice; elle manœuvre pour obtenir toutes les prérogatives des femmes traditionnelles tout en n'assumant qu'une partie des obligations, celles qu'elle choisit d'accepter. Cette approche est utilisée dans la vie privée et au travail. Les gens qui sont en contact avec elle sont «désarmés» par ses «intimidations» indirectes, quand elle insinue, par exemple, qu'ils sont chauvins ou sexistes.

Dans une relation amoureuse, quand son partenaire lui demande quelque chose qu'elle ne veut pas faire, elle peut lui répondre: «Fais-le toi-même, je ne suis pas ta mère. Je ne suis pas là pour te servir», etc. L'homme, ignorant ses mécanismes psychologiques, se trouve constamment obligé de s'expliquer, de se justifier ou de s'excuser. Son trouble s'accentue encore quand elle lui affirme qu'il est sexiste parce qu'il est toujours «sur la défensive» et veut constamment prouver qu'il ne l'est pas.

S'il ne prend pas garde, elle finira par prendre indirectement le contrôle de tout et il se sentira de plus en plus coupable de lui demander quoi que ce soit ou de ne rien lui donner. Le féminisme de cette femme est un moyen d'atteindre les objectifs de la mère nourricière traditionnelle: elle prend de façon indirecte le pouvoir sur l'homme en le culpabilisant, lui fait sans cesse des reproches — sous-entendus ou ouvertement exprimés — et accentue sa tendance à se sentir responsable et à se haïr lui-même.

La femme complètement libérée qui rend fou

Éliane a trente-neuf ans et est vice-présidente d'une compagnie. Elle est charmante, vive, préoccupée par son propre épanouissement et par son succès personnel; elle a beaucoup voyagé et impressionne les hommes par sa bonne éducation et son raffinement.

Néanmoins Éliane est une de ces femmes «complètement libérée qui rend fou» parce qu'elle personnifie dans son processus l'antithèse

. de l'image qu'elle donne d'elle-même. Son processus est classiquement féminin alors qu'en surface elle est très libérée. Elle a du caractère mais se tait, se ferme et refuse de «discuter« dès qu'il y a conflit. Elle est sensuelle mais reste circonspecte dans ses relations afin que les hommes ne l'«utilisent» pas. Bien qu'elle sache se faire respecter dans sa vie professionnelle, elle laisse les hommes abuser de ses émotions et pleure quand elle est en colère. Elle est farouchement indépendante, mais elle «connaît» son partenaire et sait toujours où il est et ce qu'il fait. Dès que son amant devient dépendant ou se montre vulnérable, elle le quitte. Quand, par contre, un homme prend ses distances, elle lui reproche d'avoir peur de s'engager.

Les humeurs et les réactions de la femme qui rend fou désorientent et troublent les hommes qui lui sont attachés; ils considèrent que sa conduite est capricieuse et «impossible» à comprendre. Elle semble changer d'avis constamment, comme si les contradictions de son caractère se dévoilaient «au hasard»: son noyau féminin et les réactions défensives qu'elle oppose à ce noyau la poussent à réagir de manière totalement différente d'une fois à l'autre.

Étant donné qu'elle est inconsciente des messages contradictoires qu'elle projette, elle en arrive à la conclusion que les hommes n'aiment pas les femmes qui réussissent, ou qu'il leur est insupportable de ne pas dominer. Mais il est hors de question qu'elle se laisse dominer, même si c'est pour le bien d'une relation.

La veuve noire libérée

Grâce à sa «profonde compréhension» des hommes, la veuve noire libérée tisse une toile à l'aide des anciens ingrédients du pouvoir féminin: adoration totale, manipulation de l'ego insatiable de l'homme et entière satisfaction de sa dépendance refoulée de «petit garçon». C'est ainsi qu'elle piège cet homme qui étale ses conquêtes féminines, ses triomphes, son pouvoir et ses «jouets» autant que son penchant pour l'alcool et les drogues. Pour sa part, elle accepte, d'une façon désintéressée, ses comportements machos les plus flagrants, au nom de sa compréhension, de sa libération et de son amour.

Comme un maître d'arts martiaux, la veuve noire libérée l'observe tandis qu'il utilise son énergie à se détruire lui-même. Pendant ce temps, elle joue au supporter idolâtre et dévoué afin d'éviter d'affronter ses propres problèmes — les anxiétés et les conflits qui résultent du maintien et de l'expression de son identité et de son pouvoir — ainsi que la profonde méfiance et l'hostilité qu'elle ressent à l'égard des hommes.

Les machos qu'elle attire sont persuadés, dans leur suffisance, qu'ils ont trouvé en elle la seule et unique femme — une femme qui sait comment aimer un homme et qui le laisse libre d'être lui-même. Ils ne le savent ni l'un ni l'autre, mais elle lui procure la corde pour qu'il se pende. Ce processus est indirect et inconscient. Étant donné qu'elle n'affirme pas sa réalité et qu'elle n'oppose aucune résistance aux agissements de son partenaire, celui-ci ne rencontre aucun obstacle qui le forcerait à reconnaître et à accepter l'hébétude exagérément macho dans laquelle il vit. Au contraire, il va de plus en plus loin, son ego continue à s'étendre jusqu'à ce que l'homme s'autodétruise; c'est à ce moment que le côté mère nourricière déguisée de la femme intervient: elle est calme, puissante, pleine de sang-froid et dispose de la force nécessaire pour reprendre en main les rênes de l'empire qu'il a créé.

Elle peut être l'épouse d'un homme politique, d'un médecin, elle peut seconder un homme d'affaires — la femme du grand homme —, elle s'attache aux hommes dont l'ego est devenu trop important pour pouvoir s'occuper de qui que ce soit d'autre qu'eux-mêmes. Ces hommes pensent qu'ils peuvent tout avoir, mais ne restent jamais intacts assez longtemps pour reconnaître leur aveuglement. On se souvient d'eux pour le potentiel dont ils disposaient mais qu'ils ne pouvaient exploiter.

10

Les machos déguisés

Xavier croyait être un homme libéré. Ses amis ne partagaient pas son opinion et particulièrement les femmes avec qui il avait entretenu une relation et qui le considéraient plutôt comme un «sale macho» déguisé en homme libéré.

Sa perception de lui-même venait du fait qu'il ne se montrait jamais possessif et n'exigeait rien des femmes qu'il fréquentait. De plus, il était honnête avec lui-même et reconnaissait ne pas se sentir bien quand il était trop impliqué dans une relation ou quand il n'avait pas plusieurs maîtresses à la fois.

Les femmes ne le trouvaient pas libéré parce qu'indirectement il leur faisait comprendre que leur relation devait être telle qu'il le voulait et pas autrement. En outre, ce qu'il considérait comme une attitude libérée — le fait d'inviter une femme à dîner chez lui mais de la laisser se débrouiller pour arriver par exemple — passait aux yeux des femmes pour de l'arrogance macho. Bien qu'il ne les obligeât pas à faire l'amour, le message était clair: «Ou bien nous allons au lit, ou bien je vais m'ennuyer à discuter et je ne te reverrai sans doute jamais.»

Il ne payait pas le repas des femmes qu'il emmenait manger au restaurant, estimant qu'il «respectait ainsi leur autonomie». Pour elles, cela ressemblait plutôt à de l'opportunisme, à une manière de profiter des bons côtés de la libération. Mais c'était son choix et il ne tenait pas compte de l'avis de sa partenaire.

Une de ses anciennes petites amies, Élise, était particulièrement furieuse quand ils se sont séparés: «Il est pis que mon père qui était lui-même un horrible macho. Xavier montre, par cent moyens différents, qu'il n'a pas besoin d'une femme en particulier et que la majorité des femmes sont interchangeables. Toutes celles qui disent vouloir plus d'intimité avec lui sont d'emblée classées parmi les collantes ou les manipulatrices qui veulent qu'il s'occupe d'elles.»

Quand Élise a fait remarquer à Xavier ses attitudes machos et ses besoins de domination, il est tombé des nues: «Je ne comprends pas ce que tu veux dire, donne-moi plus de détails.» La jeune femme n'a pu que lui répondre: «C'est ça le problème, tu n'es pas conscient de ton comportement et je ne peux pas l'être pour toi. Je voudrais seulement que tu saches que je ne te quitte pas parce que je désire qu'on m'épouse. J'ai seulement besoin de continuité et d'engagement affectif, mais tu n'en veux visiblement pas. C'est ton droit de penser qu'être libéré c'est se contenter d'avoir une relation agréable et honnête, sans plus. Mais il ne s'agit là que d'égocentrisme mâle passé de mode caché sous des attitudes d'homme libéré.»

Authenticité contre pseudo-libération

Quand un homme adopte une nouvelle philosophie, une nouvelle image ou un nouveau comportement, il ne transforme que les apparences et il devient ainsi un macho déguisé, un homme qui offre une image sensible, attirante, «éclairée» ou égalitaire, mais dont le noyau profond reste inchangé.

La confusion entre le processus et le contenu, l'image et la substance, le changement superficiel et le changement profond, est renforcé dans la société d'aujourd'hui par certaines équations, par exemple quand on dit d'un homme: «C'est un type tellement gentil, il ne peut pas être macho» ou: «Il n'est pas macho, il écrit des poèmes et adore cuisiner» ou encore: «Il est vraiment gentil et aimant, il passe beaucoup de temps avec ses enfants; ce ne peut pas être un macho.» Ou: «C'est un gars très doux, très sensible et tranquille qui ne crie jamais; impossible qu'il soit macho.» Ou, inversement, on peut dire: «C'est un vrai cochon macho: il veut que sa femme quitte son travail et abandonne sa carrière pour rester à la maison avec sa fille» ou: «Quel macho! Son plus grand plaisir, c'est aller prendre un verre avec ses copains.»

Le macho déguisé dévoile son noyau par le fait qu'il voit sa «libération» comme une série de problèmes auxquels il va remédier par des solutions externes, en modifiant ses comportements ou ses attitudes. Il va donc chercher des solutions extérieures à des problèmes causés par son extériorisation. Sa «libération» est une contradiction parce qu'elle est motivée par le système, la politique, l'économie, la justice, les femmes, la société sexiste, le monde des affaires ou les pressions sociales. Il a eu l'impression au début de trouver une réponse à ses questions et un but à atteindre, mais le problème n'a fait qu'empirer. C'est l'expérience qu'ont faite beaucoup d'hommes libérés des années soixante et soixante-dix: ils ont changé superficiellement leurs attitudes et leur approche des femmes et des autres hommes et en fin de compte leur vie est devenue plus désordonnée que jamais. Ils étaient en apparence «libérés» mais le processus utilisé pour en arriver là était extériorisé; par conséquent, alors qu'ils *croyaient* avoir changé, ils s'étaient en fait enfoncés plus profondément dans leurs schémas machos.

On peut identifier un macho déguisé au *comment* et au *pourquoi* de son comportement. Si la sensiblité qu'il affiche envers les femmes provient d'une prise de conscience intellectuelle des problèmes féminins, il est possible que son discours soit réellement «libéré», mais les moyens intellectualisés, son «besoin de preuves» et l'autosurveillance qu'il utilise pour opérer ses changements relèvent du processus macho.

Il devient un macho déguisé, une caricature de tout ce qu'il rejette. Son ego est plus solide que jamais. Maintenant, il croit détenir la «vérité»; il sait comment les gens devraient vivre, il sait même comment changer le monde.

Il devient critique, fat et passivement agressif dans les jugements sévères qu'il émet sur tous ceux qui ne pensent pas comme lui — même s'il nie ce comportement. Il ne connaît que ses principes, sa philosophie et ses théories et essaie de dominer les autres à travers elles. Il sacrifiera souvent des relations sur l'autel de ses principes et laissera même tomber les amis qui ne partagent pas son idéologie. Il est possible qu'il exige des comportements «non sexistes» de la part de ses enfants et il va pour cela les conditionner pour qu'ils partagent ses convictions en surveillant de très près leurs jouets, leur langage et leurs idées. Sa libération semble «éclairée», et pourtant le processus de cette libération est établi sur des jugements catégoriques, sur la domination, la critique et l'autorité arbitraire.

Il sera très déçu et même choqué si ses «gros efforts» ne portent pas fruit. Ses amis, ses enfants et sa compagne lui témoignent de la rancœur et il ne comprend pas que ce ne sont pas ses idées mais son cheminement qui produit cette colère, comme une personne dominatrice provoque la colère chez ceux qu'elle intimide ou qu'elle cherche à contrôler et cela même si ses intentions sont louables. Il s'est éloigné de lui-même en essayant d'«humaniser» sa vie et celle des autres. Il est encore plus déséquilibré que les machos qu'il dénigre et ne se rendra compte que ses relations sont en difficulté qu'au moment où il sera totalement isolé.

Le macho déguisé connaît *toutes les réponses* mais, au bout du compte, constate qu'il ne sait pas les utiliser. Il est plus seul et plus inadapté que les hommes sexistes auxquels il s'efforce de ne pas ressembler et qui ont pourtant une vie plus cohérente que la sienne. Et finalement, puisqu'il a repoussé tout son entourage, on le laissera avec ses principes pour seule compagnie.

Au début, il va peut-être tromper sa solitude en s'entourant de personnes qui pensent comme lui, mais cette communauté d'idées va se révéler superficielle et éphémère étant donné qu'elle est établie sur le partage d'abstractions et sur une conscience idéologique. Elle repose sur le partage des mêmes convictions et cette communauté d'idées sans vie cédera à la moindre pression. Inévitablement l'un de ces hommes estimera que les autres sont hypocrites, imparfaits, «névrosés» ou «qu'il est difficile de dialoguer avec eux».

Au fond de lui, le macho déguisé n'a pas changé; il ne fait que *penser* qu'il a changé. Il est plus renfermé, plus enfoncé dans l'erreur, plus déconnecté que jamais. Il essaie de changer en faisant à peu près la même chose: il le fait seulement *plus fort* et dans un langage différent. Son image d'homme avisé lui procure un sentiment de fatuité, il est sûr d'avoir raison; ce sentiment est omniprésent, obsessionnel et impénétrable, même s'il parle le langage des sentiments, de l'intimité, de l'amour et qu'il est on ne peut plus franc.

Le technicien de l'intimité

Charles est un technicien de l'intimité. Pour lui l'intimité est une abstraction. Il en maîtrise et en utilise habilement toutes les ficelles. Ses opinions sont franches et profondes mais néanmoins intellectualisées. Il croit qu'*il fait de son mieux*. Son «intimité» est mécanique.

En fait:

1. Il parle de ses sentiments. Même quand il «les montre», il sait ce qu'il *fait* et peut les contrôler.

2. Il fait un réel effort pour être à l'écoute des autres. C'est une oreille attentive mais son écoute est mécanique. Il est très difficile de savoir quand il est *vraiment* intéressé ou quand il ne l'est pas parce qu'il écoute toujours avec la même intensité, ce qui prouve que son écoute n'est pas en liaison avec ses sentiments.

3. Il cherche les contacts physiques pour «être proche» de sa partenaire, pour établir la communication et pour marquer son intérêt. Une fois encore, ces contacts sont défensifs parce qu'ils sont mécaniques. Il dit toujours «C'est bon», mais il montre des sentiments qui ne le prouvent pas vraiment. Il *sait* que le contact physique est «intime» et qu'il doit normalement rapprocher deux individus; c'est pourquoi il s'y adonne.

4. Il suit des séminaires sur le rôle du père, des relations, de l'affection, etc. Il se comporte comme le «macho» qui a appris «la bonne manière» de *faire* les choses, une «manière» *qui ne fait pas partie de lui.* Il sera inévitablement accusé par sa partenaire ou ses enfants de ne pas être réellement proche d'eux et il ne comprendra pas pourquoi ce lien pour lequel il fait tant d'efforts est si faible.

5. Il est *toujours* compatissant, attentionné et «compréhensif», autrement dit il semble incapable de dire: «Je m'en fiche pas mal.» Il oppose donc une réaction défensive à son noyau profond, ce qui crée une caricature de «l'intimité» dont même une femme traditionnelle est incapable de se satisfaire.

6. Il est toujours «gentil». Ses attitudes et ses réactions finissent par devenir rigides dans leur «gentillesse».

7. Il étudie et connaît les zones érogènes «exactes» de sa compagne. Il demande avec sollicitude si elle a eu un orgasme et si le rapport sexuel a été «agréable pour elle». Il recherche assidûment les endroits «sensibles» de son corps, persuadé qu'il existe des zones «magiques».

8. Il regarde toujours les gens dans les yeux quand il parle ou écoute et essaie d'être attentif.

9. Il parle continuellement le langage de l'intimité. «Je me sens tellement proche de toi» ou: «Tu me manques» ou encore: «Je voudrais partager ce qui se passe en moi.» Pour une oreille avertie, ces phrases sont creuses, mécaniques et dénuées d'émotion véritable.

Le technicien de l'intimité a l'air merveilleux, mais il est coupé de ses comportements «intimes». S'il ne l'était pas, il lui serait impossible de maintenir un tel degré de «réelle intimité» d'une manière si automatique et si instantanée, surtout si l'on se souvient que son conditionnement premier est en opposition totale avec ce qu'il est maintenant. Il est trop beau pour être vrai.

Le technicien de l'intimité se retrouve frustré et déçu parce que ses efforts n'aboutissent pas à l'intimité pour laquelle il se bat. Sa partenaire l'apprécie mais, de temps en temps, quand elle se sent assez en sécurité ou en colère pour en parler, elle lui dit qu'il est superficiel, que ses attitudes sont mécaniques et qu'elle ne se sent pas véritablement proche de lui. Sa perception est exacte puisque, après une rupture, il peut passer tout de suite à la relation suivante et se sentir immédiatement aussi «proche» et «amoureux» de sa nouvelle conquête, ce qui prouve que son ancienne partenaire n'avait pas tort quand elle trouvait que leur relation était «profondément superficielle».

Le technicien de l'intimité ne perd jamais vraiment le contrôle de ses comportements intimes et il y a très peu d'énergie véritable derrière ses actes. Ceux-ci sont maîtrisés, pensés et automatiques et, par conséquent, défensifs.

Monsieur Parfait

Il réussit tout ce qu'il entreprend, il est «gentil» et recherche l'«intimité». Il exprime ses sentiments tout en étant un «homme de responsabilité» — il est protecteur, prend les décisions et aide «la femme en peine». C'est un «gagneur» et ses attitudes sont libérées. Il est sensible, compréhensif; c'est un macho déguisé convaincu. Il est le héros des féministes, la nouvelle image de Superman. Il est «parfait», sauf pour les hommes ou les femmes qui tentent de se rapprocher de lui ou l'empêchent d'agir «comme il l'entend». À ce moment-là, sa structure intérieure se révèle et les problèmes commencent.

Monsieur Parfait est un macho déguisé parce qu'il a besoin de projeter une image de supériorité et de perfection, de s'affirmer, d'échapper à la grande «culpabilité» qui le guette car il est macho, donc imparfait. Il se tient à l'abri des critiques et évite de reconnaître la colère et les «vilains sentiments» qui le consument inconsciemment et d'avoir affaire à eux.

Monsieur Parfait est habituellement un solitaire, un travailleur acharné qui cache son besoin de domination sous des dehors «aimables» et «sensibles». Il va quand même choisir des femmes et des amis qui vont l'adorer et qui seront suffisamment intimidés par lui pour ne pas le contrarier. Ils seront peut-être malheureux parce que, tel un macho déguisé, il n'est jamais *réellement* disponible sur le plan émotionnel.

Plus les gens sont éloignés de lui, affectivement, mieux se porte monsieur Parfait. Plus ils se rapprochent de lui, plus ils sont susceptibles de souffrir car cet homme extériorisé ne peut avoir avec eux qu'une relation éphémère et boiteuse. La «promesse» faite par son image ne sera jamais tenue.

Il se tue à essayer d'être tout pour tout le monde et souffre profondément de la pression que lui impose la réussite de ce qu'il entreprend. Au fond, il voudrait que tout le monde s'en aille et le laisse seul, mais son image et sa culpabilité l'obligent à taire cette envie.

Sa femme essaie d'être «patiente» et généralement se responsabilise. Elle se dit, comme les autres: «Il est si attentionné et si gentil, il fait tant d'efforts. Tout doit être de ma faute!» Mais sa dépression et sa colère ne tiennent pas compte de ces excuses parce que leur relation est superficielle, qu'elle n'est pas «authentique» et qu'en fait la femme n'en tire rien. Leur relation a l'air parfaite, mais en fait elle est douloureuse. Leur entourage ne comprend pas pourquoi elle a l'air si déprimée. «Tu as tout ce que tu veux», lui disent-ils, autant de paroles qui l'enfoncent davantage.

Les enfants cherchent désespérément à lui faire plaisir pour rentrer dans son monde parfait. Ils deviennent passifs et mous parce qu'ils essaient de se comporter comme des adultes parfaits pour plaire à un père distant et «parfait».

Sa femme et ses enfants expriment leurs problèmes de différentes manières. Peut-être mange-t-elle trop ou n'arrive-t-elle pas à s'exprimer avec succès dans sa vie professionnelle, ou peut-être encore se sent-elle inexplicablement triste. Quant à ses enfants, ils ont souvent l'air de «ratés» tellement ils sont loin de sa perfection. Ils peuvent refuser toute nouvelle tentative d'évolution et arrivent à peine à être efficaces dans leur vie sans espoir.

Monsieur Parfait tente de remédier à ces problèmes en Superman qui vole au secours des gens et règle tous les problèmes. *Mais c'est là que rien ne va plus.* Ces «troubles» ne peuvent être «soignés» comme des problèmes externes. Ils sont les résultats de son besoin défensif profond d'être «parfait» qui transforme en victimes tout ceux qui gravitent autour de lui. Finalement, il doit affronter le «gâchis» que sa perfection défensive a produit et pour lequel il n'existe aucun remède instantané à la Superman.

Chacun se sent coupable de laisser tomber monsieur Parfait, mais ils n'y sont pour rien et, tant qu'ils ne l'auront pas percé à jour, ils se sentiront coupables et se mépriseront.

Si cet homme arrive à «s'ouvrir» réellement, ses objectifs camouflés feront surface, peut-être avec la petite amie qu'il a cachée et avec laquelle il s'amuse bien et se montre simplement «lui-même». À ce moment-là, ses proches se rendront compte qu'«ils ne le connaissent pas vraiment». Ils ne connaissaient que l'image de perfection qu'il projetait. Ils le croyaient parfait alors qu'il était manipulateur, dissimulateur et loin d'eux. Il n'y a pas de macho déguisé ni de monsieur Parfait qui échappent à la punition pour avoir refoulé leur processus profond.

L'«écouteur» professionnel

Louis était un psychologue bien connu, estimé et brillant. Il faisait profiter sa famille, du mieux qu'il pouvait, de sa sagesse professionnelle, mais les résultats étaient désastreux. À son grand désarroi, ses trois fils n'avaient jamais réussi à établir des relations durables et ils étaient très névrosés. Sa femme passait ses loisirs à faire du lèche-vitrines et à jouer aux cartes. Elle «le rendait fou» avec ses «problèmes superficiels», ses plaintes et ses inquiétudes perpétuelles à propos de leurs enfants, de l'argent et de l'avenir.

Il avait tout essayé, disait-il, pour que sa femme «prenne confiance en elle et s'estime enfin» afin qu'elle puisse réussir sa vie professionnelle et faire quelque chose de «constructif». Le mode de vie de son épouse l'énervait et le déroutait et il se demandait si c'était bien cette femme-là qu'il avait épousée.

Il analysait la situation pour découvrir où il avait bien pu commettre une erreur. Il était tout simplement victime de l'aveuglement courant du macho à l'égard de son propre processus. Ce processus profond déformait sa compréhension des choses. Il ne voyait pas que le développement de sa relation était basé sur son propre processus et non pas sur sa «sagesse» professionnelle.

Qu'il soit thérapeute, professeur, ministre, physicien ou coiffeur, «l'écouteur professionnel» écoute avec compassion et intelligence l'exposé des souffrances, des frustrations et des colères qui naissent inévitablement chez les femmes impliquées dans une relation polarisée avec un homme traditionnel.

Il est le dernier «symbole du fantasme de fusion», le parfait «fabricant d'intimité» qui ne blessera ni ne décevra les femmes aussi longtemps que sa participation restera limitée et contrôlée et qu'il demeurera un symbole, non une personne réelle.

L'«écouteur professionnel» donne aux femmes exactement ce qu'elles désirent: l'illusion d'une relation parfaite, «intime», chaleureuse et dotée d'une compréhension et d'une acceptation totales. Tout est *parfait* tant que la relation évolue dans des limites bien définies, qu'il peut contrôler. Hors de ces limites, l'«écouteur professionnel» devient comme les autres hommes, sinon pire.

Ses pratiques sont réservées à ses patients, à ses employés, à ses fidèles ou à toutes les autres personnes avec lesquelles il peut maintenir une distance définie et qui entretiennent les plus grands fantasmes de son ego en le plaçant sur un piédestal. Pour eux, il est le merveilleux «homme sage», le père compatissant.

C'est néanmoins un macho déguisé; sa femme et ses enfants frustrés et en colère sont là pour en témoigner. Il «connaît tout» et a réponse à tout. Il est trop occupé pour s'impliquer et, chez lui, il est distant. Il semble ouvert mais il ne l'est pas. On le croit à l'écoute des gens mais, en fait, il est occupé à préparer sa réponse ou bien simplement il pense à tout autre chose. Il parle de sollicitude, d'émotion, de tolérance et de générosité, mais ce ne sont là que des abstractions qu'il ne peut vivre qu'en se maintenant à distance raisonnable. En réalité, tout le monde l'ennuie très vite, sauf lui-même.

Sa femme lui répète constamment: «Pour les autres, tu as toujours assez de temps et de patience, mais pour ta famille... S'ils pouvaient voir comment tu te conduis avec nous, ils ne reviendraient plus te consulter.»

Lui non plus ne voit pas clair dans son processus. Il est trop occupé à essayer de comprendre et ainsi, comme tous les machos déguisés, il regarde, impuissant, sa vie personnelle qui s'effiloche et devient l'opposé de celle que ses clients, ses patients, ses étudiants, ses fidèles imaginent. Dans sa vie privée, les choses sont aussi douloureuses et «troublées» qu'elles sont positives et rationnelles dans son cabinet, là où il devient l'«écouteur professionnel».

Le chevalier blanc du Nouvel Âge

Les femmes sont une idée abstraite, une espèce que le chevalier blanc du Nouvel Âge va sauver. Elles l'apprécient mais à une distance respectable et plus en tant que symbole qu'en tant que réalité — un peu comme les hommes apprécient une belle femme. C'est une variante encore plus déconnectée du macho traditionnel qui sauve les femmes une à la fois. Le chevalier du Nouvel Âge est un macho, «un type bien», un prince charmant moderne qui a pour mission de sauver la gent féminine au complet.

On découvre ses mécanismes quand il essaie de «se rapprocher» d'établir une relation avec une femme. Plus il se rapproche et plus son incapacité d'avoir une relation se révèle. Il n'est efficace que lorsqu'il sauve à distance.

Cet homme est une variante du pasteur qui veut sauver le monde, laissant derrière lui une femme dépressive, des enfants délinquants et drogués qu'il ne peut pas «sauver». Son «besoin de sauver» ne sert qu'à lui-même: c'est une façon défensive de projeter une image pour «prouver» sa grandeur d'âme et nier sa colère et son hostilité macho à l'égard des femmes, hostilité à laquelle ses congénères ont toujours donné le change en étant très protecteurs.

Le chevalier blanc du Nouvel Âge est dépendant des femmes et prospère grâce à leur approbation. C'est le solitaire proverbial, le travailleur acharné, l'homme d'action et le concurrent compulsif. Sa structure macho et son isolement le rendent très dépendant de «l'amour» des femmes.

Quand il est en mission, il a toujours l'air de choisir une femme «en détresse» à qui il veut apprendre comment se battre et réussir dans le monde extérieur. Il se trompe lui-même car il va découvrir qu'elle désire qu'il garde toujours le rôle du sauveur. Tant qu'il sera là, elle ne deviendra jamais autonome parce que les besoins mutuels imbriqués les uns dans les autres qui forment les bases d'une relation saine feront défaut. Elle semble donc «essayer» de retenir ce qu'il «essaie» de lui apprendre, mais il renonce invariablement et fait tout à sa place.

Le chevalier blanc du Nouvel Âge est le «brave gars» que l'on manipule facilement à cause de sa grande culpabilité «macho» dont il ignore l'existence. Son autodéfense se manifeste par son incapacité de ressentir des sentiments négatifs envers les femmes. Les femmes «l'aiment» parce qu'il partage leur perception d'elles-mêmes en tant

que victimes d'un autre macho qui, bien sûr, n'est pas aussi exceptionnel que lui, le chevalier blanc.

Son noyau macho se révèle par le fait qu'il choisit des jolies
femmes séduisantes, des femmes très féminines qui l'adorent dans
l'intimité et qui sont tranquilles et effacées lorsqu'ils sont en public.
Pour lui, une femme «sexy» a une belle poitrine et un joli visage.

Quand il rencontre une femme forte qui n'a aucun besoin d'être
«sauvée», elle n'a pour lui aucun attrait. Il n'est attiré que par une
femme en détresse et, quand il la trouve, il va «essayer» de la rendre
forte et indépendante en sachant bien qu'il signe un contrat à long
terme destiné à satisfaire ses profonds besoins «machos», ni elle ni lui
ne désirant réellement changer la structure de la relation. Il veut bali-
ser sa tendance macho mais, malgré l'image que la vie professionnelle
de cette femme peut lui donner, elle demande à être prise en charge et
mise sur un piédestal.

C'est pourquoi, une fois la relation établie, cependant, et malgré
tous les efforts qu'il fait, la dépendance de cette femme envers lui
augmente. Elle lui donne progressivement l'image du père. Elle
essaie de l'éloigner de tout le monde (même des enfants d'un premier mariage dont elle est jalouse); elle peut ainsi le garder pour
elle seule afin qu'il règle ses problèmes et qu'il prenne les décisions
à sa place.

Tant que son objectif ne sera pas atteint, elle va jouer jusqu'au
bout la détresse émotionnelle et physique pour le piéger dans son rôle
de sauveur. Lui, pour sa part, désire inconsciemment qu'elle reste
faible; il évite ainsi le risque de devenir vulnérable et de perdre la
domination qu'il exerce sur elle. Il est peut-être un «homme du Nouvel Âge», mais il est attaché à l'idée qu'un homme doit être avant tout
«un homme».

Son attitude envers les autres hommes est traditionnellement critique; il juge, lance des défis et se sent supérieur. Il maintient son image
de héros en choisissant des femmes qui ont l'air «libérées» et
«ouvertes» comme il semble l'être lui-même mais qui, au fond, ne le
sont pas. Il exprime des idées qui sont réellement libérées et humanistes. Il semble ouvert au dialogue mais, inconsciemment, il cherche
les situations dans lesquelles il peut continuer à se montrer supérieur
aux autres hommes et ainsi conserver son rang de chevalier blanc sauveur.

Le manipulateur libéré

De tous les machos déguisés, le manipulateur libéré est le seul qui semble gagner sur les deux tableaux. En bon manipulateur libéré, non seulement Walter a récolté toutes les «récompenses» traditionnelles que recherche le «macho», mais, en plus, il les a reçues facilement et presque gratuitement. Il «comprend» intuitivement les femmes et leur «jeu de la libération» et, afin de combler ses propres besoins, les manipulent en projetant son image d'homme parfaitement libéré.

Quand Walter courtise une femme, il évite de dépenser de l'argent et de prendre les décisions ou les responsabilités. Il s'attend à faire l'amour avec elle dès la première ou la deuxième rencontre parce qu'il sait que si elle est réellement «libérée» elle ne pourra pas refuser. Il profite régulièrement du besoin qu'ont les femmes de «prouver» qu'elles sont réellement libérées. Il les laisse donc régler les additions, prendre l'initiative des rendez-vous, conduire la voiture; elles ne parlent ni de mariage, ni de fidélité ni de quoi que ce soit de traditionnel.

Avec sa sensibilité «libérée», son comportement «intime», ses regards charmeurs, sa facilité à comprendre les besoins féminins, sa manière sensible de faire l'amour, sa «compassion», sa «patience», sa «gentillesse» et ses aptitudes à parler d'«intimité» et de «partage», tout cela ajouté à ses attitudes libérées et libérales, il est tout simplement irrésistible. De plus, les femmes ne lui demandent rien afin de lui prouver qu'elles ne sont pas «comme les autres», qu'elles n'ont pas besoin qu'il s'occupe d'elles. Au besoin, *il exerce une pression plus forte sur elles* en leur expliquant, par exemple, que la majorité des femmes montrent leurs véritables besoins lorsqu'elles sont «trop bien» dans la relation. Elles restent alors sur leurs gardes afin de lui prouver qu'elles n'ont aucun «besoin», qu'elles ne sont ni «dépendantes», ni «faibles», ni «étouffantes».

Par la même occasion, il leur prouve qu'il n'est pas macho en leur «donnant» le contrôle de la relation et en les «laissant» prendre les décisions. Cette «générosité» renforce l'image qu'il veut donner, celle d'un homme «sensible» et recherchant l'«intimité», et le dispense de prendre des responsabilités. Il ne se disperse pas; mieux, il renforce son contrôle sur sa sensibilité, son intimité et sa bienveillance.

Le manipulateur libéré reçoit les récompenses sans être accusé de les rechercher comme les autres machos le font habituellement. Il évite les engagements et «profite» de la compagnie de femmes dévouées. Derrière ses apparences «libérées», c'est un homme égoïste qui prend tout et ne donne rien en échange, mais tout cela ne se voit pas. Ainsi, il peut rester détaché et traiter la femme comme un objet — il peut même, si elle se plaint de son attitude, aller jusqu'à lui reprocher d'essayer de le culpabiliser. «Si c'est ça que tu penses, nous ferions peut-être mieux de ne plus nous voir», dit-il. Mais qui voudrait le quitter? Il est tellement «exceptionnel».

Sa «libération», comme celle de tous les autres machos, sert à combler ses besoins machos. Elle affirme sa séduction et son pouvoir et lui permet de rester détaché de la relation et de la contrôler.

Il y a néanmoins anguille sous roche, même pour lui. Il finit pas s'ennuyer dans cette relation où il contrôle tout, n'y trouvant plus ni défi ni stimulation. Il papillonne donc d'une femme à l'autre jusqu'à ce qu'il rencontre celle qui le défie et qu'il ne peut ni contrôler ni manipuler. C'est alors qu'il «tombe amoureux» et découvre l'«inverse». Il perd tellement ses moyens qu'il n'a plus aucun pouvoir. Il incarne alors la réalité psychologique du macho: bien qu'il ait un besoin énorme de pouvoir et de domination, il n'est «excité» que lorsqu'il doit relever un défi et qu'il a perdu son pouvoir.

Le révolté libéré

Le rôle de ce macho déguisé est comparable à celui de la femme traditionnelle. Il a l'impression d'être exploité et injustement accusé par les femmes, ce qui le met dans une colère qu'il clame haut et fort. Il utilise sa logique pour démontrer aux femmes «comment les choses se passent vraiment» et pour leur prouver qu'elles ont tort, mais, d'une façon ou d'une autre, elles ne peuvent pas se rapprocher de lui.

C'est un macho déguisé car il ne s'attache qu'aux problèmes externes. Comme les féministes, il blâme et rêve de changer cette société sexiste dans laquelle il se perçoit — lui-même et les autres hommes — comme une victime.

Il veut aider les autres hommes en se concentrant sur les problèmes extérieurs et en se basant sur le fait que la société «abuse» d'eux; il se trompe et renforce ainsi inconsciemment les problèmes qu'il voudrait résoudre. Il développe une logique toute personnelle pour répondre à toutes choses à la manière des féministes.

Il a des œillères et, régulièrement, cela lui crée des ennuis. Il ne s'attache qu'aux détails, aux apparences. Si une femme paie son repas au restaurant et couche avec lui dès la première rencontre, il en conclut qu'elle est libérée et que, par conséquent, ils peuvent établir une relation. D'autre part, comme il ne lui demande rien, il estime que son approche des femmes est libérée. C'est pourquoi, avec elles, il confond souvent manipulations ou conciliations avec «libération». Il ne se rend pas compte qu'il montre clairement où il veut en venir et que cela n'attire vers lui que des manipulatrices accommodantes, ce genre de femmes qui, sans aucun doute, le critiqueront et raffermiront ses pires prophéties à leur sujet.

Ainsi donc, dans une relation, la femme le manipule facilement parce qu'inconsciemment il est le proverbial «petit garçon blessé» qui cherche une «maman» pour le «comprendre», l'aimer et calmer sa colère. Ses opinions et ses idées sont tellement militantes, agressives et évidentes qu'il attire les manipulatrices accommodantes qui acceptent d'être comme il les veut tout simplement parce qu'il ne les veut pas autrement. Mais, comme tout bon macho déguisé, il ne comprend pas ce processus et tombe sous le charme de la «personnalité idéale» qu'elle lui propose, ce qui perpétue l'illusion. «Elle doit être libérée puisque nous sommes d'accord, ou du moins elle ne me contredit pas», raisonne-t-il.

Cependant, la tension s'accumule rapidement à l'intérieur de la relation parce que la méfiance défensive qui est à la base de sa colère l'oblige à maintenir sa compagne à distance raisonnable, ce qui la frustre et l'irrite. «Ne pourrais-tu pas mettre fin à tes discours sur la libération ainsi qu'à tes attitudes défensives et cyniques? Je ne suis pas comme toutes ces autres femmes. Je ne suis pas ici pour te coincer, alors arrête de te tenir tout le temps sur le qui-vive!» proteste-t-elle. Mais elle est devenue «comme les autres femmes» et ses interprétations erronées font partie du processus de polarisation qui amène le révolté libéré à répéter le même gâchis.

La relation échoue parce qu'il en interprète les difficultés d'une manière idéologique en se basant sur la partie visible de l'iceberg et en négligeant la partie immergée; il n'arrive pas à sortir de cette impasse. Il parle d'égalité mais il a besoin de rester à distance, de dominer et d'avoir «raison»; ces contradictions entre sa conduite et ses besoins génèrent de la colère, des frustrations et de l'incompréhension de part et d'autre.

Si la femme ne le quitte pas, la relation devient une «impasse» caractérisée essentiellement par la colère, les disputes «idéologiques» et l'absence totale d'«amour» ou de passion sexuelle.

L'humaniste totalitaire

Pour assister au goûter d'anniversaire organisé pour les sept ans de son fils, Benjamin, conseiller d'orientation scolaire à l'esprit humanitaire avait choisi une tenue jeune et décontractée: un pantalon en velours côtelé et des chaussures de tennis. Au milieu des invités de son fils, il donnait une représentation caricaturale de ses principes sur l'honnêteté, l'égalité et le non-sexisme. Benjamin et sa femme, Judith, assistante sociale, pratiquaient l'«amour» et la «bienveillance», comme le montraient les nombreuses citations et slogans décorant les murs de leur maison.

Le programme des réjouissances a commencé par un jeu de colin-maillard. Pour être sûr que tout soit parfaitement équitable, on a vérifié que le bandeau était parfaitement ajusté sur les yeux des enfants. On les faisait ensuite tourner sur eux-mêmes afin de les désorienter. Sans tenir compte de leur taille ni de leur âge, on ne les aidait pas à trouver l'objet caché même s'ils pouvaient difficilement l'atteindre. Les autres enfants étaient alignés et attendaient «sagement» leur tour. Ils n'avaient pas vraiment envie de jouer, mais Benjamin et Judith ne le remarquaient pas.

Ensuite chaque enfant, sans distinction de taille, a reçu trois fléchettes. Celui qui arrivait à atteindre la cible recevait des bonbons en récompense. Leur fils a raté ses trois tirs et fondu en larmes. Il voulait une chance supplémentaire parce que c'était son anniversaire. Comme l'enfant hurlait et se roulait par terre devant ses petits camarades, sa mère lui a fait la morale: «Allons, Serge, ne perds pas le contrôle de tes émotions. Tu *sais* ce qui t'arrive chaque fois que tu fais ça.»

L'enfant s'est enfui vers sa chambre en criant. Le père, lui-même au bord de la crise de nerfs, lui a dit froidement: «Tu n'as pas assez dormi la nuit dernière. Tu dois être fatigué.» En aparté, Papa a dit à Maman: «Je ne puis tolérer ce comportement d'enfant gâté; nous ne pouvions lui accorder le tour supplémentaire qu'il réclamait.» Mais, pour finir, avec rancœur et à court d'arguments, ils ont laissé Serge tirer une fois encore sur la cible. L'atmosphère de la petite fête s'était complètement détériorée et pendant tout le temps qu'avait duré cette altercation, les autres enfants étaient restés alignés derrière la porte, attendant leur tour de viser la cible. Ils étaient sages, amorphes, mais restaient «bien élevés».

Des tours de prestidigitation étaient ensuite au programme. Les enfants s'ennuyaient, ils auraient voulu jouer entre eux mais Papa a dit: «Désolé, nous avons mis ce jeu au programme.»

Les procédés de Papa étaient militaires alors que ses propos étaient «éclairés». Judith, de plus en plus irritée par cette atmosphère, s'est tournée vers son mari courroucé pour qu'il prenne une décision. «Qu'allons-nous faire?» a-t-elle demandé à plusieurs reprises, ce qui n'a fait qu'augmenter la mauvaise humeur de Benjamin, déjà très énervé.

Cet humaniste totalitaire est peut-être la caricature de l'homme traditionnel la plus évidente encore que la plus inconciente et la plus hermétique. C'est un homme «libéré» qui déborde de philosophie politique, économique et sociale, mais son schéma traditionnel macho se révèle par les traits de caractère suivants:

1. Il croit réellement connaître *toutes* les réponses.
2. Il rejette systématiquement toutes les personnes non éclairées qui ne partagent pas ses opinions.
3. Quand une personne n'est pas d'accord avec ses idées, elle soulève instantanément la colère du juste.
4. Il sait tout et, quel que soit le problème, aucune discussion ne peut changer son opinion; la plupart du temps il ne permet même pas qu'une telle discussion se poursuive.
5. Son fantasme secret, c'est d'éliminer tous ceux dont les vues sont opposées aux siennes: les «non-humanitaires».

Il sauve le monde: il délivre les femmes, les minorités et les pauvres selon le processus macho. Il juge les gens sur les opinions qu'ils expriment et ne se lie qu'avec ceux qui partagent sa vision des choses. Ses «sujets brûlants» sont nombreux.

La femme qui vit avec lui partage invariablement ses opinions et, dans le cas contraire, il lui «enseignera» la «vérité» et éveillera sa conscience. Ce qu'il considère comme de l'ouverture d'esprit chez sa femme n'est, en fait, la plupart du temps, qu'une façon pour elle de s'accommoder à son entourage, à l'instar de la femme traditionnelle.

Avec une femme qui a les mêmes convictions ou le même caractère que lui, l'humaniste totalitaire semble perdre toute passion sexuelle ou romantique parce qu'il perd la domination, le contrôle et le rôle du héros dont il a besoin pour que s'épanouisse sa sexualité. Il va donc choisir une femme accommodante et passive. Si elle estime qu'il ne s'engage pas suffisamment ou si le fait d'être dominée avec fermeté et sévérité engendre chez elle une colère trop forte, elle abandonne toutes les idéologies et les philosophies qu'il a mis tant de temps a lui «enseigner».

L'humaniste totalitaire brouille les pistes par les contradictions qui existent entre ses idées idéalistes, humaines et altruistes et son processus arrogant, fermé, intellectualisé, rigide et critique. Par conséquent, il s'entoure, comme les machos classiques qu'il dénigre, d'une petite cour de gens qui sont d'accord avec lui et de femmes soumises qui semblent «l'adorer» pour son «intelligence supérieure» et ses convictions.

Comme tous les machos, il n'établit aucun contact intime authentique. Sa communication avec autrui, ses jugements et ses interprétations sont abstraites et superficielles, à l'instar des opinions et des revendications de certaines personnes qui ne s'attachent qu'à l'aspect extérieur des choses. Par exemple, s'il rencontre un poivrot dans la rue, il déclarera que cet homme est une victime de la situation économique du pays. Mais il suffira d'un seul mot mal à propos pour que la personne en question se retrouve aussitôt cataloguée parmi les «imbéciles». Le fait de traiter les femmes avec condescendance en les voyant comme des victimes opprimées ne lui apparaît pas comme une manifestation de sexisme. Sa vie personnelle est donc une accumulation d'incompréhension, de replis sur soi, de récriminations et d'accusations explosives. Dans chacune de ses relations, il tourne en ridicule les échanges traditionnels homme-femme parce que lui se rapproche de sa compagne «logiquement», d'une manière distancée et dominatrice, alors qu'elle est affamée de certitudes et d'«amour».

Étant donné qu'il n'est pas conscient de l'effet qu'il produit, il crée entre eux une atmosphère fragile, mécanique, inhibée, comparable à celle qui règne à l'église dans une réunion de fidèles «beaux» et «idéaux», où personne n'est en désaccord avec la doctrine prônée.

L'ego macho écrasant de cet humaniste totalitaire se révèle de la manière suivante:
1. Il ne reconnaît jamais la légitimité d'une opinion différente de la sienne; on ne l'entend jamais dire: «Je comprends ce que vous voulez dire.»
2. Son interprétation et sa perception des choses et des gens est sans nuance: c'est bon ou mauvais, blanc ou noir.
3. Ses sentiments ne sont pas des émotions, ce sont des idées; quand il dit: «Je sens...», il veut dire: «Je pense...»
4. Il ne persévérera jamais dans une relation avec une femme qui a des opinions différentes des siennes et qui tient à les garder.

5. Il nie farouchement être «macho»; il explique ce mot d'une façon mécanique: pour lui, être «macho» c'est se limiter à un certain nombre d'attitudes ou d'opinions. Il est réfractaire à toutes remarques le concernant.

6. Il a l'air d'écouter ce qu'on lui dit, mais rien de ce qu'il entend ne pourrait changer son opinion. Inconsciemment, son ego «macho» s'est élargi au maximum.

7. Il se croit humble mais il donne une impression de supériorité arrogante, de fatuité et d'absence de gaieté.

8. Il connaît toutes les réponses.

9. Ce qu'il pense mais ne dit pas à ceux qui ne sont pas d'accord avec lui: «Vous n'êtes pas digne de vivre.»

10. Il est exaspéré par celui qui n'est pas d'accord avec lui ou il s'en détourne.

11. Ses relations sont basées sur une idéologie partagée; c'est pourquoi elles sont fragiles, maladroites, intellectualisées et incontrôlées.

12. Il ne supporte ni la «faiblesse» ni l'«imperfection», ni chez lui ni chez les autres et pour lui les «besoins» sont des faiblesses. Il peut même favoriser les comportements autodestructeurs de sa femme en la poussant à réagir suivant ses principes à lui. Il lui dira, par exemple, si elle est en désaccord avec son patron: «Je ne pense pas que tu aurais dû laisser ton patron te parler ou agir de la sorte», sans être vraiment au courant de la situation.

Il est exaspéré lorsque sa partenaire n'est pas assez «logique». Il ne voit pas que les critères de sa propre logique sont la distance, la domination et la supériorité. Il ne comprendra jamais que c'est son processus qui conditionne *sa* logique et la rend imparfaite.

C'est pourquoi il est «surpris» quand ses relations se détériorent à la suite d'une série d'incidents de plus en plus «irrationnels», qui lui échappent.

Et surtout, il nie son attitude «macho» alors qu'il en incarne une forme extrême. C'est un macho égocentrique classique bercé d'assez d'illusions pour croire que Dieu et la Vérité sont de son côté.

Les hommes comme les femmes trouvent beaucoup plus de volonté de dialogue, d'ouverture d'esprit, de compassion et d'attention chez le macho traditionnel sans prétention que chez le macho déguisé hautement polarisant et nuisible qu'est l'humaniste totalitaire.

Le «détaché» égalitariste

L'égalitarisme au sein d'une relation est une idée abstraite et ne peut être maintenu que par une attitude détachée — et c'est ce processus détaché qui sape le contenu «idéal» d'une relation égalitariste.

Stéphane est un «détaché» égalitariste. Sa femme et lui mènent une carrière professionnelle accaparante et il se garde bien de lui demander des choses qui risqueraient de la gêner. Quand ils sont ensemble, il aurait tendance à être passif et à ne pas prendre de décisions. Il n'élève jamais la voix et n'essaie jamais ouvertement de la dominer.

Inconsciemment, Stéphane a choisi une femme qui est trop insécurisée pour oser lui demander quoi que ce soit. Pour lui, l'«égalitarisme» est un moyen inconscient de ne pas s'impliquer. C'est un macho déguisé parce qu'il manipule la relation tout en étant distant et détaché. En fait, l'égalité des sexes, c'est la loi du moindre effort et le moyen le plus simple d'être dispensé de toute participation à la relation sans éprouver de culpabilité.

Alors que son comportement est égalitariste, son processus dit: «Laisse-moi seul.» Il imagine que s'il ne demande rien à sa femme, il ne lui devra rien; elle n'arrivera donc pas à le culpabiliser et il restera libre de ses sentiments et de ses choix. Lui demander quoi que ce soit (par exemple: «Va faire cette course pour moi, s'il te plaît.») constituerait un engagement trop important; par conséquent, il ne le fait pas. *Son comportement extérieur semble «libéré», mais il est, en fait, très macho.*

Les «détachés» égalitaristes libérés vivent des relations intellectualisées, des relations dans lesquelles ils gardent toujours leurs distances, qu'ils contrôlent rigoureusement et où la passion sexuelle et l'engagement émotionnel sont absents. Les deux partenaires sont très attentifs au respect de leur indépendance mutuelle. Ils se détournent de cette relation sans joie ni spontanéité pour se consacrer à leur carrière professionnelle. Ils dépensent beaucoup d'argent dans des distractions, telles que dîners en ville, voyages, théâtre, etc., qu'ils plainifient d'une façon compulsive pour dissimuler leur manque d'enthousiasme et d'engagement.

C'est pour ces raisons défensives que le «détaché» égalitariste vit sa relation d'une façon non sexiste. Une si «parfaite» égalité serait impossible dans une relation non défensive où les émotions et les besoins de chacun interdiraient un contrôle distancié.

Le «détaché» égalitariste révèle sa vraie nature quand il va chercher, en dehors de sa relation, l'engagement émotionnel, l'énergie et l'excitation sexuelle dont il a grand besoin. Il choisit invariablement des femmes traditionnelles qui «l'adorent», qui sont «sexy», «féminines» et «dépendantes», et qui comblent ses besoins refoulés.

Alors qu'il croit être libéré des relations traditionnelles, son approche n'est qu'un moyen détourné, socialement approuvé, de vivre une relation tout en restant totalement libre. Il en résulte de la tension, des frustrations et de la colère car son tempérament macho réclame l'«adoration», la «passion sexuelle» et «la soumission» que seule une femme traditionnellement «féminine» peut lui apporter. Mais il désire tout cela *sans s'engager;* c'est pourquoi il va chercher ce dont il a besoin en dehors de sa relation officielle.

L'homme qui se hait

Le processus macho engendre la culpabilité et la haine de soi, car le conditionnement masculin exige de l'homme qu'il soit performant et qu'il prenne des initiatives et des responsabilités. Par conséquent, quand il ne remplit pas son contrat, il succombe inévitablement à ces sentiments. Les hommes traditionnels connaissent tous cette expérience.

L'homme libéré qui se hait, un macho déguisé, trahit inconsciemment son mépris de lui-même en choisissant une femme agressive et critique qui se sert de la bannière du féminisme pour le fustiger continuellement.

Au départ, il la choisit pour ses idéaux et la force qu'elle semble posséder. Il devient bientôt son bouc émissaire et expie ainsi sa culpabilité profondément enracinée.

Il essaie de la satisfaire, de l'aider, d'être proche d'elle et sensuel, de lui donner tout ce qu'elle peut désirer et tout ce dont elle accuse les autres hommes d'être incapables de lui apporter. Néanmoins, lui non plus n'arrivera pas à ses fins et il sera critiqué et attaqué plus que tout autre.

Avec le temps, il deviendra de plus en plus passif, résigné et «compréhensif». Il se convaincra que sa compagne est en colère et agressive et cachera ses souffrances et ses blessures. Il «soignera» ses plaies et lui démontrera que l'on peut faire confiance aux hommes et les aimer: il y a des exceptions et il en fait partie. Au lieu de cet heureux dénouement, il ne fera qu'attiser la colère de sa partenaire.

Étant donné qu'il est un macho déguisé, ses relations avec sa compagne sont mécaniques et primaires. Il ne voit pas plus loin que les apparences et ne comprend pas que sa partenaire sait que, sous ses airs «gentils», il est comme les autres hommes et que c'est cela qui attise sa colère. Il commet une erreur en niant cela, en pensant être différent des autres et en croyant pouvoir lui faire oublier les «blessures du passé»; il tombe dans le piège habituel de la «toute-puissance macho».

Conclusion

Personne ne correspond exactement à l'une ou l'autre de ces descriptions. Par contre, beaucoup de gens «libérés» réunissent plusieurs de ces caractéristiques. Tous les cas décrits sont destinés à illustrer et à exprimer ma perception et ma conviction selon laquelle l'image de perfection projetée par de nombreuses personnes soi-disant libérées est en fait une réaction psychologique de défense. Cette image irréaliste trompera certainement les autres autant que l'individu qui la projette. Les convictions fausses et leur poursuite tendent à convaincre que les idées peuvent être substituées au processus et l'apparence à la substance afin de créer une nouvelle réalité psychologique. On ne peut en aucun cas transformer la structure profonde de l'individu en en modifiant les apparences, même si nous sommes et avons toujours été séduits par cette idée. Pour de nombreuses personnes qui, à des niveaux de conscience différents, se croient libérés, cette vérité a un effet nuisible; elles se sentent encore plus piégées qu'avant par les illusions qu'elles se sont créées.

11

La souffrance et la rupture de la communication chez les personnes pseudo-libérées

Sylvie et Martin menaient tous deux une belle carrière d'avocat. Ils connaissaient le monde des affaires, géraient leurs biens avec compétence et éduquaient très bien leur fils de sept ans.

Ils faisaient du jogging et du ski ensemble et étaient affiliés à un club de tennis où ils participaient à des tournois en double mixte. Quand ils recevaient des amis à la maison, ils projetaient l'image d'un couple parfaitement libéré. Chacun d'entre eux préparait sa recette favorite; ils servaient les invités, lavaient la vaisselle, bref, se partageaient les tâches avec équité, sans faire de distinction entre ce qui était prétendument le travail de la femme ou celui de l'homme.

Par contre, quand ils étaient seuls, le processus inconscient de leur relation et leurs échanges étaient encore plus traditionnels que ceux de leurs parents. Ceux-ci, d'après eux, faisaient partie de la vieille garde; Sylvie et Martin estimaient que leurs rapports étaients «sexistes» et destructifs. Martin ne s'absentait jamais sans prévenir Sylvie, lui précisant l'heure de son retour et ce qu'il comptait faire. Quand ils étaient ensemble à la maison et que Martin s'adonnait à l'un de ses nombreux hobbies, il se sentait coupable de négliger Sylvie et craignait qu'elle ne soit blessée ou fâchée «d'être ignorée». Il l'appelait souvent pour s'assurer que tout allait bien. Sylvie lui avait déjà dit que ce n'était pas nécessaire, qu'elle n'avait aucun problème.

Martin rejetait les attitudes conventionnelles de son père qui allait régulièrement à la pêche et chasser seul ou avec ses copains sans se sentir nullement «coupable» de laisser seuls à la maison sa femme et ses enfants. Martin n'allait jamais nulle part sans Sylvie, ni le soir ni le week-end et, bien sûr, il ne pouvait pas imaginer des vacances sans elle. Vers la fin de leur première année de mariage, Martin ne voyait plus du tout ses amis et avait abandonné ses activités favorites telles que le football et la balle molle parce qu'il ne pouvait pas les partager avec Sylvie. «Elle est ma meilleure amie, disait-il, je veux qu'elle soit toujours auprès de moi.»

Sylvie, qui avait rejeté les valeurs morales démodées de sa mère, était pourtant encore plus traditionnelle qu'elle. Elle savait toujours où se trouvait Martin et se souvenait de tout ce qu'il lui disait. Quand cela était possible, elle l'accompagnait lorsqu'il allait rendre visite à ses clients. Elle l'attendait dans la voiture. Elle n'avait ni amies ni intérêts personnels; la compagnie de Martin lui suffisait. En vérité, depuis qu'elle était mariée, elle avait largement érodé son identité personnelle.

Leurs conflits refoulés se révélèrent clairement dans la chambre à coucher. Sylvie s'était plainte un jour que les rapports sexuels lui faisaient mal et Martin avait arrêté de la poursuivre de ses assiduités. Comme Sylvie ne manifestait que très peu de besoins sexuels, il se masturbait régulièrement. En réalité, elle souhaitait secrètement «être possédée» et elle en voulait à son mari pour sa passivité et ses inhibitions, mais elle n'avait jamais abordé ce sujet parce qu'elle ne voulait pas créer de problèmes entre eux.

L'un et l'autre rationalisaient, dans un «style libéré», sur le fait qu'ils ne voulaient pas faire pression sur l'autre et prétendaient que «le sexe n'est pas tellement important». Cette attitude générait de grandes frustrations et du ressentiment. Ils se croyaient bien plus libérés que leurs parents qui étaient très «collet monté», mais ils avaient une vie sexuelle beaucoup moins active que la leur. Sylvie dissipait sa tension intérieure en courant les magasins, en gardant la maison immaculée ou en se livrant à des «excès» de chocolat qu'elle se reprochait aussitôt. Martin, lui, soulageait sa propre tension grâce à un travail acharné et à un intérêt soutenu pour les finances.

Quelquefois, la colère explosait à propos de petits riens; l'irritation et le ressentiment profond que faisait naître chez Sylvie le comportement de «brave garçon» de Martin voulaient s'exprimer. «Nous vivons comme un vieux couple», disait-elle. De son côté, Martin lui rétorquait qu'elle était une «garce dominatrice». Mais, très rapidement, ils s'excusaient, se confirmaient leur «amour» et retrouvaient leurs vieux schémas.

Dans leur relation, les responsabilités et les rôles traditionnellement inhérents à leurs sexes respectifs étaient distribués équitablement. Néanmoins, leur processus quotidien, plus traditionnel encore que celui de leurs parents, les faisait souffrir, créait un vide et générait une rancœur qu'ils étaient contraints de nier et de cacher. L'un comme l'autre pensaient secrètement mettre fin à cette relation; ils étaient étonnés et frustrés qu'une union qui semblait si «parfaite» ne leur apportât rien de bon.

Au cours d'un réveillon de nouvel an, Sylvie, légèrement éméchée, est arrivée en titubant dans sa merveilleuse salle de bain et a surpris Martin en train de se masturber en conversant avec «le téléphone rose». Martin était humilié mais Sylvie a réagi positivement et avec compassion. «Mon Dieu! je sais exactement ce que tu ressens», a-t-elle dit. Cet incident a provoqué un revirement spectaculaire et positif dans leur relation: ils ont appris à connaître et à respecter leurs véritables sentiments.

Considérons maintenant le cas de Léonard, trente-sept ans, maître d'hôtel dans un restaurant huppé, qui a rompu avec sa femme après quatorze ans de mariage. «Elle n'aimait pas mes façons de travailler, de jouer, de l'aimer, de lui faire l'amour. D'ailleurs, je ne crois pas qu'elle ait jamais aimé quoi que ce soit en moi. Puis un jour, le vase a débordé: elle m'a dit que son analyste estimait que je la conduisais à la dépression nerveuse. Je suis parti ce week-end en faisant le serment de ne plus jamais m'attacher à une femme accusatrice et esclave de ses émotions.»

Après la rupture, Léonard a eu de nombreuses aventures avec des femmes «indépendantes, sexy et fortes», jusqu'au jour où il a rencontré Diane, directrice d'une agence de développement urbain. Il se disait: «C'est la femme la plus mature que j'aie jamais rencontrée.» Le coup de foudre avait été immédiat et réciproque parce que Diane, elle aussi, en avait assez des «petits garçons» passifs et des «braves gars» libérés qui, disait-elle, «n'avaient pas envie d'égalité dans la relation et voulaient tout simplement que je m'occupe d'eux». Avec Léonard, elle avait trouvé tout ce dont elle rêvait: un homme qui réussissait dans sa vie professionnelle, généreux, ouvert, individualiste, sensuel et enjoué et qui «ne voulait pas la dominer ni qu'elle s'occupe de lui».

Les premières semaines de leur relation furent idylliques, jusqu'à ce qu'ils partent en vacances. Un soir Diane, qui avait oublié son portefeuille dans leur chambre d'hôtel, a demandé à Léonard de lui prêter un peu d'argent pour jouer avec les machines à sous. Elle a gagné cent dollars et quand Léonard, «par principe», lui a réclamé les vingt dollars prêtés, elle a réagi comme une «petite fille blessée» et s'est fâchée. Elle lui a dit avec rancœur: «Tu gardes l'argent, les tickets d'avion, les cartes de crédit. Tu contrôles tout.»

C'était précisément ce qu'il ne fallait pas dire et Léonard, furieux, a répondu: «Tiens, voilà ton foutu billet d'avion et une carte de crédit. Je ne veux pas de cette responsabilité.» Ils ne se sont plus adressés la parole de la soirée. Le lendemain matin, Léonard a demandé à Diane de lui expliquer les raisons de sa colère. «Tu ne comprendrais pas, a-t-elle répondu. Si tu ne vois pas à quel point tu es dominateur, si tu ne te rends pas compte que tu en veux aux femmes et que tu ne leur fais pas confiance, je ne peux rien pour toi.» Quand Léonard a demandé des «preuves» de ce qu'elle avançait, Diane s'est fermée et a refusé de répondre. «Cela n'a aucun sens», lui a-t-il répété plusieurs fois. Il insistait pour qu'elle lui donne des «exemples» et l'accusait d'essayer de le culpabiliser. Diane s'est mise à pleurer et Léonard a essayé de la calmer en disant: «C'est bon, laissons tomber et amusons-nous le reste de nos vacances.» Puis il s'est endormi près du Jaccuzi et Diane s'est sentie rejetée. Plus tard, elle lui a reproché de se replier sur lui-même et de l'ignorer. À partir de ce moment, Léonard n'a plus trop su quoi faire; il n'arrivait pas à comprendre pourquoi leurs échanges s'étaient détériorés si rapidement.

Ce soir-là, il a décidé de lui parler de son insatisfaction sexuelle. «Tu aimes la fellation mais tu me dis ne pas pouvoir la pratiquer avec moi à cause d'expériences passées avec des hommes qui t'ont maltraitée, qui ont profité de toi. Tu dis que ce geste intime est resté pour toi l'image de la soumission à l'homme. Je ne marche plus. Tu n'essaies même pas de dépasser cela et je ne veux pas être puni pour ce que d'autres t'ont fait. Si je comprends bien, tu me contrôles par le sexe parce que tu sais à quel point j'ai envie de fellation. Tu fais exactement comme mon ex-femme.»

Puis ils ont parlé de la possibilité de vivre ensemble. Léonard disait qu'ils devraient trouver un appartement dont le loyer concordait avec les rentrées d'argent de Diane; ils pourraient ainsi en partager équitablement les frais. «Si nous trouvons un appartement dont je peux assumer les frais, a-t-il dit, je finirai par en payer la majorité.» Diane, exaspérée, a répondu: «Dans mon travail, je veux être indépendante, mais dans ma vie personnelle je veux vivre avec un homme qui n'a pas peur de prendre soin de moi.» Léonard s'est complètement replié sur lui-même. «Je ne sais pas où elle veut en venir, pensait-il. Je ne lui fais plus confiance.»

Six semaines seulement après une rencontre euphorique entre deux personnes qui avaient l'air libérées, Diane et Léonard étaient polarisés dans des échanges traditionnels sans vraie communication, se blâmant mutuellement. Diane pensait de Léonard: «Il est égoïste, dominateur et insensible», et Léonard disait de Diane: «C'est une petite fille manipulatrice qui ne cesse de me faire des reproches.» Leurs manières de traiter les conflits étaient sérieusement polarisées: Léonard «attaquait» avec une «logique froide et détachée» et Diane battait en retraite et le «punissait» en le privant d'affection et de relations intimes. Quand elle se refermait sur elle-même, Diane aurait voulu que Léonard la courtise, comme par le passé, mais il refusait. «Tu me mets tout sur le dos. Tu dis que j'ai des problèmes, que je hais les femmes, qu'il faudrait que j'analyse ma relation avec ma mère. Je ne marche pas là-dedans!»

La relation qui semblait pleine de promesses au début, «parfaitement» équitable, a dégénéré au point qu'ils n'arrivaient même plus à se parler au téléphone sans que le ton monte dangereusement et qu'ils raccrochent le combiné avec colère. La relation a pris fin dans une incompréhension totale alors qu'elle avait commencé dans une communion parfaite.

En fait, leur relation s'est brisée parce que Léonard et Diane avaient seulement l'air libérés alors que la structure de leur système d'autodéfense était profondément traditionnelle. Leur «libération» était fondée sur une colère défensive et sur des réactions à des expériences passées. Une autoprotection renforcée se cachait derrière des philosophies d'idéalisme égalitaire. Léonard était un macho traditionnel dans son processus inconscient et Diane était féminine dans le sien. Ils remarquaient cela parfaitement bien chez l'autre, mais ils étaient incapables ou refusaient de le reconnaître ou de l'accepter chez eux. Comme la majorité des couples traditionnels, ils se sont séparés sur des reproches mutuels, chacun étant inconscient de la responsabilité qu'il avait dans leur souffrance et dans la rupture de la communication, et reprochant à l'autre d'être «hypocrite», «charlatan» et d'avoir des «complexes».

La «libération» de Léonard dissimulait son besoin macho de se tenir à distance des femmes, de se méfier de l'intimité, de dominer, d'être autonome et d'user de sa logique et de son idéologie. Dans un conflit, il attaquait impitoyablement en brandissant la bannière de la «raison», comme l'avocat qui veut confondre un témoin. C'est ainsi que Diane, blessée et en colère, se voyait traiter d'«irrationnelle» et de «folle».

La féminité de Diane était mise en évidence par ses reproches et ses replis sur elle-même, par ses manipulations passives et ses tentatives de culpabiliser Léonard en pleurant et en l'accusant de l'intimider. Elle affirmait même qu'il y avait en lui une violence potentielle. «Tu m'effraies avec tes colères. Elles sont tellement violentes que tu vas finir par perdre le contrôle de tes actes.» Après chaque dispute, elle lui refusait son affection, le dialogue et les relations intimes et alors elle «ressemblait exactement» à l'ex-femme de Léonard. Au début de la relation, son désir profond «d'être prise en charge avait émergé puissamment; elle le justifiait en prétendant qu'il s'agissait d'un désir romantique ardent.

Les pseudo-libérés

La souffrance et la rupture de la communication entre deux personnes «pseudo-libérées» illustrent la manière dont le processus de la relation écrase, transforme et finalement annule et détruit son «magnifique» contenu. Après un coup de foudre, les sentiments sont gouvernés par la structure profonde de la relation, le noyau inconscient propre à chaque sexe, et non pas par les éléments qui sont à l'origine de cette relation.

L'attitude initiale, les symboles, les mots et les images sont progressivement altérés par le processus inconscient. Les partenaires qui se disent libérés, ouverts et justes — un merveilleux couple potentiel — sombrent dans l'amertume et la déception. Ils se sont leurrés en croyant qu'ils pouvaient combler leurs besoins mutuels et réussir une relation grâce à leurs idéaux et à leurs attitudes. S'ils n'arrivent pas à sortir de cet aveuglement, ils finiront par tirer les conclusions fausses et défensives suivantes: «Les relations sont sans espoir»; «Je n'arrive pas à trouver chaussure à mon pied»; ou bien:«Il ne reste plus de bons partenaires.»

Bien que certaines personnes s'accommodent mieux entre elles que d'autres, «le bon numéro» reste un fantasme et une illusion. Toute personne semble «correcte» à une certaine distance, quand on s'arrête à ce qu'elle représente et quand la structure traditionnelle n'a pas encore commencé à transformer ses attitudes. La relation est rapidement marquée et endommagée selon que le processus est plus ou moins défensif; c'est ce qui donne, à court ou à long terme, l'impression que toutes les relations se ressemblent.

En répétant qu'on ne peut obtenir l'égalité qu'en modifiant ses attitudes, les courants de libération ont non seulement hypothéqué mais sérieusement entamé les possibilités d'évolution des relations; ils ont assimilé au «péché» la reconnaissance, par l'un ou par l'autre des partenaires, de son processus traditionnel. Les «pseudo-libérés» sont défensivement et solidement attachés à leurs illusions et entretiennent avec soin l'image qu'ils projettent; c'est pourquoi ils blâment et évitent toute personne qui pourrait menacer les idées idéalistes déformées qu'ils ont d'eux-mêmes. Ils déroutent parce que, en raison de l'opposition existant entre leurs attitudes libérées et leur processus traditionnel, ils transmettent des messages contradictoires et impossibles à décrypter. Ce conflit intérieur qui les amène à vivre des relations sans espoir est à l'origine des déceptions successives qui les enfoncent plus encore dans une autoprotection défensive, même lorsque leurs idéaux se rapprochent de plus en plus de la véritable libération.

Il existe différentes formes de libération «fausse», «simulée» et chacune d'elles engendre «la souffrance et la rupture de la communication» chez les «pseudo-libérés». Le contenu de la relation, ces attitudes attrayantes, sensibles et humanistes sont des appâts séduisants qui attirent les partenaires potentiels et le processus profond est le «poison» qui érode et finit par détruire cette relation. Personne n'est plus désorienté, défensif et étouffé par son image qu'un individu «pseudo-libéré».

La «pseudo-libération» de l'homme par la colère

Il a déjà beaucoup «souffert» dans un mariage ou dans une relation traditionnelle où ses «efforts» ne lui ont amené que des reproches provoqués par son esprit dominateur, ses critiques, sa froideur et son égoïsme. «Je ne suis jamais arrivé à la satisfaire. Plus j'essayais, plus j'échouais», dit-il. Il en est venu à la libération en disant: «Plus jamais ça!» À l'instar des féministes, il s'est senti abusé et exploité. Il ne veut plus entendre parler des femmes «dépendantes». Mais il n'a rien changé *à sa nature profonde*. Il a seulement modifié ses attitudes et ses attentes.

Cet homme «libéré» par la colère rêve de rencontrer une femme forte, indépendante, raisonnable et «adulte» qui serait son égale. Mais comme il n'a pas réellement changé, il attire l'opposé, une femme traditionnelle dont la «façade» est libérée. Ils seront tous deux déçus quand leur relation commencera à ressembler à celles qu'ils ont déjà vécues.

Un homme étroitement lié à une mère possessive, étouffante, dont il ne s'est jamais séparé psychologiquement peut également se libérer par la colère. Il a toujours besoin que l'on s'occupe de lui et, par conséquent, refuse d'être «responsable» d'une autre personne. L'apparence macho de ces hommes leur permet de nier et de compenser leurs besoins de petits garçons et leur attachement à leur mère. L'image qu'ils donnent est celle d'hommes séduisants et indépendants.

Cet homme «pseudo-libéré» croit qu'il ne veut pas «dominer» les femmes mais, bien qu'il soit persuadé du contraire, il est très macho. Même s'il a l'air plus «libéré» qu'avant, il est en fait *plus* distant, *plus* fermé, *plus* invulnérable et *moins* confiant. Sous cette apparence, il est très macho, bien qu'il le nie. C'est pourquoi il est toujours surpris quand il constate que non seulement ses relations sont aussi polarisées que les précédentes, mais qu'en plus elles le deviennent de plus en plus rapidement.

La «pseudo-libération» de la femme par la colère

Elle aussi a rompu des relations qui lui ont laissé le sentiment d'avoir été dominée et frustrée dans ses «besoins d'intimité». Ses partenaires étaient tous «froids» et «incapables de communiquer». «Avec eux, je me sentais inutile», dit-elle.

Elle est prête à rejoindre les militantes féministes, un cercle fermé qui accuse et qui dit, de mille façons différentes: «Aucun homme ne dominera plus jamais ma vie.» Étant donné qu'il s'agissait d'une «pseudo-libération» née de la colère, cette femme s'est «fermée» et est incapable de voir que c'est son processus de défense profond qui entraîne et favorise le réponses qu'elle reçoit. Elle ne peut plus évoluer dans ces conditions et deviendra de plus en plus traditionnelle et accusatrice dans son processus tout en étant persuadée qu'elle est en train de se libérer.

La «pseudo-libération» de l'homme par la culpabilité

L'homme traditionnel qui a besoin d'une femme séduisante pour combler son orgueil masculin et qui est enclin à supporter une culpabilité inconsciente et de grandes responsabilités dans une relation se libère grâce à ces sentiments.

Il traduit sa «libération» en étant «gentil» avec les femmes; il n'est pas «macho» parce que c'est «déplacé» et «avilissant»; il amène de l'eau au moulin des femmes qui se plaignent d'être des victimes exploitées par les hommes et il les «soutient» dans leur «combat» pour la liberté. Ce ne sont pas là des idées machos mais, en fait, il l'est encore plus qu'avant parce qu'il nie ses propres besoins, se prend pour un «sauveur» et a une grande tendance à jouer le rôle de l'accusé et à se sentir coupable pour ses «erreurs sexistes».

Pour lui, «être libéré» signifie qu'il ne demande pas aux femmes de jouer un rôle traditionnel et qu'il leur laisse le loisir de lui faire remarquer ses comportements «machos». Comme tous les machos, il n'exprime aucun de ses propres besoins parce qu'il se sent coupable de demander quoi que ce soit. Cette attitude peut être interprêtée comme étant égoïste et dominatrice.

Néanmoins, sa libération n'est qu'«apparente». C'est une régression intellectualisée vers un état plus rigide, plus macho qui le laissera vidé et lui donnera l'impression d'être manipulé. Il restera perplexe lorsqu'une nouvelle partenaire se mettra en colère et lui reprochera sa froideur. Bien qu'il se croie libéré et montre une nouvelle image, il est encore plus solidement macho qu'avant, ce qui va immanquablement attirer et susciter les besoins de «petite fille» qu'il ne peut satisfaire. Inconsciemment, il choisit la femme qui le «fera se sentir un homme». C'est cela qu'il veut *réellement*.

Elle ne sera donc pas aidée dans son combat pour gagner de l'assurance et va ressembler de plus en plus aux femmes traditionnelles par ses sautes d'humeur, son manque d'énergie, ses perpétuels malaises physiques, sa boulimie, sa «frigidité» et ses agressions passives (tendance à remettre les choses au lendemain, retards et «incapacité de s'en sortir»). Il est déçu mais c'est en partie de sa faute, puisqu'il l'a toujours traitée comme une petite fille, comme un objet. Son orientation mécanique est dissimulée par sa «gentillesse». C'est pourquoi les frustrations et la colère de sa partenaire se construisent suivant le schéma traditionnel.

Sa libération n'est qu'une illusion. C'est plutôt un arrangement basé sur son besoin d'être considéré comme l'ultime homme chevaleresque que les femmes aiment parce qu'il est «merveilleux» et protecteur. Seule sa satisfaction personnelle le motive; celle de sa partenaire ne l'intéresse pas réellement.

La «pseudo-libération» de la femme par l'abnégation

«Les hommes ne sont pas responsables de mon bonheur, de mon orgasme ni de la satisfaction de mes besoins», dit-elle quand elle vit une liaison. Elle lui demande fréquemment: «Es-tu sûr que tu te sens bien?»

Tout comme l'homme traditionnel s'est «pseudo-libéré» en raison d'un besoin intense d'être approuvé par les femmes, cette femme «pseudo-libérée» est animée par les éléments féminins traditionnels, tels que le manque d'estime personnelle, le sacrifice de soi et la peur de l'abandon. Elle essaie de plaire d'une manière nouvelle, en étant libérée et en ne faisant plus pression sur les hommes «comme le font les autres femmes».

Sa libération implique qu'elle prend l'entière responsabilité d'elle-même mais, inconsciemment, elle recherche le même «patriarche égoïste» qui va la dominer sans en avoir l'air puisqu'il n'est pas censé le faire. Son incapacité de lui demander quoi que ce soit et la culpabilité qu'elle développe parce qu'elle s'estime trop exigeante font qu'elle est entièrement dominée. Elle assure ses propres besoins financiers et souvent ceux de son partenaire. Quand elle n'est pas satisfaite sur le plan sexuel, elle se blâme et s'assure que ses besoins à lui sont comblés. Elle ne le pousse pas au mariage mais elle s'arrange pour être toujours disponible. Elle prend les initiatives sexuelles, financières, etc., afin d'être responsable mais elle n'agit, en fait, que par désir d'abnégation.

Étant donné que son processus est une variante de celui de la femme masochiste, elle est, au lieu d'être appréciée, utilisée et traitée comme un objet ou comme l'image de la mère. Elle devient la victime des hommes qu'elle attire qui, inévitablement, la blessent, la délaissent et finissent par aller chercher leur «excitation» ailleurs. Toutefois, elle ne les blâmera jamais mais se sentira coupable de leur avoir fait des reproches ou de les avoir étouffés et ainsi obligés à trouver ailleurs ce dont ils avaient besoin. Son noyau traditionnel attire le pôle traditionnel opposé et cette rencontre ne lui apporte que souffrance et déceptions.

Quand les «pseudo-libérés» se rencontrent

Au début, ils s'apprécient et sont ravis de vivre d'égal à égale une relation «réelle». Quand la polarisation profonde commence à dégrader leur relation, ils en parlent —interminablement. Néanmoins, malgré leurs efforts, leur relation continue à se détériorer et ils sont surpris de constater à quel point leurs arguments sont devenus traditionnels et fragiles. Il demande de l'espace, elle demande des rapprochements et de l'intimité. Il se sent étouffé, elle se sent tenue à distance. Elle l'accuse souvent, il essaie de se justifier et se sent coupable. Ils se disent que de telles réactions sont insensées et superflues mais, en fait, elles sont le résultat logique et inévitable de la structure polarisée qui crée la nature réelle de la relation.

Les «pseudo-libérés» sont inévitablement leurrés par les apparences de leur libération. S'ils n'arrivent pas à dépasser ces apparences, leur polarisation autodéfensive s'aggravera tandis que leurs comportements extérieurs tendront à devenir encore plus «libérés». Ils seront déchirés par ces éléments contradictoires et leur relation deviendra de plus en plus fragile, explosive et aliénante. En fait, elle est vouée à l'échec. Inconsciemment, ils annihilent toute possibilité d'intimité et sont victimes de leurs propres illusions défensives. Malheureusement, plus leur relation se dégrade, moins ils sont capables de comprendre parce que leurs idées, leurs sentiments extérieurs et leurs processus profonds sont devenus excessifs et inconciliables et qu'ils choisissent de croire qu'ils sont ce qu'ils pensent être.

12

Pourquoi les femmes ne vous invitent-elles toujours pas à danser?

Gregory a trente-huit ans; il est séduisant, athlétique et très préoccupé par les problèmes masculins. L'idée de sa libération date de l'époque où il était à l'université — période au cours de laquelle il a vécu une série d'expériences douloureuses avec les femmes — et cette idée est même devenue une obsession après le «lynchage» de son ami David par la «meute féministe», comme il l'appelle.

David avait flirté avec une fille qu'il avait rencontrée au cours d'une soirée donnée par une confrérie d'étudiants de son université et avait été ensuite accusé de tentative de viol par la jeune fille en question. Il l'avait raccompagnée au campus et, après de longs baisers passionnés dans la voiture, elle l'avait invité dans sa chambre. Dans un moment de bravade suscitée par l'alcool, il avait baissé son pantalon et dit sur un ton de commandement: «Suce-la!» La fille s'était mise à hurler. Des policiers avaient alors fait irruption dans la chambre et avaient arrêté le jeune homme.

Après un procès retentissant, David avait été renvoyé de l'école et fait six mois de prison. Il avait essayé de se défendre en disant que tous deux étaient très amoureux dans la voiture, qu'ils «blaguaient et parlaient de sexe» sur le chemin du retour et qu'il n'avait jamais eu l'intention d'user de sa force pour arriver à ses fins. «Je suppose que j'ai été emporté par ses discours sur l'égalité des hommes et des femmes et par la manière directe avec laquelle elle expliquait que l'orgasme chez la femme n'est qu'une question de libération. Je sais que j'étais un peu éméché mais, quand j'ai baissé mon pantalon, je jouais avec elle, je voulais savoir si elle réagirait toujours aussi franchement.

«Il lui aurait suffi de me dire de remonter mon pantalon et, tout penaud, je l'aurais fait. Je n'aurais jamais pensé qu'elle se serait mise à piailler comme une poule effrayée. Mais allez dire cela à un jury. Un homme est considéré comme coupable chaque fois qu'il prend une initiative d'ordre sexuel.»

La tragédie qu'avait vécue David obsédait Gregory et le rendait furieux. Il reconnaissait que son ami s'était comporté de façon extrêmement offensante et stupide et que son geste avait l'apparence d'un viol potentiel, mais il le connaissait assez bien pour savoir qu'il n'avait pas une once de méchanceté et qu'il n'aurait jamais levé le petit doigt pour faire mal à une femme. En effet, David était connu pour sa conduite chevaleresque et son comportement protecteur. Gregory savait aussi que son ami avait fait une bêtise et qu'il avait agi d'une manière immature et irresponsable, mais la façon dont cette histoire était interprétée par les féministes du campus lui semblait grossièrement déloyale et déformée par leur besoin de prouver que les hommes sont des violeurs.

«Où est donc le côté humain dans tout cela? pensait-il. Ça aurait pu être moi. Il m'arrive de dépasser les bornes de temps en temps. Il le faut bien car autrement il ne se passerait jamais rien. Ce genre de choses me ferait presque regretter de ne pas être homosexuel.»

Pour aider à sa propre libération en tant que mâle et pour se persuader que les féministes étaient des hypocrites, il a décidé, avec deux de ses amis, d'aller dans différents bars de rencontres et d'attendre qu'une femme fasse d'elle-même les premiers pas en entamant la conversation, en offrant un verre ou en les invitant à danser. Au bout de trois soirées d'un long week-end, ils avaient attendu treize heures chacun et avaient tout essayé: le style B.C.B.G. ou débraillé, l'air conquérant ou désespéré. Pas un n'avait été abordé. «En fait, a rapporté Gregory par la suite dans un rapport journalistique, plusieurs femmes m'ont regardé comme si j'étais un infirme parce que je restais assis et que je n'allais pas vers elles.»

La déformation des problèmes des sexes

Les hommes se plaignent que malgré quinze ans de libération active, les femmes ont toujours tendance à se comporter d'une façon traditionnelle lors de leurs rencontres ou aventures romantiques. Elles continuent à éprouver des difficultés à prendre l'initiative d'une relation, à séduire un homme, à payer leur part d'une addition au restaurant, à prendre une décision pour un prochain rendez-vous ou à inviter un homme à danser. Pourquoi?

Cette question met en évidence la tendance à banaliser les problèmes des sexes ainsi que les effets trompeurs, voire même nuisibles, de la libération des hommes et des femmes. En politisant ces problèmes, les uns et les autres ont largement simplifié le processus complexe de l'évolution et de la recherche d'un nouvel équilibre entre les sexes. Ils ont créé l'illusion que le changement est une question de désir et de conscience. Ainsi l'homme peut dire: «Si elle veut travailler et faire carrière comme un homme et si elle veut son indépendance et des "privilèges" équivalents à ceux des hommes, elle peut donc prendre les mêmes risques et les mêmes responsabilités qu'eux.» On peut simplifier et dire qu'il suffirait que les hommes ne traitent plus les femmes comme des êtres inférieurs ou des objets ou encore que les femmes commencent simplement à utiliser leur potentiel et leurs pouvoirs. *Cela semble facile pour une femme d'inviter un homme à danser*, mais cela ne l'est pas — pas plus qu'il n'est «facile» pour un homme de ne pas inviter une femme à danser si elle l'attire.

Cela *semble facile* mais, sur le plan émotionnel, c'est infiniment plus complexe et difficile. Oui, n'importe quelle femme peut inviter un homme à danser et beaucoup le font. Elles fixeront rendez-vous ou entameront une conversation, mais juste une fois. Ensuite, elles attendront que l'homme reprenne les rênes, continueront rarement à prendre les initiatives et les responsabilités.

C'est pourquoi les hommes ont tendance à dire que les femmes sont hypocrites. Ils croient qu'elles restent délibérément accrochées aux comportements traditionnels parce qu'ils sont plus confortables et parce qu'ils servent leurs buts, mais qu'en même temps elles veulent éviter les conséquences de ces comportements. Ils estiment que les femmes aspirent aux privilèges de la «libération» tout en restant accrochées aux prérogatives féminines quand ça les arrange.

On entend aussi les femmes se plaindre de ce que les hommes ne se gênent pas pour profiter des avantages d'un salaire supplémentaire tout en essayant malgré tout de réduire le plus possible leur participation aux travaux ménagers. Les femmes comme les hommes minimisent les difficultés du changement pour leur partenaire.

Claire et Alain vivent ensemble depuis six ans, ils ont environ trente-cinq ans. Claire a toujours refusé de repasser le linge d'Alain. «Je ne ferais pas de cinéma s'il n'y avait qu'un peu de linge, mais tout ce qu'il porte doit être repassé, même ses chemises de travail. Ma vie professionnelle est aussi dure que la sienne. Je remarque quand même que j'ai tendance à être grognon quand il repasse ses vêtements. Je ne dis rien mais j'ai l'impression qu'il le fait au mauvais moment et au mauvais endroit. Je ne crois pourtant pas que cela le dérange tant que ça. En fait, quelquefois je penserais même qu'il ressent une sorte de plaisir à marquer son indépendance de cette façon. Mais l'autre soir, pour repasser son linge, il a voulu s'installer dans le salon. Quand je l'ai vu tirer toutes les tentures, je lui ai demandé pourquoi il faisait ça — la lune était pleine et il faisait très beau dehors. Il m'a répondu: «Tu ne crois quand même pas que je vais laisser les tentures ouvertes pour que tous les voisins puissent voir ce que je fais!»

Les hommes et les femmes font preuve d'une grande injustice en traitant d'«hypocrites» leurs partenaires qui sont en proie aux contradictions de leur libération. Cela voudrait dire que la libération est simple, qu'elle ne réclame que quelques modifications comportementales. Claire et Alain n'ont pas véritablement changé. Alain repasse son linge et Claire mène une carrière professionnelle active, mais ils sont restés tous deux traditionnels dans leurs schémas profonds. L'évolution qui devrait établir une harmonie entre ces gestes extérieurs et le flux intérieur n'a pas encore eu lieu.

À ce stade des échanges hommes-femmes, quand une femme invite un homme à danser, il s'agit beaucoup plus d'un geste symbolique que d'une réaction «naturelle» intégrée. Elle doit faire un effort réfléchi. Ce geste est rarement profond. C'est la raison pour laquelle elle peut le faire une fois mais, puisque ce geste n'est qu'un effort timide, elle ne le refera plus. Elle a dû se conditionner à ce comportement qui n'a aucun rapport avec son moi intérieur, car il n'est pas instinctif. Elle fait ce geste pour «travailler» à sa libération, mais cela n'a rien à voir avec la réaction spontanée qui découle d'une évolution réelle. Si ce geste faisait vraiment partie d'elle-même, il ne lui réclamerait aucun effort et elle n'aurait aucune difficulté à continuer dans ce sens. Cela ferait partie de son comportement naturel, inconscient.

Vous pouvez amener quelqu'un à changer ses manières d'être, mais pour beaucoup de personnes, la libération s'arrête là, alors que ce besoin de libération aurait dû entraîner un épanouissement authentique ou un affranchissement à l'égard de comportements proscrits. Les défenses profondes ne peuvent pas être modifiées si facilement.

Une femme «qui invite un homme à danser» est le symbole d'un changement de processus très difficile à réaliser. Le combat de la femme pour aborder et montrer ouvertement son désir à un homme qui l'attire est le même que celui de l'homme pour résister et ne pas aborder une femme qui l'attire.

Il n'est pas plus facile pour les femmes de prendre le contrôle de la relation que pour les hommes de le céder; il n'est pas plus facile pour les femmes de transcender leurs peurs que pour les hommes d'accepter les leurs; il n'est pas plus facile pour les femmes de prendre l'entière responsabilité de leur sexualité que pour les hommes d'abandonner l'idée de la prouesse sexuelle et leur sentiment de culpabilité quand le sexe ne «marche» pas. De telles attitudes étant étrangères à leur réponse profonde, conditionnée, elles ne durent pas et les uns comme les autres n'arrivent à donner le change que pendant de courtes périodes.

Les hommes ont beaucoup de difficulté à ne pas regarder une femme séduisante; les femmes n'en ont pas moins à regarder franchement un homme dans un ascenseur. Les hommes disent: «Pourquoi les femmes ne me regardent-elles jamais? Quand je suis dans l'ascenseur du bureau, pourquoi fixent-elles les yeux au plafond ou sur le sol et ne me regardent-elles jamais en face?»

Il est très facile pour les hommes de regarder les femmes qu'ils ne connaissent pas — de les détailler de la tête aux pieds —, mais par contre il est très difficile pour les femmes d'adopter ouvertement une telle attitude à l'égard des hommes. Un homme peut faire un effort délibéré pour ne pas regarder une femme mais, au fond de lui-même, cette attitude le contraint. Et une femme peut faire le même effort pour regarder un homme mais, au fond d'elle-même, elle devra lutter pour ne pas détourner les yeux — que l'homme soit séduisant ou non n'y change rien.

En effet, ce qui est irrésistible pour un homme traditionnel est très difficile pour une femme féminine et vice-versa. C'est ce qui rend la communication entre l'homme et la femme et d'individu à individu si difficile. *Ce qui semble facile ou évident à l'un est vraiment étranger, douloureux et même effrayant pour l'autre et chacun doit prendre profondément conscience de cela, même si cela paraît difficile.*

Quand nous quittons le modèle traditionnel romantique et que nous essayons de nous rapprocher du sexe opposé d'une manière différente, nous abordons un domaine psychologique plein d'incertitudes, de confusion et d'anxiété. Les nouveaux comportements que nous essayons d'adopter sont déconnectés de nos conditionnements traditionnels et «ils ne semblent pas naturels».

Les hommes croient qu'inviter quelqu'un à danser est très facile parce qu'ils le font. «Si je peux t'inviter à danser, tu peux certainement m'inviter toi aussi.» Ils pensent que la résistance ou le refus d'une femme prouve qu'elle est hypocrite ou qu'elle veut tout avoir. Les femmes commettent la même erreur avec les hommes. Puisqu'elles trouvent l'intimité aisée à vivre, elles ne comprennent pas pourquoi les hommes y résistent aussi énergiquement. Elles arrivent à la conclusion qu'il s'agit d'égoïsme, de mauvaise volonté et de chauvinisme masculins. «Je peux être proche de toi, alors tu pourrais l'être toi aussi si tu le voulais, si tu étais motivé.» Mais cette exhortation a la même répercussion que lorsqu'un homme dit à une femme: «Fais l'amour ou établis une relation au hasard des rencontres. Oublie le mariage et l'intimité et amuse-toi!»

En fait, ces changements ne sont pas faciles et c'est une erreur de projection que de croire et de se dire que, puisqu'on peut faire quelque chose, l'autre peut le faire aussi. Quand, pour l'un des deux sexes, la réalisation d'une chose est simple, cela signifie que cette démarche est en accord avec son processus de défense. C'est profondément incrusté chez l'un et absent chez l'autre. Il faut partir du principe que le sexe opposé a un système de défense opposé. Les hommes et les femmes ont des schémas de réponses inconscients diamétralement opposés, et ceci en particulier dans le contexte d'une relation traditionnelle où la nature stressante des rapports semble mettre les différences en évidence.

Une femme peut difficilement être heureuse longtemps en axant sa vie sur le développement et l'augmentation de son pouvoir et de son autonomie. Son moi profond a besoin d'intimité, à moins qu'elle n'ait déjà sérieusement réagi contre sa nature. Il est aussi dur pour un homme traditionnel d'accepter de se soumettre, de ne pas dominer.

Dans ma clientèle privée, j'ai rencontré un grand nombre de femmes d'affaires cultivées qui auraient voulu s'opposer à ce que les hommes prennent toutes les initiatives dans les relations, mais qui, à l'idée de ce changement, éprouvaient une grande anxiété.

Dans les relations hommes-femmes, les processus profonds prennent le dessus. On pourrait croire que le fait de s'affirmer permet à la femme de se sentir à l'aise dans ses échanges avec les hommes, mais ce n'est pas le cas. Elle peut faire des efforts énormes dans ce sens, mais elle ne se sentira pas à l'aise dans ses actes. Elle peut même reconnaître franchement que bien qu'elle réussisse dans sa carrière, dans sa vie personnelle, elle désire un homme qui «prenne soin d'elle».

En outre, il existe une peur constante et insidieuse du changement, autant chez les hommes que chez les femmes et ce, à juste titre. Dans la mesure où l'évolution et le changement sont pour nous des idéaux abstraits, ils sont menaçants parce que la notion que nous avons de nous-mêmes en tant qu'homme ou femme risque d'être altérée. Par exemple, quand un homme commence à abandonner les clichés de ses réponses masculines traditionnelles, il perd en même temps le sentiment «d'être un homme, un vrai». C'est pourquoi le travail doit se faire en profondeur beaucoup plus qu'en surface. L'intérêt que nous portons aux symboles de la libération a embrouillé notre conscience en ce qui concerne l'énorme difficulté d'abandonner l'une ou l'autre des bases de notre processus profond.

Le soulagement exprimé par beaucoup de femmes «libérées» quand elles rencontrent un homme grâce auquel elles se sentent «une femme» montre à quel point un changement dans notre nature profonde d'homme ou de femme est pénible. Tant que ces modifications ne seront pas définitivement intégrées au plus profond de notre structure, il y aura toujours, refoulé peut-être pendant certaines périodes, le désir puissant de revenir à notre réalité première. Cela se passe un peu partout aujourd'hui. Les femmes sans soutien-gorge, sans maquillage, à talons plats, «naturelles», sont devenues, dans la plupart des cas, un souvenir des années soixante et soixante-dix. Même dans leur vie professionnelle, les femmes retrouvent leurs anciennes habitudes, les hommes aussi d'ailleurs: les costumes gris et les cravates sont ressorties des placards, les cheveux sont portés plus courts et les nouveaux super-héros machos ont retrouvé leur aura.

Malgré toutes ces années de libération, les femmes, dans leur majorité, sont toujours attirées par les «gagneurs», les hommes qui réussissent et elles se détournent des «faibles» et des «perdants».

L'homme séduisant est toujours celui qui a une aura de maîtrise, de force et d'indépendance. Les hommes encouragent les comportements indépendants et courageux chez les femmes mais tombent amoureux de la femme douce, docile, féminine et remplie d'adoration. Ils ne tolèrent qu'une certaine dose d'agressivité, de comportement dominateur chez les femmes, sinon ils ont tendance à fuir. Ainsi les femmes traitent les hommes d'hypocrites, tout comme le font les hommes lorsqu'ils voient des femmes séduisantes en pâmoison devant les symboles du succès.

Ces inclinations nous disent que les réponses profondes n'ont pas réellement changé, mais il ne s'agit pas là d'un «crime contre la libération» et cela ne doit pas générer de culpabilité et de mépris de soi. Nous accusons les femmes d'être hypocrites parce qu'elles sont attirées par des hommes qui réussissent ou qui sont manifestement machos et nous accusons les hommes d'être sexistes parce qu'ils continuent à préférer les femmes douces, souriantes. Mais nous demandons l'impossible quand nous attendons que les gens, par un simple effet de volonté, transcendent leur moi profond et leur conditionnement fondamental.

Nous avons banalisé nos garde-fous instinctifs et nous avons essayé de les éliminer en rendant les individus «conscients». Néanmoins, pour nous unir, il semble que nous ayons toujours besoin des sentiments romantiques qui créent notre excitation, qui donnent à la femme la sensation d'être comblée et à l'homme celle «d'être un homme». Ceci ne se passe bien sûr que lorsque la polarisation est présente dans la structure du couple. La polarisation engendre un mouvement de renforcement inconscient de l'attirance mutuelle qui va à l'encontre d'un changement réel. La majorité des structures sociales et économiques de notre société trouvent leurs origines dans les motivations de la polarisation des sexes — le désir de l'homme d'être «viril» et celui de la femme d'être «féminine». Une perte de poids semble motiver la majorité des femmes, comme faire de l'argent ou «gagner» motive les hommes.

Quand nous examinons et que nous analysons les luttes et les résistances profondes et que nous les simplifions à l'extrême, nous créons une situation totalement incohérente basée sur l'intimidation. Quand nous accusons notre partenaire de faire preuve de mauvaise volonté parce qu'il ne change pas, nous insinuons qu'il pourrait le faire facilement s'il le voulait. Nous le forçons donc à dissimuler son moi véritable et à changer ses manières d'agir, ce qui rend le processus de transparence et d'évolution que nous recherchons beaucoup plus difficile, voire impossible, à atteindre.

Le comportement fondamental de chaque sexe est inconscient et se protège lui-même. Il est donc nécessaire que nous reconnaissions la résistance énorme qui s'oppose à un changement profond et que nous acceptions avec générosité et compréhension les contradictions et les régressions de chacun. En observant les combats et les contradictions de notre partenaire et parce qu'il nous montre notre propre «face cachée», nous pouvons arriver à apprendre des choses sur nous-même. L'attirance romantique étant établie sur la polarisation, nous suscitons involontairement des réponses extrêmes chez l'autre pour ensuite protester vigoureusement.

La réponse pseudo ou défensivement libérée est plus destructive encore que la réponse traditionnelle défensive, car elle confond les symboles extérieurs du changement avec les problèmes profonds et rend plus difficile encore l'épanouissement d'une relation. Encore faut-il que les partenaires n'aient pas détruit leurs aptitudes à une réelle union en superposant les deux modes de réaction, ce qui crée un écheveau impossible à démêler.

À ce stade, le mieux que nous puissions faire est d'accepter notre processus et notre résistance aux changements et de reconnaître avec bonne volonté notre responsabilité dans cet état de choses. Il est très important de savoir exactement où nous en sommes, de savoir contre quoi nous nous battons pour ne pas, en vertu de notre nouvelle autosatisfaction défensive, accuser notre partenaire de ne pas avoir changé malgré nos conseils.

Nous pouvons essayer de construire, si cela est possible, des garde-fous qui nous laisseraient quelqu'espace pour laisser s'exprimer les éléments traditionnels que nous ne pouvons pas modifier facilement; nous pouvons prévenir certaines ruptures en reconnaissant notre processus profond et en disant: «Je sais que je suis en partie responsable et que je répète un vieux schéma qui ne m'a jamais rien apporté de bon. Néanmoins, je ne peux pas m'en empêcher mais je sais ce qui va se passer et je ne m'en prendrai qu'à moi-même.»

En d'autres mots, il est possible que nous ne soyons pas capables d'opérer de grands changements immédiatement, mais nous pouvons reconnaître les schémas que nous n'arrivons pas à modifier et nous préparer consciemment aux ruptures inévitables ou aux ennuis qu'ils nous créeront sans en rejeter la responsabilité sur qui que ce soit. Vous ne trouverez jamais une liaison romantique, par exemple, où l'homme ne se culpabilise pas parce qu'il se sent responsable et où la femme ne le pousse pas à l'engagement et ne ressent pas, en même temps, colère et confusion parce qu'elle se sent dominée et a peur de perdre son identité. Les ruptures de la communication rôdent inévitablement autour de telles relations. Nous ferions un grand pas en avant si nous reconnaissions que les réponses et les sentiments que nous exprimons dans ce genre de situations sont les produits inévitables d'une relation polarisée de part et d'autre plutôt que de considérer que cette chose «qui nous arrive» est provoquée par l'autre ou qu'elle est le résultat d'une «erreur» dont nous sommes la victime.

Ceux qui pourront accepter et respecter les limitations, les paradoxes et les contradictions dont nous ferons tous l'expérience en changeant, seront les moins déçus et les plus capables à longue échéance de créer des relations plus longues et plus satisfaisantes. Cette compréhension apportera un sentiment plus profond de respect et de patience envers l'autre, ainsi qu'une plus grande estime personnelle et une acceptation de ses propres limites.

Hommes et femmes pourront vivre paisiblement ensemble et se soutenir patiemment grâce à une nouvelle compréhension et à de nouvelles réponses tolérantes, compréhensives, généreuses et exemptes de reproches, de culpabilité et de colère déplacée.

Quatrième partie

L'homme

13

Les sentiments: Quand sont-ils vrais? Quand pouvons-nous leur faire confiance?

Marcel et Suzanne étaient tous deux convaincus de connaître leurs vrais sentiments. L'ennui c'est qu'au lieu de les rapprocher, leur franchise semblait les éloigner l'un de l'autre.

Suzanne disait: «J'ai l'impression que tu me repousses toujours. Cela me met en colère et me frustre.» Marcel répondait: «Moi aussi, je me sens frustré, c'est comme si rien de ce que je fais ne te satisfaisait; ce n'est jamais suffisant.»

Quelquefois Suzanne disait: «J'aimerais que tu me prennes dans tes bras, j'en ai besoin.» Elle demandait toujours cela quand Marcel en avait le moins envie et, même s'il voulait lui faire plaisir, il était exaspéré et parfois il le lui disait, ce qui blessait Suzanne au point qu'elle ne lui adressait plus la parole de la journée.

De temps en temps, le soir, Marcel disait: «J'ai besoin d'être seul. Je crois que je vais dormir dans l'autre chambre cette nuit. Cela n'a rien à voir avec toi. J'en ai envie, c'est tout.» Suzanne se sentait alors rejetée et il lui arrivait de pleurer. Marcel le remarquait et se sentait coupable, comme s'il l'avait blessée. Quand il lui en parlait, elle répondait: «Toi et ta foutue culpabilité! Je me sens délaissée, c'est tout, mais je n'ai aucunement l'intention de te culpabiliser. Tu comprends cela? Je ne veux pas que tu te sentes coupable. D'ailleurs quand tu te sens coupable, cela veut seulement dire que tu es fâché.» Et Marcel, frustré, répondait: «Je suis seulement en train de t'expliquer ce que je ressens moi aussi. Je croyais que c'était cela que tu voulais.» Suzanne: «Mon Dieu, je me sens méprisable de te faire cela.» Marcel: «*Je ne veux pas* que tu te sentes mal à cause de moi. Je ne souffre pas, je suis seulement en train de me battre pour essayer de t'expliquer ce que je ressens.» Au lieu de se sentir réconfortés par cette franchise, ils s'éloi-gnaient plus encore l'un de l'autre.

Un jour, dans l'espoir d'établir un rapprochement pendant ces dialogues, Suzanne a proposé: «Pourquoi ne faisons-nous pas l'amour au lieu de discuter?» Marcel a réagi comme s'il avait été attaqué: «J'ai l'impression que tu ne me connais pas quand tu parles comme ça. Tu sais très bien que c'est la dernière chose que j'ai envie de faire quand je suis contrarié. — Que nous arrive-t-il?», a demandé Suzanne. Marcel a répondu: «Je ne sais pas. Je fais beaucoup d'efforts pour évoluer et partager mes sentiments avec toi, mais tout semble aller de travers. Je te dis ce que je ressens, et au lieu de nous rapprocher, cela nous éloigne l'un de l'autre.»

Après cette discussion, Marcel était convaincu que sa femme ne désirait pas qu'il exprime ses sentiments. Suzanne, elle, était encore plus frustrée parce qu'elle pensait que les confidences de son mari étaient une attaque déguisée ou un moyen de la rejeter, et non une façon de se confier et de se rapprocher d'elle.

La «liberté» des sentiments de l'homme

Les hommes croient souvent qu'évoluer signifie être capable d'exprimer leurs sentiments car, traditionnellement, ils étouffent leurs émotions. Cette sanctification des émotions dissimule un problème important: exprimer ses sentiments défensifs peut être plus nuisible que de les taire.

Quand les femmes ont fait leurs premières expériences de libération, elles ont parlé de tout ce qu'elles ressentaient. De la rancœur, des reproches, des explosions de colère qui découlaient des répressions dues à leur conditionnement féminin se sont dégagés de leurs paroles. Les hommes étaient-ils réellement leurs oppresseurs ou était-ce leur conditionnement qui annihilait leurs aptitudes à prendre le contrôle et le pouvoir en raison de l'anxiété qu'il faisait naître en elles? Après tout, la majorité des hommes connaissent la frustration de vivre avec une femme qui résiste ou qui semble incapable de prendre une décision même si on l'en implore.

Quand les hommes ont commencé à «découvrir leurs sentiments», ils se sont retrouvés face au même potentiel d'émotions défensives à exprimer qui, au lieu de les «libérer», les enfonçaient encore plus dans l'isolement, l'autoprotection et le manque de confiance.

Qui, de la société ou de la femme contraint l'homme à adopter le rôle de celui «qui pourvoit à tout», *qui* l'oblige à rester sous tension afin de s'acquitter de son devoir conjugal, *qui* l'empêche d'exprimer sa fragilité, de construire des amitiés avec d'autres hommes, *qui* accepte ses peurs et ses besoins? Ou toutes ces obligations ne sont-elles que des sous-produits de son conditionnement masculin, une partie des pratiques qui font qu'il se sent «un homme» à part entière.

Qu'est-ce qu'un sentiment authentique ou non défensif auquel on peut faire confiance et qui facilite la communication et même la vie? Quand l'expression des sentiments est-elle un piège ou quand éloigne-t-elle plus encore les deux partenaires l'un de l'autre? Quand nous disons d'un homme qu'il est en contact avec ses sentiments, que voulons-nous dire exactement?

Un homme dit à sa compagne: «Je me sens étouffé et manipulé et cela me rend furieux. Tu fais tout pour que je me sente coupable. Je n'ai jamais accepté ni donné libre cours à mes propres sentiments, mais je ne laisserai plus jamais ni *toi* ni personne d'autre m'empêcher d'être ce que je suis, de vivre ce que je ressens.» Il énumère là les sous-produits de son propre système de défense qui proviennent, en majeure partie, de sa socialisation; sa compagne n'est pour rien dans tout cela. Bien qu'inconsciemment il ait pu choisir une partenaire qui renforce ses tendances, elle n'est pas à l'origine de cette inclination naturelle.

Un homme qui voue un grand amour, une passion à une femme qu'il n'intéresse pas du tout et qui lui dit n'avoir jamais connu avant elle des émotions si profondes ne ressent certainement ni amour ni passion, mais bien l'excitation du désir créé par la «femme objet» qu'il ne peut posséder. Est-ce qu'il lui suffit d'exprimer sa vulnérabilité, ses émotions pour se sentir bien? S'il ne répond pas positivement ou avec amour à ceux qui sont dans sa vie et qui prennent soin de lui mais ne l'«excitent» pas, cela voudrait-il dire qu'il ne les «aime» pas?

Le fait d'être «triste» parce qu'il aime une femme qui le rejette, et d'en parler signifie-t-il vraiment, en fin de compte, qu'il est libre d'exprimer ses sentiments?

Quand un homme ressent une colère intense parce que son pouvoir est menacé et que cette colère est pour lui un moyen de créer une plus grande distance et de reprendre le pouvoir, peut-il se justifier lui-même en déclarant qu'il a le droit d'exprimer ces sentiments?

Quand les hommes traditionnels «entrent en contact» avec leurs sentiments et les expriment, ils deviennent souvent narcissiques; leurs émotions n'ont souvent plus aucun rapport avec la réalité objective de leur vie. Leurs sentiments sont «déconnectés» et défensifs. Par conséquent, «entrer en contact» avec leurs sentiments et les exprimer est souvent plus destructeur que de les taire car, en effet, plus ils s'expri-ment plus ils sont aliénés et isolés et sabotent leurs besoins réels d'intimité et de relation authentique et non défensive. Il arrive qu'ils en concluent, à tort, que les femmes «ne désirent pas vraiment savoir ce que les hommes ressentent», ce qui les met en colère, les rend plus hostiles encore et exacerbe leur méfiance défensive.

Si on veut qu'il produise un contact, une «humanisation» ou une «personnalisation», le sentiment exprimé doit être non défensif. Si les sentiments exprimés sont liés à des besoins masculins défensifs et polarisés, ils piègent l'homme encore plus car ainsi il s'est «prouvé» que les autres ne veulent pas qu'il soit humain.

En d'autres mots, la notion «entrer en contact» avec ses senti-ments et les exprimer demande une sérieuse réflexion.

Les sentiments auxquels il ne faut pas se fier

Les émotions polarisées

Le conditionnement masculin exige la répression de certains besoins, réponses et sentiments et oblige l'homme à réagir d'une manière défensive ou à ne pas réagir du tout. C'est l'ensemble de ces réactions qui lui donne son sentiment de masculinité.

AUTONOMIE DÉFENSIVE

Un homme pense: «Personne ne prête attention à mes besoins, à ce que je ressens.» Plus il est traditionnellement masculin, plus ses

besoins de dépendance sont refoulés et c'est de là que naît ce sentiment. La reconnaissance du besoin qu'il a des autres, le désir que l'on
prenne soin de lui, ses sentiments d'impuissance, de faiblesse ou de
peur sont des réactions qu'il tend à nier, à juguler et dont il n'est pas
conscient.

La répression de ses besoins de dépendance conduit le macho à la
solitude et à l'introversion qui, à leur tour, lui donnent cette impression défensive: «Personne ne prête attention à mes besoins» ou:
«Personne ne sait qui je suis ni ce que je ressens.» Sa façon de percevoir les autres qui, selon lui, le négligent ou ne le connaissent pas est
une réaction qui correspond exactement à la répression de ses besoins
de dépendance. En effet, les personnes qu'il a choisies pour l'entourer
et sa manière de se lier à elles ne peuvent qu'entraîner cette réaction.
Il est possible qu'elles ne soient pas intéressées par ses besoins, mais
c'est pour cela qu'il les a choisies. Elles viennent à lui pour ses réussites, pour son image et sa «force» et pour ce qu'il peut faire pour
elles, mais lui les a choisies parce qu'elles cautionnent et renforcent le
rôle qu'il a besoin de jouer pour se sentir «un homme». *Ce n'est pas
de leur faute; c'est son processus à lui qui crée cette attitude et c'est
de ce processus qu'elles s'inspirent.*

Le fait qu'il «entre en contact» avec ses sentiments peut avoir
pour conséquence qu'il s'apitoie sur lui-même, qu'il se sert de ceux-ci
pour justifier son ressentiment et sa colère et qu'il est encore plus isolé
et «hors course» s'il n'arrive pas à voir plus loin que cette réaction
immédiate. Par conséquent, il ne doit pas se fier à ces sentiments car
ils ne feront que le confirmer dans son idée négative selon laquelle les
gens se servent les uns des autres et que «le monde est une jungle». Le
sentiment d'étouffement que l'homme vit habituellement dans une
relation est proportionnel à son autonomie ou à son indépendance
défensive qui développent chez lui une intolérance progressive pour
toute forme d'intimité.

La répression de ses sentiments de dépendance génère un besoin
puissant de détachement auquel s'ajoute le désir de s'éloigner de
toutes relations dont il dépend, particulièrement en période de stress.
L'expression défensive: «Je n'ai besoin ni de toi ni de personne» apparaît quand il est blessé. Son besoin d'«espace» — le besoin d'autonomie et d'échapper à l'intimité — résulte lui aussi de cette répression
et toute personne qu'il ne peut ni dominer ni tenir à distance lui donne
une sensation d'étouffement.

RATIONALITÉ DÉFENSIVE

Son conditionnement masculin l'oblige à interpréter sa vie sans émotion, avec distance et d'une manière mécanique qu'il perçoit comme étant «rationnelle» ou «logique». Cependant, sa «logique» fait partie de son autoprotection défensive; c'est pourquoi elle est une arme dont il use pour agresser, dominer et garder ses distances.

Il invente des réponses «sécurisantes», «logiques» et mécaniques pour expliquer ses interactions personnelles complexes et ses processus. Il ne sait pas que cette «rationalité» est une logique autistique destinée à lui éviter toute implication personnelle. Les autres se sentent écartés, incompris, exaspérés et attaqués par ses raisonnements et sa «logique» qui peuvent paraître superficiels parce que ses échanges avec les autres sont mécaniques, sélectifs et impersonnels. Il fait la leçon à ses enfants «pour leur bien» sans même réaliser qu'ils ne l'*écoutent* pas et se sentent isolés parce que ces relations sont sans chaleur. Alors qu'il croit leur parler, il se parle à lui-même.

Son utilisation défensive rigide de la rationalité et sa manière d'être «sensible» le font réagir avec impatience à ce qu'il considère comme «irrationnel», «non raisonnable» ou «fou» de la part de ceux qui n'acceptent pas ses solutions, ses conseils et ses réponses instantanées «toutes faites» pour chaque problème. Il est irrité et désespéré par l'«impossibilité» de communication avec les nombreuses personnes «irrationnelles» qui l'entourent, c'est-à-dire ses enfants, sa femme et tous ceux avec qui il est lié de cette manière prosaïque et rigide.

En outre, la répression de ses propres émotions lui enlève toute confiance quant aux réactions émotionnelles des autres. Quand sa femme pleure, quand ses enfants ont peur ou sont en colère, il est possible qu'il ne croie pas en ces manifestations et les considère comme des tentatives de manipulation. Un de mes clients d'une quarantaine d'années, père de cinq enfants, s'était complètement éloigné d'eux à force de douter et de minimiser constamment leurs inquiétudes émotionnelles. Quand ses enfants lui expliquaient leurs problèmes, il leur répondait que ce ne pouvait pas être si grave — ou que ces problèmes n'étaient que le fruit de leur imagination.

Dans une relation, la logique d'un homme de ce genre n'a pas de sens, elle l'éloigne des autres et est «irrationnelle» même s'il arrive à démontrer son point de vue avec justesse. Cela étant, pour lui, sa «logique» est sensée mais en fait, elle est «insensée» parce qu'elle est superficielle et unidimensionnelle et qu'elle s'oppose au processus de la relation. Cela témoigne de son éloignement et de sa méconnaissance des personnes qui l'entourent. De plus, il est incapable de prendre conscience du fait que c'est sa logique froide qui suscite, en partie, les réponses trop émotionnelles, désespérées ou «insensées» des autres et que sa rationalité détachée frustre, attaque et repousse. Cela le confirme dans l'idée que «le monde est insensé» — sauf lui, bien sûr.

Dans le processus masculin défensif, l'intellect est une arme et l'intellectualisation une protection contre les sentiments. L'homme «pense» de façon à occulter certaines parties de lui-même. Cela crée une obsession de la «vérité», de la bienséance et la conviction que la découverte de «réponses» est le meilleur moyen d'améliorer son existence, de convaincre les autres et de «changer le monde».

AGRESSION DÉFENSIVE

Leur conditionnement masculin oblige les hommes à «avoir peur de leurs peurs» ou de leur vulnérabilité et à les juguler ou à les transformer en bravades, en réactions défensives ou en un refus total de la réalité. Il en résulte des réactions exagérément autodestructrices aux situations qui défient ou menacent leurs besoins défensifs de prouver: «Je n'ai pas peur»; «Je ne suis pas un couard»; «Je ne suis pas une poule mouillée» et: «Je suis un homme». Il est désespérant de penser que de nombreux jeunes hommes qui ont des réactions de défense rigides se font des torts irréparables et parfois même perdent la vie pour satisfaire leur besoin de prouver qu'ils n'ont pas peur («Je ne suis pas une mauviette»).

Le besoin défensif de s'affirmer et de nier la peur remplace et triomphe des instincts de survie et crée une tendance à l'autodestruction et à un étalage défensif de «courage» et d'«intrépidité». Cela s'exprime d'une manière flagrante à la faveur d'altercations violentes pour des raisons insignifiantes ou par l'acceptation d'un défi dangereux dont les risques sont démesurés; dans chaque cas, seule l'image ou le «besoin de prouver» est en jeu. L'homme peut aussi prendre des habitudes défensives, téméraires qui le font agir en fonction de son sentiment déformé d'invulnérabilité et d'intrépidité.

Alors qu'il devrait reculer, il persévère soit d'une manière directe sous forme de confrontations physiques, insensées, soit d'une manière indirecte hyperagressive, obsédée par les buts à atteindre et caractérisée par une ambition implacable, insatiable et un besoin sans fin d'entrer en compétition et d'être meilleur que les autres.

Son agressivité défensive est proportionnelle à ses peurs niées ou refoulées et, puisqu'il projette cette agressivité et la voit chez les autres, il considère que «la vie est dangereuse», que «les gens vous blessent et profitent de vous s'ils le peuvent» et que «le monde est une jungle».

AFFIRMATION DÉFENSIVE

Le besoin défensif de domination qui caractérise la masculinité est une réaction contre la passivité et la soumission que l'homme sent au fond de lui et refuse. Plus son besoin défensif est puissant, plus les réactions qu'il oppose à tous ceux qui voudraient le dominer ou menacent son contrôle sont négatives, instantanées et agressives. Comme son besoin de se sentir «un homme», son désir de contrôle et de domination est insatiable et grandit sans cesse.

Il vit inconsciemment dans un monde polarisé dont la règle est: «dominer ou être dominé». Il se piège *lui-même* au fur et à mesure que l'espace se resserre autour de lui et de ceux qui acceptent sa domination. Il est progressivement entouré de personnes qui, en réponse à leurs peurs et à leur insécurité, acceptent d'être dominées malgré la colère intense et cachée qu'elles nourrissent pour lui. D'une certaine façon, il pressent tout cela et cela nourrit sa méfiance et son besoin défensif de domination.

Son affirmation défensive signifie également qu'il va chercher à imposer son ego (ses idées, ses opinions et ses décisions) de plus en plus sûrement et qu'il s'enfoncera dans l'intolérance ou l'incapacité d'écouter ou d'accepter d'autres opinions que la sienne. Son ego enfle sans cesse jusqu'à ce que plus personne ne puisse «y pénétrer». L'égocentrisme est caractéristique de la masculinité et elle est proportionnelle aux défenses de l'homme.

LA SEXUALITÉ DÉFENSIVE

Il est obsédé par le sexe et il a réprimé sa sensualité en fonction de ses défenses masculines. Paradoxalement, il en a peur et refuse les caresses intimes à moins qu'elles ne conduisent aux relations sexuelles.

Cette sensualité réprimée est responsable en partie de son grand besoin d'espace et de sa forte tendance à se sentir envahi et étouffé par les autres, particulièrement quand on le touche, le caresse ou l'étreint.

Sa préoccupation constante pour les relations sexuelles *étant défensive*, elle ne diminue pas quand il est satisfait. Cette obsession continue à grandir. Néanmoins il n'a pas réellement besoin de relations intimes mais bien de diminuer les tensions créées par son isolement, ses besoins de contacts humains, de contrôle et de certitudes quant à sa «virilité».

Sentiments extrêmes et leurs extrêmes opposés

Le conditionnement masculin produit habituellement un état d'esprit cyclothymique: les périodes d'excitation alternent avec les périodes de dépression extrême. Ces sentiments sont comme des «montagnes russes», des réactions extrêmes qui agitent les hommes mais dont aucune n'est fiable ni ne mérite que l'on s'y arrête. Plus l'homme est extériorisé, plus ses volte-face dans la façon qu'il a de se percevoir sont prononcées, allant de la supériorité arrogante («Je suis le plus grand») à la dépression et au mépris de soi («Je ne vaux rien»).

Les hauts et les bas romantiques sont une forme de ce phénomène de «montagnes russes». Quand les fantasmes de l'homme sont satisfaits, quand il se sent en sécurité et bien dans sa peau, il vit un «haut». Quand, par contre, la réalité le contrarie ou le menace, quand ses sentiments romantiques se dissipent pour laisser place à des réactions opposées intenses de colère et de méfiance, il vit un «bas».

Il ne faut *jamais* se fier à ces sentiments «montagnes russes» pour prendre une décision ni les considérer comme une expression de la réalité parce qu'ils sont éphémères et peuvent facilement passer à l'opposé. Se baser sur eux équivaut à prendre des décisions importantes en état d'ivresse.

Les sentiments imbriqués

La manière dont nous suscitons des réactions chez les autres quand nous les blâmons fait partie du phénomène des sentiments imbriqués liés aux processus fondamentaux des sexes: ces émotions sont défensives; c'est pourquoi il ne faut pas s'y fier.

La femme féminine se plaint en disant: «Tu ne te livres pas, je me sens rejetée», mais elle n'est pas à même de constater que c'est sa manière de communiquer qui fait que l'homme se ferme. Elle considère la moindre petite réponse négative comme une attaque ou une critique à laquelle elle réagit en pleurant, en s'éloignant de lui et en l'accusant, ce qui a pour conséquence de «le fermer» complètement. Elle lui reproche également de ne pas lui parler suffisamment et de ne pas sembler vraiment heureux quand elle est auprès de lui; là non plus, elle ne remarque pas que sa tendance à «réagir» et à ne prendre aucune initiative ni aucune décision crée une atmosphère dans laquelle il «s'ennuie» parce qu'elle ne le stimule pas.

De son côté, l'homme reproche à la femme de ne pas savoir ce qu'elle veut alors que lui prend ses décisions instantanément et, dans son for intérieur, il est contrarié de devoir coopérer avec elle quand il fait ce qu'*elle* veut. Il la critique également parce qu'elle est dépensière alors que c'est sa tendance à «travailler énormément» qui la pousse à répondre d'une manière matérialiste à ses frustrations.

Ces sentiments imbriqués sont des reproches mutuels qui ne tiennent pas compte du processus qui les a, en partie, créés et favorisés.

La rancœur à l'égard des femmes

Dans leurs relations traditionnelles avec les femmes, les hommes ont l'habitude de prendre les initiatives et les responsabilités pour que les «choses se fassent» et, quand elles ne marchent pas, ils en conçoivent un sentiment de culpabilité. Une fois que l'homme est «entré en contact» avec ses sentiments, il n'y a qu'un pas entre sa culpabilité masculine traditionnelle et ses sentiments de rancœur à l'égard des femmes qu'il considère comme accusatrices et manipulatrices.

Dire dans un moment de colère défensive: «Je ne laisserai plus aucune femme me manipuler, me blâmer ni m'utiliser» ne suffit pas. C'est son système de défense masculin qui a, en partie, créé cet état de choses car il n'est capable de se rapprocher de quelqu'un qu'en tant qu'objet vers un autre objet. Si le processus défensif reste inchangé, cette situation se reproduira encore et toujours. Tant qu'il ne comprendra pas de quelle manière son processus crée sa réalité émotionnelle, il repoussera avec ressentiment toutes les femmes sauf, peut-être, celles qu'il croit complètement indépendante mais, dans ce cas, une nouvelle série de problèmes découleront de sa perception fausse née du fantasme de l'existence de cette femme «parfaite» en qui il peut avoir une totale confiance.

La tendance des femmes à manipuler, à blâmer, à étouffer les hommes n'est pas plus importante que celle des hommes à choisir une femme qui les «adore», une femme soumise et facile à «dominer». Tant que ce processus restera inchangé, leur colère défensive à l'égard des femmes les piégera, les isolera et leur rendra les choses de plus en plus difficiles. C'est pourquoi ils ne peuvent pas se fier à ces sentiments parce qu'ils les rendraient de plus en plus méfiants dans leurs relations avec les femmes.

Les réactions exagérées et déformées envers le sexe opposé

Les conditionnements polarisés génèrent des déformations défensives dans la perception du sexe opposé et des sentiments auxquels il ne faudrait pas se fier.

Les besoins urgents et primaires d'intimité provenant de l'intériorisation féminine amènent les femmes à voir les hommes beaucoup plus distants et fermés qu'ils ne le sont en réalité, de même que la «peur de l'intimité» amène les hommes à voir les femmes beaucoup plus étouffantes, contraignantes et exigeantes qu'elles ne le sont réellement. Si les défenses féminines de la femme sont importantes, l'extériorisation de l'homme créera, en partie, le «vide» qui amplifiera et favorisera ses besoins.

Il la sent étouffante, elle le sent distant sans que ni l'un ni l'autre reconnaisse que ce sont leurs processus respectifs qui exagèrent la réponse qu'ils reçoivent; ces réactions mutuelles sont des réactions de défense trompeuses qui les enfoncent et les piègent dans leur erreur.

En général, les défenses polarisées de chaque sexe produisent les effets suivants: en raison de son agressivité réprimée, la femme considère les hommes comme plus dangereux, plus hostiles et plus coléreux qu'ils ne le sont; l'homme, en raison de sa peur réprimée et de son agressivité exagérée voit la femme plus fragile qu'elle ne l'est et il devient défensivement protecteur, livrant les batailles que la femme peut très bien livrer elle-même et qu'elle ne veut d'ailleurs pas vraiment qu'il livre pour elle. De plus, sa perception exagérée de la vulnérabilité et de la fragilité de la femme l'oblige également à cacher ses «sentiments véritables» de peur de l'«écraser».

La sexualité réprimée de la femme oblige celle-ci à blâmer l'homme pour son obsession sexuelle et son manque de maîtrise dans ce domaine; tout comme la sensualité réprimée de l'homme oblige celui-ci à réagir avec irritation à ses demandes «d'étreintes et de caresses».

L'autonomie réprimée de l'homme fait que la femme le considère comme beaucoup plus indépendant qu'il ne l'est en réalité et que l'homme réagit de façon excessive au désir d'intimité de la femme qu'il considère comme infantile.

L'autonomie réprimée de la femme et la soumission réprimée de l'homme obligent la femme à se dire: «Il veut toujours me dominer», tandis que l'homme éprouve du ressentiment parce qu'il doit toujours prendre les décisions.

Tout ceci crée et renforce les conjectures mutuelles d'autosatisfaction de leurs processus de défense. Chaque sexe génère et favorise les réponses qu'il abhorre et accuse ensuite l'autre; cela conduit inévitablement et malheureusement les sexes à un degré extrême d'éloignement et d'hostilité.

Les sentiments intéressés déguisés à l'égard de l'autre sexe

Les sentiments intéressés déguisés amènent autant les hommes que les femmes à éprouver pour l'autre quelque chose qui, en fait, n'est qu'au service de leurs propres besoins.

Par exemple, la femme ressent de la compassion, de l'intérêt et le désir d'éduquer l'homme alors que ce n'est pas ce qu'il attend d'elle. Elle lui donne donc une chose dont il n'a pas besoin et accorde de l'importance à ce geste mais, en fait, elle ne comble que ses propres désirs, non ceux de son partenaire. Et ensuite, elle est furieuse et blessée par son manque d'enthousiasme ou parce qu'il n'apprécie pas ce qu'elle fait. Mais comment pourrait-il apprécier une chose qu'il ne désire pas et qui parfois même lui inspire de la répugnance?

Il attend plutôt d'elle de la compassion et de la compréhension pour ses «vilains sentiments» tels que colère, ennui et attirance sexuelle pour les autres femmes, chose qu'elle ne lui donnera pas. Elle sera compatissante pour ce qui comble ses propres besoins et non pas ceux de son compagnon.

Quant à lui, il a des instincts protecteurs, il veut «l'aider» et «être à ses côtés»; il croit qu'il le fait pour elle mais, en fait, ses actes n'ont d'autre but que de satisfaire ses propres objectifs défensifs. Et lui aussi, il est blessé par ses réactions négatives. Elle voulait peut-être tout autre chose, mais il n'a pas su comprendre ses désirs parce que cela ne servait pas les siens.

Elle passe des heures à préparer un repas dont il n'a pas envie, mais qu'il se sent obligé d'apprécier. Lui travaille énormément «pour elle», alors qu'elle préférerait le voir plus souvent à la maison. Ou il essaie de la stimuler sexuellement, mais il n'arrive qu'à lui donner le sentiment d'être contrainte. Elle répond à ses désirs à lui et non aux siens.

Leurs conditionnements traditionnels incitent les hommes et les femmes à donner ce qui ne leur est pas demandé, à ne pas interpréter correctement les désirs de l'autre et à ne pas donner ce qui est souhaité. Les sentiments narcissiques sont déguisés en sentiments «attentionnés». Les sentiments qui poussent à vouloir offrir à l'autre une chose qu'il n'a pas souhaitée ou dont le besoin réel n'a pas été vérifié ne sont pas fiables. Ce sont des sentiments défensifs intéressés et, par conséquent, ils n'entraînent que souffrances et incompréhension.

En résumé, «montrer ses sentiments», dire simplement «c'est mon sentiment et je le revendique» n'est pas suffisant et peut même se révéler facilement destructeur, à plus forte raison si les sentiments «exprimés» sont des sous-produits du système défensif fondamental.

14

Nous pouvons envoyer un homme sur la Lune mais nous sommes incapables de mener à bien une relation. Analyse d'un cliché trompeur

Le Dr Ford est partisan de donner la priorité aux relations positives dans le but d'améliorer la qualité de la vie en société. Ceci en dépit du fait qu'elle a elle-même vécu deux divorces difficiles avec des hommes dont elle ne veut même plus mentionner les noms, et qu'elle a eu une série de jeunes amants dont elle se débarrassait dès qu'ils devenaient dépendants ou possessifs. («Pourquoi ne pourrais-je pas vivre avec les mêmes prérogatives que les hommes? Des relations sexuelles satisfaisantes, sans aucun engagement ni contrainte», confiait-elle à un de ses amis.)

Le Dr Ford a tenu ce discours plein d'émotion à un groupe de sept cents personnes membres d'une église unitarienne: «Si nous dépensions un dixième de l'énergie et deux pour cent de l'argent consacré à l'exploration de l'espace et à l'armement pour les investir dans le l'exploration de l'espace et à l'armement pour les investir dans le commerce des relations humaines — communication, intimité et rapports affectifs —, nous pourrions transformer notre monde d'aujourd'hui en un nouveau paradis terrestre. Je suis furieuse en pensant à tout ce temps et à tout cet argent gaspillé par notre société pour des mauvaises causes, comme la guerre, la drogue, la maladie, le crime, alors qu'une demande de subvention de 30 000 dollars auprès du gouvernement pour aider la recherche sur l'amour ou pour mettre sur pied un programme destiné à conseiller les jeunes mariés et les futurs parents est tournée en ridicule ou simplement ignorée. Cela me fait grimper aux murs. Que faut-il donc faire pour que ces politiciens paranoïaques et cyniques comprennent que, pour changer le cours des choses, il faut attirer l'attention sur elles. La vie est ce que nous choisissons d'en faire. Et je pense qu'il est temps de choisir la chaleur et l'engagement humain plutôt que la technologie et le pouvoir. Si nous arrivons à envoyer un homme sur la Lune, nous pouvons certainement apprendre à mener et à améliorer les relations personnelles.»

Le cliché auquel nous avons ici affaire est une sorte de complainte, exprimée en différentes variations sur l'idée que si nous pouvons envoyer un homme sur la Lune, nous devrions être capables de conduire une relation et il rappelle la notion pseudo-psychologique couramment répandue selon laquelle les relations fonctionnent d'après les mécanismes simples de l'intensité et de l'effort. L'idée sous-jacente est en résumé celle-ci: si nous sommes intelligents au point de pouvoir pénétrer les mystères de l'univers par la conquête de l'espace, nous pouvons certainement, en appliquant une énergie et une volonté égales aux rapports humains, améliorer énormément les relations entre les individus.

Cette déclaration peut également être considérée comme étant faite contre les «priorités» de l'homme. Quel est le sexe qui, traditionnellement, réagit d'une manière mécanique et refuse de se concentrer sur la relation? Le sexe mâle. Par conséquent, il conviendrait de dire: «Si seulement les hommes le désiraient réellement, ils pourraient se consacrer à l'amélioration du mariage et de la famille et le monde serait autrement plus agréable.»

C'est une idée séduisante mais trompeuse. Elle néglige les dynamiques de la masculinité qui structurent le conditionnement des hommes et qui rendent possible d'envoyer un homme sur la Lune. Cela étant, le même processus défensif qui permet aux hommes de se concentrer et de faire preuve de génie dans le domaine de la technologie les déconnecte inconsciemment de l'aspect personnel de la vie et des relations humaines et les rend «incompétents» dans ce domaine.

Ce cliché est également trompeur car il suggère que le succès des relations est une question de désir et d'efforts conscients. Nous entendons souvent dire que ce qu'il y a de plus important au monde, ce sont les gens; alors pourquoi ne leur donnons-nous pas la priorité? La conclusion fausse que l'on en tire habituellement est un commentaire très triste pour le genre humain puisqu'il semblerait que «les objets sont devenus plus importants que les hommes».

Mais les hommes ne choisissent pas de donner la priorité à la technologie. Pas plus qu'ils ne choisissent de la donner au travail même si, a priori, on pourrait le croire.

La réalité psychologique profonde, pour les hommes et pour la masculinité, est que s'unir intimement est inconsciemment menaçant, frustrant et insatisfaisant et que, dans la relation polarisée homme-femme ainsi que dans la famille traditionnelle, l'homme *ne peut pas changer* par un simple effet de volonté, même s'il le désire, ce qui d'ailleurs est souvent le cas.

En outre, s'il ne réussit pas de performances en tant qu'«homme» et s'il n'est pas capable de réalisations technologiques, il ne sera pas bien dans sa peau et n'attirera pas les femmes. L'attirance qui existe entre une femme et un homme traditionnels ou polarisés repose sur le fait que l'homme incarne les capacités masculines et la femme les capacités féminines. Un homme n'arrivera pas à prolonger une relation s'il se méprise ou s'il se perçoit et est perçu par sa femme comme un raté, ce qui a lieu quand les hommes perdent leurs aptitudes masculines.

Envoyer un homme sur la Lune est en fait le symbole de la poursuite masculine d'objectifs extériorisés qui valorisent les hommes auprès de leurs pairs et les rendent séduisants aux yeux des femmes. Mais le conditionnement défensif qui rend l'homme obsédé par ses objectifs et l'accomplissement de ceux-ci est le processus profond qui affaiblit ou élimine entièrement ses aptitudes à une relation émotionnelle. Son conditionnement masculin l'oblige à s'extérioriser et l'isole, chargeant ainsi sa vie intime d'anxiété et d'inconfort, alors que lorsqu'il se concentre sur des objets ou des buts «impersonnels» et sur des abstractions qui lui sont étrangères, il connaît une diminution de son anxiété, une satisfaction et la sensation «d'être un homme».

Les éléments de la masculinité qui le rendent attirant «suivant les critères romantiques» et qui lui donnent les caractéristiques de la virilité (ambition, productivité, agressivité, esprit de décision, logique, autonomie, etc.) se développent *au prix de son intériorisation ou de son aptitude à établir une relation de personne à personne*. En d'autres mots, plus il est viril, moins il est capable de s'investir dans une relation, qu'il le veuille ou non. Les hommes machos qui *essaient* de communiquer entre eux de façon personnelle et qui, inévitablement se heurtent à leurs barrières défensives, sont profondément conscients de cette impossibilité.

En fonction de l'importance de son conditionnement masculin, l'homme ne se rapproche pas des autres en tant que personne vers une autre personne. Les féministes déclarent que les hommes ne considèrent pas les femmes en tant que personnes mais en tant qu'objets destinés à la satisfaction de leurs besoins. Ce qui est vrai parce qu'en raison de son conditionnement masculin un homme côtoie généralement les gens, hommes ou femmes, d'une manière mécanique, extériorisée, parce qu'il n'est pas en contact avec son moi intérieur qui a été réprimé par ce conditionnement. Pour reprendre contact avec cette partie enfouie de lui-même, il lui faudrait abandonner sa sensation «d'être un homme»; par conséquent, il évite inconsciemment de le faire.

Les femmes sont des objets, des possessions dont il use inconsciemment (il *pense* qu'il s'unit et aime) et qui, en échange, le manipulent. Les autres hommes sont des rivaux ou des alliés dans l'accomplissement de ses objectifs. Les enfants, s'ils sont les siens, sont des prolongements de son ego. Son extériorisation génère son isolement et l'angoisse qui en découle; il a donc besoin de contacts extérieurs, mais son processus l'empêche même de se rapprocher de sa famille d'une manière authentiquement personnelle. C'est une relation d'objet à objet. Il peut faire beaucoup de choses avec eux et pour eux, mais il ne peut pas être avec eux à cause de ses défenses masculines ou du processus inconscient grâce auquel «il se sent un homme».

La femme féminine ne voit pas non plus l'homme en temps que personne. Elle n'est pas non plus à même de lui accorder un intérêt authentique car, en raison de l'importance de sa féminité, elle a peur, résiste à l'extériorisation et compte sur lui pour compenser ses peurs. Il devient l'objet qui satisfait ses besoins et, comme il n'est pas capable de lui donner ce qu'elle demande et qu'il ne désire pas «prendre soin d'elle», elle est furieuse ou se désintéresse de lui.

Elle croit qu'elle désire de l'amour, de l'intimité, des contacts et du dialogue, mais en fait elle «l'utilise» comme lui «l'utilise». En outre, elle veut de l'intimité avec un homme qui, de par son extériorisation masculine, ne peut pas lui en donner.

La relation entre l'homme masculin et la femme féminine n'est pas une relation entre deux individus; c'est pour cela qu'elle est fragile, explosive et facile à détruire. Quand elle lui dit: «Tu mets beaucoup d'énergie dans ton travail et dans l'accomplissement de tes objectifs égoïstes; pourquoi n'en consacrerais-tu pas davantage à notre relation pour l'améliorer?», c'est une erreur et une illusion car *il ne peut pas le faire.* C'est la même chose quand il lui dit: «Tu réussis si bien dans tes relations avec les gens, pourquoi ne montes-tu pas une affaire ou ne mets-tu pas au point une nouvelle pièce d'équipement mécanique sophistiquée?» Suivant l'importance de sa féminité et de son intériorisation, la femme se défendra énergiquement.

De même, nous entendons souvent les épouses de médecins dire à leurs maris: «Tu t'occupes tellement bien de tes patients et tu leur consacres tant de temps. Ne peux-tu en faire autant pour ta famille?» Croire que s'il le fait dans un cas il peut le faire dans l'autre procède toujours de la même illusion.

Inconsciemment, un médecin ne considère pas ses patients comme des êtres humains. Ils sont des objets ou des prolongements de son ego. Il peut les dominer comme des objets et c'est ce qu'il fait, nonobstant sa «gentillesse». S'il ne peut plus les dominer, il ne les suivra plus ou bien ils partiront d'eux-mêmes, frustrés par ce manque de communication. Les patients ne demandent pas d'intimité à leur médecin. À leurs yeux, celui-ci est un objet, un symbole sur lequel ils peuvent fantasmer mais dont ils voient rarement ou même jamais la réalité. Ils se sentiraient probablement déçus et menacés s'ils savaient quelle distance il y a entre son image et sa personnalité réelle.

Dans sa vie personnelle, on lui demande de bien vouloir agir comme il le fait dans son travail où il semble capable d'attention personnelle, d'engagement et de dévouement. C'est, cependant, une illusion car les qualités professionnelles sont très différentes de celles qui sont requises par une liaison personnelle authentique. En effet, ce qui motive et permet à un médecin de devenir un grand chirurgien, par exemple, le fait s'extérioriser au point qu'il en devient mécanique dans ses échanges personnels. Il peut se lier intellectuellement ou avoir des rapports constructifs avec les gens, mais sûrement pas de la façon envisagée par les femmes quand elles parlent d'«intimité», d'«ouverture» et de «rapprochement». Cela frustre et, finalement, enrage sa partenaire qui était auparavant «dévouée» et «en adoration devant lui» et qui croit qu'il se ferme délibérément et égoïstement. Elle l'a choisi pour l'image qu'il projetait beaucoup plus que pour sa réalité, mais elle ressent des frustrations énormes en raison de l'absence d'intimité et de fusion et parce qu'il ne peut pas la satisfaire. Les épouses de médecins sont bien connues pour les colères et les souffrances qu'elles éprouvent au cours de leur mariage.

De même la femme d'un pasteur peut dire à celui-ci: «Tu aimes les gens et l'humanité. Pourquoi es-tu si indifférent et froid à la maison avec ta famille?» Du haut de sa chaire, il communique très bien avec ses ouailles, mais il semble incapable d'établir des relations personnelles et d'être patient avec sa famille, alors que celle-ci, se référant à ses qualités professionnelles, croit qu'il en serait capable si seulement il le voulait.

L'incapacité de ces hommes d'être proches de leur famille et engagés envers celle-ci alors qu'ils semblent l'être avec «n'importe qui» n'est pas de la mauvaise volonté ni un manque de discernement. Ces deux attitudes sont psychologiquement différentes et s'opposent. Même si un homme a l'air de s'impliquer, quand il travaille, les gens à qui il a affaire sont des objets qu'il peut dominer et maintenir à une distance confortable. Il se cache derrière le rôle qu'il joue et ne paie pas de sa personne même s'il en a l'air du fait qu'il semble tellement présent.

Il existe beaucoup de «grands hommes» — poètes, scientifiques, professeurs, philosophes, missionnaires ou médecins — dont les travaux sont hautement humanitaires alors que leur vie privée est un vrai fiasco: leurs femmes sont dépressives, elles font des tentatives de suicide, leurs enfants sont perturbés à différents degrés, drogués peut-être ou simplement non productifs.

En fait, il y a très souvent une corrélation inverse entre la compétence d'un homme et ses succès dans sa vie professionnelle et son incompétence dans sa vie privée. Il peut faire d'énormes efforts, et il en fait, jusqu'à ce qu'il abandonne cette impossible quête; il y a un mur invisible qui l'empêche d'être efficace dans sa vie «privée» et il n'arrive pas à le franchir. De même une femme féminine peut être intensément et profondément liée aux aspects personnels de sa vie, mais elle détruit sa capacité de se fixer des objectifs, de s'impliquer dans un travail extérieur, d'établir des relations abstraites et de jouer le jeu des pouvoirs.

Étant donné que la création d'une bonne relation est une idée abstraite, elle semble souvent n'être qu'une question de bonne volonté, de temps et d'efforts — quelque chose qui devrait être atteint facilement par ceux qui le veulent «réellement» et agissent en conséquence. Comparativement au fait d'envoyer un homme sur la Lune, créer une «bonne» relation semblerait un problème très simple pour toute personne saine.

Le fantasme du «meilleur des deux mondes»

Ce que nous voulons *réellement* dire quand nous parlons de la nécessité pour un homme de faire de la relation une priorité, c'est que nous aimerions prendre le meilleur des deux mondes: préserver les qualités de l'homme créatif et dévoué à la technologie tout en lui adjoignant une compétence égale dans les relations. *En fait, la structure psychologique qui favorise les unes annihile les autres.*

Le goût pour le perfectionnement technologique qui émane de la masculinité est lié au fait que l'homme est déconnecté inconsciemment du monde des rapports personnels. L'homme consciencieux, le scientifique ou l'ingénieur créatif est capable, par exemple, de passer des jours et même des semaines à poursuivre tranquillement ses travaux dans un laboratoire ou derrière un ordinateur sans ressentir la moindre souffrance ou frustration (encore qu'il puisse se sentir coupable). Il travaille à atteindre le but de ses recherches sans être tiraillé par le besoin de contacts «intimes». La seule chose dont il peut avoir besoin, c'est de se soulager sur le plan sexuel ou de savoir que sa femme et ses enfants l'attendent toujours. En fait, il est bien plus tranquille quand il est seul. *Son aptitude à se préoccuper de buts extérieurs et impersonnels est proportionnelle à l'inconfort que lui procurent les échanges personnels qu'inconsciemment il évite.*

Un exemple du détachement inconscient de la masculinité nous a été donné lors d'un récent documentaire télévisé sur les robots. Le scientifique interviewé a fait cette déclaration incroyable et très révélatrice: «Les robots sont nos enfants.» Cela dévoile son inconscient car, à un niveau plus profond, c'est exactement ainsi qu'il ressent ses créations mécaniques — comme si elles étaient vivantes et le prolongeaient. On retrouve le même phénomène chez les nombreux hommes qui s'attachent passionnément à leur voiture, à leur bateau ou à leur ordinateur et sont impatients et mal à l'aise quand on essaie de leur faire prendre part à des conversations personnelles ou à des échanges familiaux. Pour ce scientifique, les robots sont probablement préférables à des enfants réels parce qu'il les domine et qu'ils ne lui demandent rien.

Le fantasme du meilleur des deux mondes — le fait de croire que vous pouvez bénéficier de toutes les récompenses de l'extériorisation (la fortune, le pouvoir, les symboles du succès, etc.) et en même temps d'un univers personnel qui met l'accent sur l'humanité, l'écologie, etc. — est peut-être la plus grande, la plus trompeuse et la plus désastreuse des illusions contemporaines. Cela peut être encore plus pénible pour les hommes et les femmes perfectionnistes qui croient que cette illusion peut devenir réalité s'ils y travaillent suffisamment. Ils s'aigrissent, s'épuisent et se détruisent à essayer de réaliser ce fantasme.

En fait, de nombreuses femmes «libérées» connaissent aujourd'hui la souffrance et le prix de cette illusion. Elles ont réussi leur vie professionnelle mais sur le plan personnel elles vivent dans une confusion douloureuse. Elles ont cru qu'il suffisait de poser un choix con-scient et que leurs priorités précédentes étaient déformées. Le processus défensif qui leur a permis de s'extérioriser et de réussir une vie professionnelle, comme les hommes, a rendu leurs expériences personnelles et leurs relations fragiles, douloureuses et conflictuelles, comme elles l'ont toujours été pour les hommes masculins.

Les nombreux hommes qui tentent de jouer le rôle du nouveau Superman — hommes d'affaires talentueux, bons maris et bons pères de famille —, sont également victimes du fantasme du «meilleur des deux mondes» et ils se fatiguent et s'usent à force d'essayer d'y parvenir. *Atteindre parallèlement une intériorisation et une extériorisation accomplies en même temps est une impossibilité psychologique parce que l'existence de l'une est proportionnelle à l'inexistence de l'autre. Vous ne pouvez pas cumuler le meilleur des deux mondes. Vous pouvez seulement manœuvrer pour vous donner l'illusion éphémère de le posséder.*

Au fur et à mesure que nous nous extériorisons, les habilités mécaniques deviennent impressionnantes, mais à condition que nous en payions le prix. Dans la médecine de pointe, par exemple, la déconnexion et l'extériorisation sont illustrées par la mise au point récente des cœurs artificiels et des traitements médicaux technologiques hautement sophistiqués qui encouragent, une fois encore, le fantasme du meilleur des deux mondes. C'est un fantasme parce que le même processus qui nous permet de créer ces organes artificiels et ces traitements nous a déconnectés de notre propre corps et a handicapé nos aptitudes à répondre naturellement et instinctivement à notre moi physique. Tout ceci crée la maladie qui sera ensuite guérie par les appareils qui vont être inventés. *Le processus qui crée les «soins» est le même que celui qui crée la maladie.* C'est pourquoi, la «promesse» se dérobe toujours à nous.

La magie technologique moderne a une face cachée composée d'une myriade de problèmes physiques et émotionnels qui découlent de la déconnexion favorisant cette magie. Les femmes y contribuent indirectement puisque leur féminité intériorisée pousse, inconsciemment, les hommes à s'extérioriser et à être obsédés par leurs objectifs. *Les hommes et les femmes ensemble (et pas seulement les hommes) favorisent la fragilité des rapports humains.*

Une obsession du travail émerge de l'inconscient masculin et n'a quasiment rien à voir avec une productivité significative. Cette ergomanie est destinée à réduire l'anxiété, à isoler l'homme et à valider son ego, mais elle *n'est pas* au service de *la vie* ni de la société. Le mâle obsédé par le succès est aux prises avec l'obsession production-réussite. Le travail n'est pas du travail en lui-même, c'est un moyen d'échapper à l'intériorisation et de valider son ego.

De même, l'aptitude et la préoccupation féminine pour «l'amour» et les relations n'a pas grand-chose à voir avec l'amour non plus. Cet «amour» est plutôt au service de l'intériorisation, de la peur et de la résistance au monde extérieur de la femme, et la relation au service d'une diminution d'anxiété et de la satisfaction des besoins défensifs. *L'obsession de la relation chez la femme est motivée par son système de défense, comme l'obsession de la productivité l'est chez l'homme.*

Plus l'homme est extériorisé, plus il traite les gens comme des objets, plus il est obsédé par le travail et par ses objectifs, plus ses succès seront faciles dans le monde extérieur et impossibles à atteindre dans ses relations personnelles. De même, plus la femme est intériorisée en réponse à son conditionnement féminin, plus son obsession de la relation sera compulsive et incontrôlable; elle est «trop amoureuse» d'une façon défensive et son fonctionnement extérieur est faible.

L'obsession défensive d'«amour» de la femme est-elle meilleure que l'inaptitude de l'homme pour les rapports personnels? L'obsession féminine des rapports personnels ne lui fait-elle pas dépasser les limites de son rôle, ne se rend-elle pas malade de rage contre l'homme qui la frustre et qu'elle trouve insensible?

À l'heure qu'il est, nous ne savons même pas ce qu'est une bonne relation. Des tentatives conscientes ont été réalisées en vue de le comprendre, mais elles n'ont donné aucun résultat probant. Personne n'a certainement accordé une priorité plus grande aux relations humaines que les psychologues, les psychanalystes et les thérapeutes en général. Hélas, ils n'ont pas connu plus de succès dans leurs relations personnelles ou dans leur famille que les autres. De nombreux professionnels de la santé mentale se sont consacrés aux relations humaines; ils ont voulu trouver comment libérer la communication entre eux et leurs partenaires, mais leurs compétences n'ont pas suffi. *Nous connaissons l'image, l'idéal de ce que devrait être une bonne relation, mais sa réalité nous échappe.*

Une relation ne naît pas d'une décision consciente. Vous ne pouvez pas décider, par une simple modification intellectuelle d'opinion et de compréhension, de donner la priorité à la relation. Mais vous pouvez décider de travailler sur l'équilibre des processus, ce qui rendra les hommes et les femmes moins défensivement masculins ou féminins. *Voilà le défi et l'espoir.*

Dire à un homme: «Si vous pouvez réussir parfaitement ces choses mécaniques, vous pourriez consacrer plus de temps et d'efforts à votre relation», c'est l'obliger à accepter une illusion trompeuse, obsédante qui le rendra «fou» s'il la cautionne et «essaie» d'y arriver. Il finira par se haïr plus encore si ses efforts ne sont pas fructueux. *Ce ne sont ni ses intentions ni ses «priorités» qui déterminent les limites de sa capacité d'entretenir des rapports personnels, c'est son processus intérieur et l'importance de son système de défense masculin.*

15

L'autodestruction masculine: une tragédie qui continue

Jim Tyrer était un maître dans sa spécialité. Son rôle était d'ouvrir le chemin aux demis offensifs de son équipe et de protéger son quart arrière. La carrière sportive de Jim a duré plus de dix années au cours desquelles il fut maintes fois sélectionné pour représenter les Chiefs de Kansas City à titre de bloqueur offensif au match annuel des Étoiles. «Jim est le prototype du modèle masculin qu'on retrouve dans les catalogues de mode sportive», disait son entraîneur.

Quand sa carrière de footballeur se termina, Jim resta un travailleur très motivé et un citoyen actif dans sa communauté. Hélas, quelques-unes de ses entreprises échouèrent et il se retrouva lourdement endetté.

«Comment vas-tu, Jim?» lui avait demandé la secrétaire de son entraîneur la veille du jour où ce père de quatre enfants s'était suicidé après avoir tué sa femme. Il venait d'assister, avec son plus jeune fils, à une rencontre entre l'équipe de Kansas City et celle de Seattle. «Très bien», avait-il répondu en souriant.

Cette nuit-là, Jim, quarante et un ans, avait «décidé» qu'il ne pouvait pas supporter ses échecs et que «sa vie ne valait plus la peine d'être vécue». Les corps furent trouvés dans une des chambres à coucher de sa maison[1].

Quant à James Peres, il exposa de la manière la plus dramatique qui soit ce qu'est le noyau de la masculinité: autodestruction et haine de soi. En 1980, il était l'un des cinq finalistes d'une épreuve de rodéo sur cheval mécanique. James perdit le concours. Et après que l'on eut annoncé le nom du gagnant, il dit à sa petite amie qui l'accompagnait: «Tu ne m'aimes plus puisque j'ai perdu.» Et il se tua[2].

Et puis ce fut le tour de Ronald Miller, ex-marine recyclé dans le bâtiment qui paya de sa vie, à vingt-trois ans, son acharnement auto-destructeur macho. Lors du premier concours annuel de l'homme le plus résistant de Pennsylvanie, il affronta un adversaire de 113 kg alors qu'il n'en pesait que 75. La fin de l'épreuve fut dramatique et il succomba à de multiples blessures à la tête[3].

Vic Ayvazian, lui aussi, fut victime de l'acharnement autodestruc-teur macho. À La Verne, en Californie, lors d'un concours organisé par le Bar de la dernière chance, il se mesura avec un souleveur de poids. Quarante-sept jours après sa défaite, il mourut dans un centre hospitalier sans avoir repris connaissance[4].

À l'extrémité du continuum défensif des sexes, dans l'inconscient masculin, existe un potentiel autodestructeur «psychotique» et explo-sif qui peut se traduire en épisodes destructeurs irrationnels. Le processus profond menaçant de la masculinité peut être exposé par un événement fortuit qui provoque un aveuglement passager et une explo-sion de folie incontrôlable. Si un homme masculin traditionnel est soumis à un certain nombre d'incidents créateurs de stress, son poten-tiel psychotique peut se manifester. Celui-ci est particulièrement fort chez ceux qui ne soupçonnent pas l'existence de leurs processus profonds inconscients.

Étant donné que les processus défensifs qui structurent le condi-tionnement de l'homme font partie intégrante de celui-ci — à tel point qu'ils sont «invisibles» — et qu'on les considère comme naturels puis-qu'ils créent la sensation de «virilité», la «folie» d'un comportement est rarement mise en lumière ou analysée. Nous sommes désolés pour des hommes comme Jim Tyrer, James Peres et Vic Ayvazian, tout en étant convaincus qu'ils sont des cas extrêmes. Néanmoins, ces «expressions» spontanées du processus profond des hommes tradition-nels peuvent nous éclairer sur la «structure» qui est une partie perma-nente, fondamentale de tous les hommes conditionnés de manière traditionnelle.

Ces épisodes de «folie temporaire» occultent ce schéma intérieur tabou et permettent à un homme d'éviter d'avoir à négocier avec des impulsions et des sentiments tels que la peur, l'échec, les désirs sexuels inavouables, la faiblesse, les «sentiments» féminins, l'envie de soumission ou la dépendance excessive. Un événement réveille un ou plusieurs de ces sentiments ou désirs refoulés et déclenche ainsi le mécanisme destructeur.

Tous les récits de ce chapitre proviennent d'articles parus dans la presse. Chacun de ces événements souligne le potentiel autodestructeur masculin.

La toute-puissance masculine et la peur de reconnaître que l'on a peur

Dans les airs

Il existe chez les hommes une équation inconsciente entre «abandonner la partie», admettre son «ignorance» ou son incertitude, et le manque de virilité. L'accident du vol PSA182 a coûté la vie à cent quarante-quatre passagers; c'est le plus grand désastre aérien qui ait eu lieu à ce jour aux États-Unis. Selon le récit paru en première page du Los Angeles Times, les membres de l'équipage n'auraient jamais dit aux contrôleurs aériens qu'ils avaient perdu de vue le Cessna dont on venait de leur signaler la présence juste devant eux. Toujours d'après ce compte rendu, ils auraient dit au personnel de surveillance du trafic aérien qu'ils *pensaient savoir* où se trouvait le Cessna alors que les cinq hommes de l'équipage cherchaient à le localiser quand les deux avions sont entrés en collision.

En fait, le pilote aurait signalé aux contrôleurs qu'il «avait un avion dans son champ aérien» et qu'il «maintenait la distance qui les séparait». À partir de ce moment-là, la responsabilité de préserver une distance de sécurité entre les deux avions passa du contrôleur au pilote. Alors que la distance entre les deux avions diminuait, moins d'une minute avant la collision, la tour de contrôle Lindbergh ne recevait que des réponses imprécises et confuses du pilote qui semblait avoir perdu plus ou moins de vue le Cessna. Néanmoins le contrôleur n'était pas pressé de repérer l'avion parce que, selon lui, le pilote «n'avait pas l'air inquiet [5]».

La conversation enregistrée entre le commandant de bord et le premier officier du jet Air Florida qui s'est écrasé dans le Potomac près de l'aéroport international de Washington était elle aussi une démonstration révélatrice et frappante des systèmes de défenses masculins inconscients. Une demi-heure avant que le vol 90 ne vînt gonfler les statistiques des accidents tragiques, le premier officier se montra passablement inquiet et demanda au commandant de bord: « Voulez-vous que j'avertisse le sol que nous avons des petits problèmes?» L'avion avait été dégivré mais il était redevenu «très lourd». La bande reste muette pendant vingt-cinq secondes; le premier officier, qui ne voulait probablement pas laisser paraître sa nervosité, minimisait le problème. «Il fait 25° F (moins 4° C). Il ne fait pas trop froid», dit-il. Le capitaine surenchérit: «Non, il ne fait pas vraiment froid.» Essayaient-ils tous les deux de se montrer insouciants?

L'enregistrement continue et nous entendons le premier officier faire des commentaires sur un autre avion qui se préparait à atterrir. «Regarde la glace qui pend derrière, là, derrière. Tu la vois?»

Le commandant de bord avait envisagé la possibilité de problèmes techniques puisque, vingt minutes avant le décollage, il avait proposé: «Retournons au hangar pour faire dégivrer l'avion.» Le premier officier était d'accord avec lui. C'est alors qu'une hôtesse de l'air était entrée dans le poste de pilotage. Apparemment elle avait créé une diversion puisqu'ils avaient changé de sujet et s'étaient mis à bavarder à bâtons rompus. Elle avait déclaré: «J'aime beaucoup les traces nettes que font les pneus dans la neige.» Le premier officier avait répondu: «Oui, c'est marrant.» Mais il ne pensait pas vraiment ce qu'il disait puisque deux minutes avant il maudissait ce temps de chien.

Quinze minutes plus tard, le pilote remarquait que la couche de glace s'était encore épaissie. Il déclara: «Mes enfants, c'est une bataille perdue d'avance. J'essaie de dégivrer ces trucs... Je n'aime vraiment pas voler avec toute cette glace autour de l'appareil.»

La tour de contrôle lui donna l'autorisation de se présenter sur la piste de décollage et de se tenir prêt. Il n'était pas encore trop tard, le premier officier dit au commandant: «La piste est couverte de neige fondante. Voulez-vous que je fasse quelque chose ou vous y allez comme ça?» Le pilote expliqua qu'il lèverait la roue avant plus tôt et «laisserait décoller». «Je lui ferai prendre un angle de 1,5 au lieu de 1,6. Cela dépendra de notre trouille.» Et ils se mirent à rire.

C'était leur dernier rire. L'avion a décollé à 15 h 50 et cette entreprise qu'ils n'auraient jamais dû tenter s'est terminée à 16 h 01[6].

Sur terre

Lors des neuf cents accidents de moto survenus dans la région de Los Angeles et étudiés par un spécialiste de la sécurité routière de l'Université du Sud de la Californie, 78 p. 100 des motocyclistes tués ne portaient pas de casques. Les statistiques dressées au début de l'année 1980, après l'abrogation de la loi rendant le port du casque obligatoire, ont établi que le taux de mortalité dans les accidents de moto a augmenté de 46 p. 100.

Malgré que les motocyclistes savent qu'ils triplent le risque de se tuer en ne portant pas de casques et qu'ils multiplient par deux ou même par quatre les risques de fractures du crâne, on continue à voir ces jeunes gens, tête nue, parcourir les routes à grande vitesse. Ils jouent avec la mort, leur vie ne dépendant que d'une voiture, d'une tache d'huile, d'un moment d'inattention ou d'un coup de volant sadique d'un conducteur automobile. Ces réalités ne semblent pourtant pas avoir un grand impact sur les nombreux «machos» qui continuent à rouler sans protection[7].

Les machos désespérés

Qui donc a manqué de conscience et de discernement dans le cas de Dorothy Stratten, playmate de l'année du magazine *Playboy* en 1980? Le mari manipulateur poussé dans ses derniers retranchements donna le signal de départ de cette tragédie en « se servant» de Dorothy alors qu'il semblait la dominer totalement. Au début, il était le «maître» et avait fini par devenir désespérément dépendant d'elle; il ne se contrôlait plus, à tel point que la mort lui semblait préférable à une vie sans son «sujet», sa «propriété» et en compagnie de son ego macho vaincu.

Il y avait aussi Peter Bogdanovitch, le talentueux et raffiné directeur de Dorothy qui n'avait pas été assez intelligent pour comprendre les dangers qu'il courait en approchant de trop près la jeune et belle épouse d'un mari macho, possessif, dominateur et désespéré dont l'ego était entièrement dépendant de sa femme-enfant. Sa toute-puissance macho dut fausser son jugement quand, lors du tournage du film *They all laughed* et bien qu'il la sut mariée, il invita Dorothy à s'installer dans sa suite à l'hôtel. Le mari dangereux et jaloux n'était pas admis sur les lieux du tournage.

Le magazine de Hugh Hefner véhicule les fantasmes masculins alors que Hefner lui-même est un idéaliste romantique qui ne semble pas avoir réalisé la signification et l'impact de son produit qui favorise et nourrit les fantasmes de la psyché masculine pour l'«objet sexuel» distant, parfait, le symbole du paradis sur Terre. Il se considère comme un philosophe et un libérateur culturel. Les distorsions défensives alimentées par le magazine *Playboy* empêchent les hommes de développer une connaissance du sexe non défensive qui serait peut-être moins «excitante» mais faciliterait une perspective réaliste ainsi que l'élimination de dangereux aveuglements dans la poursuite d'illusions frustrantes et destructrices.

Apparemment, Hefner tint honorablement son rôle dans ce scénario tragique, jouant franc-jeu avec Dorothy Stratten et la traitant paternellement à l'intérieur de la famille *Playboy*. Les besoins irrationnels et les tendances autodestructrices des principaux interprètes de cette tragédie ne furent reconnues qu'au moment de son atroce conclusion[8].

On retrouve à peu près la même intrigue entre Howard «Buddy» Jacobson, Melanie Cain et John Tupper mais cette fois, elle se passe dans le monde brillant de la mode new-yorkaise. Melanie Cain avait fini ses études secondaires depuis cinq ans quand elle rencontra Jacobson, figure bien connue du monde des courses. Il la plaça à la tête de son agence de mannequins et on vit très rapidement la jeune femme dans les magazines *Vogue, McCall's* et *Redbook*.

Peu après, Melanie quitta Jacobson pour aller vivre avec son nouvel amant, John Tupper, trente-quatre ans, qui vivait au rez-de-chaussée du même immeuble. Quelque temps plus tard, le corps brûlé et battu de Tupper fut retrouvé dans le coffre d'une Cadillac conduite par Jacobson. Une fois de plus, le dominateur était devenu le dominé et un homme prétendument puissant, indépendant et invulnérable avait été amené par des besoins désespérés à une violence irrationnelle.

Lequel de ces hommes avait la psyché la plus perturbée? L'amant «tout-puissant» qui s'était installé avec Melanie dans le même immeuble que Jacobson et avait continué à vivre avec elle comme si de rien n'était alors qu'il connaissait l'obsession de Jacobson et savait qu'il le surveillait constamment de sa terrasse? Ou était-ce celle de Jacobson dont la puissance, la gloire et la fortune ne l'ont pas sauvé de la souffrance, de la perte de celle qu'il aimait et de la jalousie qui a étouffé et annihilé son jugement et donné lieu à cette explosion de rage défensive[9]?

Une autre explosion destructrice eut lieu en novembre 1980 lorsque Ronald Crumpley, ancien policier, fils d'un prédicateur et père de trois enfants, fit une attaque à main armée dans deux bars d'homosexuels à Greenwich Village. Cette agression fit deux morts et six blessés. Les démons inconscients de Crumpley avaient triomphé de sa raison. Son père, le révérend G. Grant Crumpley a déclaré à la presse: «Il m'avait dit qu'il haïssait les homosexuels. Cela l'obsédait[10].»

Choisir l'autodestruction plutôt que la mise à nu et la vulnérabilité

La police est le symbole du courage et de la force. Elle personnifie les grands fantasmes de la masculinité. La majorité des feuilletons télévisés sont des histoires policières.

En décembre 1983, le chef de police Willie Jordan, quarante et un ans, se tua en jouant à la roulette russe. Par respect pour le défunt, le coroner déclara que le coup était parti accidentellement. Cependant, d'après l'officier chez qui ce «jeu» avait eu lieu, Jordan était «fâché» et avait insisté pour jouer; le coroner ne donna pas les raisons de cette colère[11].

Une souffrance insupportable et le mépris de soi obligèrent également Paul Garrett, de la patrouille des autoroutes, à attenter à ses jours en mai 1983. La mort lui semblait une solution préférable à l'humiliation et à la vulnérabilité qu'il allait devoir affronter à la suite d'une accusation de brutalités envers un enfant. Il avait profondément honte de ternir l'image de la California Highway Patrol et il avait peur de perdre le respect de son père qu'il avait passé sa vie à essayer de satisfaire.

Sa sœur, Nancy, déclara par la suite: «Je ne sais pas ce que mon frère a fait mais je sais qu'il adorait les enfants. Depuis l'âge de treize ans, il avait toujours des enfants autour de lui... Paul n'a pas eu d'enfance, il a toujours dû se conduire comme un homme. Il ne pouvait pas pleurer ni montrer sa faiblesse...» La seule chose qu'il avait réussi à faire pour plaire à son père avait été de devenir policier. Nancy ajouta: «Il ne pouvait plus vivre après avoir perdu le respect de ses collègues.» L'officier des Affaires publiques, Merle Poppen, déclara: «Il était tellement engagé dans son boulot qu'il ne pouvait pas admettre son arrestation, même s'il savait qu'au bureau, tous resteraient ses amis[12].»

Johnnie Howe, cinquante-deux ans, travaillait dans le bâtiment en tant qu'artificier dans une petite ville au nord de San Francisco. Il était désespéré par la rupture de son mariage et réagit à cette grande souffrance par un geste pathétique typiquement macho. Un matin d'octobre 1980, devant sa femme, il se tira une balle dans la tête après avoir tué sa fille de quatorze ans de la même manière[13].

Edward Leonard, trente-neuf ans, était lui aussi brisé par son divorce. Il transforma la salle de bain de sa maison en chambre à gaz. Cet été de 1984, couché sur un lit de camp, il respira une combinaison mortelle de cyanure de potassium et d'acide. Son acte n'était certes pas impulsif; au contraire, il avait élaboré un plan complexe. Il avait installé une minuterie à l'interrupteur de la salle de bain et l'avait relié par un fil électrique à un petit récipient en plastique qui contenait les pilules de cyanure.

Il avait réglé la minuterie, s'était couché sur le lit de camp et au moment prévu, le courant électrique avait fait fondre le plastique du récipient de pilules; celles-ci étaient alors tombées dans un petit seau d'acide et leur dissolution avait produit un gaz mortel semblable à celui qui est utilisé pour les exécutions capitales[14].

Variations sur le même thème tragique

À Brooklyn, dans un petit restaurant, un homme de cinquante-quatre ans est mort pour avoir refusé de s'agenouiller. Cet homme est une victime de la tendance macho profonde de résister instinctivement à l'humiliation de la soumission. Il était l'un des six clients qui consommaient au Bar Jimmy quand trois jeunes délinquants y firent irruption pour vider la caisse. L'un d'eux, un revolver à la main, leur ordonna de s'agenouiller. «Je ne me mets à genoux devant personne», déclara l'homme et ce furent ses derniers mots. Le délinquant répondit à sa résistance en appuyant sur la gâchette de son revolver[15].

Un millionnaire de trente-deux ans, agent immobilier, fut accusé, en octobre 1984, d'avoir tué un motocycliste qui avait accroché sa Ferrari. Son besoin irrépressible de défendre un des symboles de son ego masculin avait motivé son geste. Ils s'étaient bagarré parce qu'une voiture de 70 000 dollars avait été endommagée. Le jury le jugea coupable d'un meurtre au second degré aggravé d'«indifférence perverse envers la vie humaine»[16].

À New York, un ancien pompier de soixante-douze ans plaida coupable pour le meurtre de sa femme. L'insatiabilité et la fragilité de l'ego masculin se manifestaient à nouveau. Pendant son procès, il dit au juge qu'il avait étranglé sa femme après qu'elle eut fait des commentaires désobligeants quant à ses prouesses sexuelles. Elle l'avait malencontreusement comparé à l'un de ses deux premiers maris[17].

La distorsion de l'union intime

L'anxiété et la résistance aux sentiments d'amour et d'affection sont intenses chez les jeunes hommes. Le système de défense masculin les oblige à craindre et à déformer leurs désirs d'intimité et d'affection. Dans le but de transformer leurs besoins d'amour afin de les rendre compatibles avec les normes «machos», ils arborent des comportements pathétiques et destructeurs.

Afin d'être à même d'«aimer» une femme, ils doivent d'abord la rendre irréelle, la mettre sur un piédestal et ensuite romancer leurs fantasmes. Quand ils essaient de se rapprocher d'autres hommes, ils vont très souvent à l'opposé de leurs besoins et, au lieu de se rapprocher, ils les insultent ou les avilissent.

Quand le Dr Donald King, doyen des étudiants de l'Université Alfred, a téléphoné à Mme Eileen Stevens, c'était pour lui apprendre la mort de son fils Chuck que l'on avait retrouvé dans le coffre d'une voiture. Il n'avait pas été délibérément assassiné. Il était victime d'un processus déformé d'amitié et d'intimité.

Pour accomplir le rituel d'intronisation et se montrer digne de l'affection et de l'acceptation des membres de la fraternité de son université, Chuck reçut une bouteille de Bourbon, une de vin et six de bière et fut enfermé dans le coffre d'une voiture en même temps que deux autres recrues. Ils devaient tout boire pour être libérés.

Quand on ouvrit le coffre, près d'une heure plus tard, Chuck était inconscient tandis que les deux autres avaient des difficultés à respirer. Chuck mourut avant d'arriver à l'hôpital[18].

Chuck Stevens est venu allonger la liste des jeunes hommes à qui le désir d'une relation affective avec d'autres jeunes gens a coûté la vie. Comme Thomas Fitzgerald qui avait dix-neuf ans quand il fut tué d'un coup de couteau accidentel — au cours d'un rituel de bizutage la lame avait pénétré dans l'artère principale du cœur; William Flowers, dix-neuf ans, qui mourut étouffé dans une tombe qu'il avait été forcé de creuser lui-même sur une plage lors d'un rituel de fraternité à l'Université de Monmouth; Bruce Wiseman qui fut heurté par une voiture alors qu'il marchait les yeux bandés le long d'une autoroute pour se plier à un rituel de fraternité; et Fred Bonner qui fut abandonné dans les montagnes par ses compagnons de l'Université Pierce et trouva la mort après avoir fait une chute de 150 m.

Mark Seeburger, dix-huit ans, séduisant et athlétique, désirait rejoindre la fraternité Phi Kappa Psi, après s'être inscrit à l'Université du Texas. Afin de gagner l'amitié de ses «frères», il accepta de boire plus de la moitié d'une bouteille de rhum. Il mourut pendant son sommeil, intoxiqué par l'alcool.

Quelque temps plus tôt, dans cette même Université du Texas, vingt et un nouveaux inscrits à la fraternité Alpha Tau Omega avaient été enfermés dans une chambre pendant trois jours et bombardés avec des œufs frais — quelque chose comme dix mille œufs.

À Texas A & M, en 1985, trois étudiants reconnurent avoir forcé le «nouveau» Bruce Goodrich à pratiquer pendant des heures de la gymnastique suédoise. Il mourut d'épuisement[20].

Steve Ryckman était très fier d'avoir refusé de se joindre à la Delta Phi House; il s'était brûlé le nez à force de le frotter sur le tapis, comme on le lui avait ordonné. «Ils veulent voir jusqu'où ils peuvent vous humilier. C'est dégradant [21]», a-t-il déclaré par la suite.

Notes

1. D. Anderson, «The Tragedy of Jim Tyrer», dans *The New York Times*, 18 septembre 1980, p. 17.

2. «Cowboy Suicide», dans *Seattle Post Intelligence*, 14 août 1980, p. A-8.

3. L. Langway et *al.*, «The Tough Guy Bars», dans *Newsweek*, 6 avril 1981, p. 66.

4. «Man Injured in Saloon Boxing Match Dies», dans *Los Angeles Times*, 27 avril 1981, p. 4.

5. «PSA Jetliner Crash: Analysis of Tapes; Impending Disaster», dans *Los Angeles Times*, 25 octobre 1978, pp. 1, 26-28.

6. P. Battelle, «A Study in Machismo: The Last Moments of Doomed Flight 90», dans *Los Angeles Herald Examiner*, 17 février 1981, p. A-19.

7. P. Girard, «Rise in Cycle Deaths Linked to Repeal of Helmet Laws», dans *Los Angeles Times*, 11 avril 1980, pp. 18 et 19.

8. T. Carpenter, «Death of a Playmate», dans *The Village Voice*, 5-11 novembre 1980, pp. 1, 12-17.

9. «The Adventures of Melanie Cain», dans Time, 21 août 1978, p. 19; A. Haden-Guest, «Love and Death on the Upper East Side», dans New York, 11 septembre 1978, pp. 42-49.

10. «2 Die in Machine-Gun Attack on Homosexual Bars», dans Los Angeles Times, 21 novembre 1980, p. 4.

11. «Police Chief Killed in Russian Roulette Game», dans Los Angeles Times, 12 décembre 1980, p. 2.

12. T. Barnard, «Death of "Good Cop, Nice Guy" Leaves a Tragic Puzzle», dans Los Angeles Times-View, 18 mai 1983, pp. 1, 6 et 7.

13. «Bomb Expert Kills Self and Daughter», dans Los Angeles Times, 6 octobre 1980, p. 1.

14. J. A. Cohen, «Suicide in his Homemade Gas Chamber», dans Los Angeles Herald Examiner, 7 juin 1984, p. A2.

15. «A Killer Slays Man Too Proud to Kneel», dans New York Post, 25 septembre 1979, p. 1.

16. «Millionaire Guilty of Killing Motorist Who Dented Ferrari», dans Los Angeles Times, 5 octobre 1984, p. 30.

17. «Probation for Man, 72, Who Killed His Wife», dans New York Post, 20 août 1980.

18. P. Burstein, «Her Son's Pointless Death Spurs an Angry Mother's War Against Fraternity Hazing», dans People, 12 février 1979, pp. 31-35.

19. «Death of a Fraternity Pledge», dans Time, 22 novembre 1976, p. 61.

20. C. O'Connor, avec la collaboration de F. Gibney, «Death Among the Greeks», dans Newsweek, 10 novembre 1986, p. 32.

21. «Death of a Fraternity Pledge», p. 61.

Cinquième partie

L'avenir

16

À la poursuite de l'illusion de la «recette miracle»

Jonathan, un homme d'une bonne quarantaine d'années et bien nanti, voulait absolument «comprendre» pourquoi il était déprimé, pourquoi il n'arrivait pas à trouver une femme à sa mesure, «excitante», à qui il aurait pu faire confiance au point de s'engager, ni pourquoi il s'était autant éloigné de ses enfants et de ses sœurs. Comme beaucoup d'autres hommes qui ont une vie professionnelle accomplie, il était inconsciemment dominateur, pensait que ses règles étaient les seules qui soient valables et était méfiant et pessimiste (il niait tout cela vigoureusement et croyait, au contraire, qu'il était géné- reux, altruiste et que les gens l'aimaient réellement). De plus, il était obsédé par ses objectifs et critiquait tous ceux, même ses enfants, qui ne suivaient pas ses conseils. Il pensait être chaleureux et tolérant, alors que son attitude était froide et qu'il était toujours préoccupé, mais cela aussi il le niait. Il se croyait attentionné et engagé, et personne n'aurait pu le convaincre du contraire.

Jonathan voulait savoir pourquoi les femmes qu'il rencontrait et qui l'aimaient l'ennuyaient; pourquoi ses rapports avec ses enfants et son ex-femme s'étaient rompus et pourquoi ils étaient ingrats et ne se préoccupaient pas de lui; il voulait aussi comprendre les raisons de son état dépressif et de son manque d'enthousiasme. Il voulait trouver la recette miracle qui aurait tout changé et il se montrait impatient quand on l'encourageait à consacrer du temps à analyser plus profondément ses rapports avec les autres. Il ne se sentait pas responsable de ce qui lui arrivait et se croyait injustement maltraité. Il a commencé une thérapie parce qu'il voulait apprendre les techniques qui le délivreraient de son malaise.

Sa vie professionnelle accomplie, son intelligence, son goût pour l'argent et sa masculinité forte et profonde en avaient fait ce qu'il était; ses objectifs étaient comblés. Par conséquent, ses récompenses matérielles lui donnaient une attitude rigide et il ne voulait ni ne pouvait faire d'examen de conscience puisqu'il était grandement récompensé pour ce qu'il était.

Étant donné que des réponses claires, pratiques et rapides ne lui ont pas été proposées, il est devenu impatient et rageur; son processus masculin l'empêchait de résoudre les problèmes qu'il avait créés. L'absence de solutions précises lui donnait l'impression de ne pas maîtriser la situation: il n'a pas pu supporter la lenteur et l'«imprécision» de cette approche et a arrêté la thérapie.

Jonathan est un exemple typique de l'attitude de l'homme traditionnel dans une relation. Quand les choses lui échappent, un tel homme essaie de résoudre le problème en «faisant quelque chose», comme offrir un cadeau, passer plus de temps avec sa partenaire ou prendre des vacances. Il s'arrête à ces solutions logiques qui règlent ses problèmes temporairement jusqu'à ce que le processus profond qui avait créé ceux-ci transforme les nouvelles données et que les mêmes problèmes refassent surface. Quand il passe quelques heures de plus avec sa femme ou lui offre un cadeau, il satisfait son besoin immédiat de «faire quelque chose» et il résulte de cette diversion un relâchement temporaire des tensions; il y a donc un «espoir», ce qui confirme sa conviction qu'«il y a des solutions» et qu'«il y en aura toujours».

Ici, le paradoxe réside dans le fait que le besoin de recettes miracle est encore plus puissant chez les hommes dont le processus masculin est très prononcé et qui ont le plus besoin de changer ce processus et d'arrêter de penser en termes de recette miracle. En d'autres mots, ceux qui ont le plus grand besoin de reconnaître leur processus ont les positions les plus rigides et sont, par conséquent, les moins aptes à les changer. Le processus défensif générateur de leurs malaises les empêche de «résoudre le problème». Leur compulsion pour la domination, leur distraction et le peu d'attention qu'ils offrent aux autres proviennent d'une fixation intense sur les objectifs à atteindre, d'une intellectualisation, d'une extériorisation et de leur déconnexion. Ces marques défensives créent une approche du changement intellectualisée, impatiente, compétitive et dominatrice. Ils sont persuadés que cette même approche, qui donne de bons résultats dans le monde extérieur, aura les mêmes effets dans leur vie privée. Ils veulent des solutions mécaniques qui calmeront leur anxiété et les mettront de bonne humeur sans entamer en aucune façon les traits de leur personnalité qui créent le problème, définissent leur masculinité et leur donnent le sentiment valorisant «d'être des hommes». Le dilemme, pour parler simplement, est que plus leur système de défense est rigide et boiteux, moins ils sont à même de reconnaître les sources de leur problème ou de vouloir affronter et modifier le processus qui semble «les protéger».

Leur problème leur semble extérieur; ils cherchent donc des solutions, des «soins» extérieurs — cette exigence fait malheureusement partie de leur «maladie»: en effet, c'est elle qui, au départ, déclenche leur confusion. Ils continuent à demander: «Que puis-je donc faire pour arranger ça?» ou: «Qu'est-ce que vous en pensez?» Il leur est impossible — mais ils n'en sont pas conscients — de se concentrer et de constater que c'est eux-mêmes qui sont responsables de leurs expériences, de leurs relations ainsi que des problèmes de leur vie privée. C'est la manière dont ils vivent avec les autres et organisent leur vie qui les consume et non pas «ce qu'ils font». Cependant, à leurs yeux, ils ont des *problèmes à résoudre* et ils veulent des réponses logiques. Dans mon travail de psychothérapeute, j'ai souvent observé une corrélation directe entre l'importance et l'intensité des systèmes de défense masculins et le besoin de trouver des «solutions». Ces hommes, d'autre part, n'arrivent pas à voir que c'est «ce qu'ils sont» et non «ce qu'ils font» qui cause le «problème»; ils ne reconnaissent pas que celui-ci n'est pas seulement provoqué par l'«ignorance» ou le «manque d'information» et n'ont pas la volonté de se concentrer sur la «conscience de soi» par le biais d'une ouverture graduelle permettant l'expression des sentiments profonds et du vécu intime.

Il semble que les défenses d'un homme soient en corrélation avec la vitesse et l'intensité avec lesquelles il développe une résistance à une approche qu'il considère comme «n'aboutissant à rien» — c'est-à-dire sans conseils concrets, ni réponses pratiques, ni recettes miracle qui lui permettraient de résoudre le problème. Pendant le développement de cette approche centrée sur le processus, il est circonspect, impatient et furieux. Dans son esprit, il perd du temps.

Le «travail» d'une thérapie est moins la recherche d'un aboutissement qu'une réflexion sur la capacité d'intériorisation et sur les possibilités d'assouplir les défenses masculines rigides. Cela suppose
l'acceptation de la possibilité de relâcher le contrôle, d'abandonner
une approche intellectualisée et orientée vers des objectifs et d'analyser ses sentiments: en deux mots, changer le processus. Au lieu de
cela, la majorité des hommes nient leurs problèmes («Tout est
parfait») jusqu'à ce qu'ils soient en pleine crise, et ensuite ils demandent des solutions rapides et externes.

Quand je travaille avec de tels hommes, j'ai toujours l'impression
qu'ils ont déjà un pied hors du bureau et que notre relation est fragile.
Je peux ressentir la tension causée par leur inconfort, leur colère et
leur méfiance.

En effet, les hommes masculins qui poursuivent l'illusion de la
recette miracle demandent des solutions mécaniques à des problèmes
qui ne le sont pas. On ne répare pas une relation ou des problèmes
personnels comme on répare une automobile.

Quand nous disons que quelque chose «n'est pas scientifique» ou
n'est pas objectif, dans notre société cela équivaut à dire que ce n'est
pas «viril». La psychologie, puisqu'elle se concentre sur les problèmes
personnels et internes, est considérée comme étant féminine et, par
conséquent, non scientifique et inutile.

Une approche qui n'est pas scientifique ne manque pas nécessairement d'esprit scientifique et il faut bien comprendre cette différence
pour pouvoir appréhender le dilemme de la masculinité. «Non scientifique» implique quelque chose d'irrationnel, d'illogique et de non
valable. Il existe cependant des expériences dans la vie où une
compréhension logique et rationnelle est vaine. Il faut donc renoncer à
les examiner au travers d'une approche scientifique. Les problèmes de
relations, les troubles sexuels, les crises familiales et autres problèmes
personnels en sont des exemples. Les solutions mécaniques favorisent
plus encore l'extériorisation.

Il y a une différence significative entre l'utilisation constructive de
l'intelligence et les processus de défense qui sont intellectualisés. Il y
a aussi une différence essentielle entre la recherche rationnelle de
réponses et les orientations mécaniques, extériorisées, «isolées» du
processus masculin où l'intellect est utilisé comme une protection
contre l'intériorisation. L'intelligence peut être utilisée pour résoudre
un problème de fond, mais une approche logique est inefficace face au
processus; c'est plutôt une forme d'évitement. «Connaître la réponse»

est plus mauvais qu'inutile. Les idées abstraites servent le but défensif d'établir une distance entre les sentiments et l'implication personnelle.

L'homme, en fonction de ses défenses masculines, a peu ou aucun contact avec son processus. Il est «surpris» par le tour inattendu et soudain que prennent les événements de sa vie personnelle parce que son extériorisation fait que ses réactions personnelles manquent de profondeur et qu'il est incapable de «sentir» ses expériences ni même de voir qu'il est manipulé dans la relation. Il maîtrise les concepts et les idées abstraites, non les émotions. Ses relations sont saccadées, elles ne «sont pas harmonieuses». Il est l'opposé de la femme féminine qui peut parler des heures durant de ses sentiments et analyser constamment ses expériences, mais qui s'ennuie dès qu'il est question de problèmes mécaniques ou d'idées abstraites.

Les problèmes personnels masculins sont le résultat de l'extériorisation de l'homme. La recherche d'une recette miracle pour les résoudre est, par conséquent, une manifestation des réactions défensives qui l'avaient piégé au départ.

Pourquoi cette résistance?

Pour certains hommes, il n'y a que deux façons de résoudre les problèmes: la bonne et la mauvaise, «il domine ou il est dominé». Ce sont des situations diamétralement opposées: «Si je ne suis pas masculin, je deviens féminin. Si je ne suis pas logique, je deviens irrationnel.»

L'approche médicale et mécanique de ces problèmes est très séduisante parce qu'elle propose des solutions rationnelles et instantanées. Elle est orientée vers des recettes miracle et les solutions proposées ont toujours l'air logiques et rationnelles. L'homme préférerait mourir de cette façon-là plutôt que de risquer de vivre autrement. Il peut «pardonner» à la médecine ses erreurs et ses atrocités, mais il n'acceptera pas la moindre bavure d'une approche qui n'est pas «scientifique». Des milliers d'êtres humains peuvent mourir sur la table d'opération ou à la suite de traitements médicaux inappropriés parce qu'il est possible de rationaliser ces faits; ils sont donc acceptables. Mais si une thérapie n'atteint pas son but, les accusations de charlatanisme fusent immédiatement, et elle doit être condamnée.

Prendre conscience du processus ne signifie pas «entrer en contact avec ses sentiments», ce à quoi les hommes sont souvent encouragés et qui, après examen, se révèle très souvent une notion absurde puisqu'il n'y a que des sentiments défensifs quand l'extériorisation masculine est très forte. Il est donc tout à fait normal que l'homme réagisse avec suspicion et résistance à une approche qui le «contraint» à s'ouvrir et à analyser ses sentiments. Demander à un homme rationnellement défensif d'exprimer ses sentiments équivaudrait à conseiller à une femme qui pleure d'une façon hystérique de se comporter rationnellement si elle veut que ses problèmes soient résolus. Revenir à des sentiments non défensifs et vers l'expérience intérieure est un voyage lent et risqué qui doit être appréhendé avec le même degré de résistance que celui qui existe dans les problèmes émotionnels défensifs.

Résoudre les problèmes

«Eh bien, quelle est la réponse? Peut-être allez-vous me répéter la réponse typique du thérapeute: "C'est vous qui devez trouver la réponse" ou bien: "Il n'y a pas de réponse"?» dit l'homme avec impatience et irritation. Lui répondre que le problème c'est lui — ce qu'il est et non pas son ignorance ou son manque de réponses — sonne à ses oreilles comme un blabla psy. Néanmoins, sa façon de demander: «Quelle est la recette miracle?» est une forme d'évitement inconscient et une façon de dire: «Je n'ai pas réellement envie de résoudre ce problème. Je désire une solution qui ne change pas ce que je suis.»

La notion de recette miracle qui résoudrait les problèmes personnels est l'une des idées culturelles les plus séduisantes de notre époque — ce que j'appelle le fantasme de la «clef magique». Cette illusion est à l'origine d'une longue liste d'ouvrages et d'approches miracle contradictoires censés alimenter le besoin de résoudre les problèmes par des moyens extérieurs. Pour l'éducation des enfants, par exemple, les «solutions» varient entre «rangez le fouet et gâtez les enfants», un certain laxisme ou une combinaison magique des deux et un retour vers une discipline stricte. Chaque solution miracle semble être la bonne réponse, mais au bout d'un moment «cela ne marche plus» pour quelque raison «inconnue» et il est alors temps d'en essayer une autre. Pendant ce temps-là, les problèmes personnels deviennent de plus en plus «sans espoir» et difficiles à affronter. Les solutions miracle se prêtent à toutes les exigences. Elles ne modifient pas le processus qui, pourtant, est l'élément «invisible» qui crée le «problème».

Les femmes comprennent plus clairement l'illusion des solutions miracle. Dans une situation conflictuelle, quand un homme demande à sa femme: «Que veux-tu que je fasse?», elle sait qu'il ne peut rien faire parce que le problème vient de ce qu'*il est* et non pas de «ce qu'il fait». On peut comparer cela au fait de conseiller à des parents des solutions miracle qui apaiseraient un enfant perturbé alors que ses problèmes sont en fait causés par ce que les parents *sont* et par les répercussions de ces comportements sur l'enfant et non pas par ce que *font* les parents. Si cette solution miracle était la réponse aux problèmes personnels, le fait de *savoir* donnerait des enfants sains sur le plan émotionnel, et les psychiatres, les analystes et les psychologues qui «connaissent» la majorité des réponses auraient des enfants parfaits.

Les solutions miracle sont valables quand elles sont en harmonie avec le vécu intime et quand les problèmes résultent d'un manque d'information. Autrement, une réponse miracle risquerait d'augmenter les dommages et de briser la résistance naturelle et saine. «Soigner» une dysfonction sexuelle, par exemple, avec une de ces solutions miracle nie la validité du symptôme en tant que reflet d'un problème plus profond qu'il faut analyser et comprendre et dont il ne faut pas simplement se débarrasser.

C'est pourquoi les recettes miracle qui «marchent» amplifieront à la longue le problème en fournissant un moyen de fuir une résistance saine et en court-circuitant de cette façon le potentiel d'évolution personnelle.

Ce sont les interactions et les structures profondes et non l'ignorance qui créent les effets ou le «problème». Le besoin urgent de solutions miracle existe cependant en fonction du degré de défense de chacun et du besoin de nier sa résistance, son vécu intérieur et la peur de reconnaître ce dernier et de l'explorer.

Quand un problème menace de mettre au jour les réalités profondes d'un individu, la réaction défensive de celui-ci sera de rechercher des solutions extérieures. La personne qui a un excès de poids ou celle qui a subi un échec désire savoir «que faire» plutôt que «qui suis-je et comment en suis-je arrivée là?» Par conséquent, les problèmes qui sont une projection du moi intérieur sont souvent traités comme des problèmes mécaniques puisqu'il y a une résistance à l'exploration du moi. Les solutions miracle deviennent l'évitement sécurisant, non menaçant, «légitime» et rassurent la personne: elle «essaie réellement».

L'alcoolique qui veut nier son problème demandera par exemple: «Comment puis-je contrôler ma dépendance? Dois-je boire plus doucement? Dois-je boire autre chose? Dois-je commencer à boire plus tard dans la journée?»

Les solutions miracle sont presque toujours une manière d'éviter la confrontation avec le moi défensif et, par conséquent, poussent la personne plus avant dans la pseudo-sécurité des solutions «mécaniques» qui inconsciemment renforcent le problème. Elles donnent de faux espoirs qui cachent le problème temporairement et ensuite elles échouent. *Chaque solution miracle qui finalement échouera amène l'homme chaque fois un peu plus près de la dépression et du désespoir causé par la conviction de plus en plus forte qu'«il n'y a pas de solution», ce qui produit en lui un sentiment d'échec.*

Confronter et modifier la puissance et la rigidité des défenses des sexes — puisque nous savons que c'est le processus qui nous motive — est tellement effrayant que nous continuons à rechercher des solutions mécaniques qui créent d'autres problèmes. Ainsi, malgré l'«explosion d'informations», nous vivons dans une ère où les drogues sont plus dures, les religions et les cultes plus puissants, les relations personnelles plus fragiles, la difficulté d'établir des relations plus tangible, l'attention apportée aux autres plus limitée, les échappatoires par le biais de distractions plus fréquentes et l'engouement pour les recettes miracle plus fort que jamais.

L'homme qui désire changer doit être conscient et patient avec la résistance qu'il rencontrera sûrement à l'intérieur de lui-même, ainsi qu'avec le désir intense de s'échapper, de se déconnecter, de trouver des solutions miracle immédiates et de se méfier de tout ce qui ne donne pas de solutions claires. Il va devoir développer en lui une acceptation graduelle du fait que c'est lui qui crée inconsciemment son vécu personnel. Le changement représente une menace pour son image et son sentiment «d'être un homme». Essayer de bénéficier de ces deux mondes incompatibles — le changement sans menace pour sa propre image —, c'est se préparer à la recherche de solutions miracle qui, finalement, l'isoleront et le rigidifieront encore plus.

17

Trouver un terrain d'entente

Quelle serait notre expérience de la vie et des relations si les processus fondamentaux inconscients ne nous déformaient pas et ne nous dominaient pas et si nous n'étions pas menés par les motivations défensives qui existent à chacune des extrémités de ce continuum polarisé?

Quelle serait notre expérience de la vie sans l'«excitation» créée par la poursuite et l'accomplissement des objectifs valorisants qui nous motivent, nous remplissent d'«espoir» et d'énergie et nous donnent le sentiment d'avoir une structure, une signification et une capacité d'évoluer malgré qu'ils nous trompent et nous laissent en fin de compte insatisfaits et frustrés?

Quelle serait notre expérience de la vie et des relations sans les «hauts» et les «triomphes» qui nous soutiennent et nous renforcent tout au long du chemin et entretiennent les illusions et les nombreux fantasmes que nous léguons à la génération suivante qui souffrira plus encore de la lassitude et des difficultés d'une quête encore plus décousue et moins satisfaisante?

Quelle serait notre expérience de la vie et des relations sans la poursuite du grand amour ou des vérités abstraites du monde extérieur — buts qui se révèlent progressivement insaisissables et souvent illusoires? Même si elles nous donnent de l'espoir et excitent notre imagination, les «vérités» et les découvertes scientifiques nous éloignent encore plus de notre moi, nous déconnectent sur le plan sentimental et nous détruisent sur le plan global et environnemental. Les fantasmes romantiques créés par les polarisations défensives qui structurent nos relations nous mènent au bord de la rupture complète de la communication et du dialogue entre les sexes.

En résumé, le prix à payer est devenu trop élevé pour que nous restions sur ces «positions extrêmes» dont le seul résultat est de nous déconnecter encore davantage et de nous faire subir les conséquences de cet éloignement ainsi que les frustrations et la souffrance qui résultent de nos besoins de fusion inassouvis. La poursuite de ces derniers, étant donné qu'ils sont les produits de motivations défensives et inconscientes dans lesquelles le processus plus profond transforme et réduit finalement le contenu à une expérience similaire, a généré des objectifs basés sur un vécu déformé aussi bien en ce qui nous concerne qu'en ce qui a trait à la réalité extérieure. Plus nous nous enfonçons dans le continuum de la polarisation des sexes, plus notre vie est dominée par les «éléments conducteurs» incontrôlables de ces zones extrêmes — cela crée une suite de «hauts» et de «bas»; de rêves suivis de déceptions et une impression de plus en plus forte que les choses ne sont pas ce qu'elles ont l'air d'être ou ce qu'elles devraient être. Paradoxalement, plus nous avançons dans ces zones extrêmes, plus grandes sont notre résistance, notre peur et notre impossibilité apparente de trouver notre chemin vers un «terrain d'entente»: une réalité non déformée par les perceptions, les besoins et les motivations défensives des sexes.

Nous constatons dans notre quotidien les effets d'une polarisation extrême, mais le système de défense qui les a créés nous empêche de distinguer, au fond de nous, le processus qui les a suscités.

Les changements d'attitudes qui ne sont pas intégrés au processus du changement se révéleront décevants et trompeurs; ils ne seront qu'une distraction temporaire découlant de la progression vers une déconnexion plus grande et les conséquences de celle-ci: besoins de fusion plus intenses et rupture de la relation.

Quand le processus fondamental n'est pas modifié et que les tentatives pour «résoudre» le problème ne sont basées que sur des changements d'attitudes, nous sommes piégés dans le même dilemme, dans la même recherche décevante que celle de la personne obèse et boulimique cherchant «la solution» dans un autre régime; celle des partenaires hostiles l'un envers l'autre essayant de «régler» leurs problèmes relationnels en modifiant leurs comportements plutôt que *ce qu'ils sont* ou *leurs façons* de communiquer; celle de la société qui tente d'éliminer les problèmes de drogue ou d'alcool en moralisant sur ces démons sans s'attaquer aux causes profondes qui produisent ces besoins manifestement dévastateurs; celle de la médecine qui «soigne» les affections sans modifier le processus personnel qui crée la maladie; celle d'un gouvernement qui veut arrêter la destruction de l'environnement sans modifier les causes qui génèrent le besoin insatiable et socialement approuvé de produits artificiels; ou encore celle des leaders gouvernementaux qui travaillent pour la paix et le désarmement mondial sans tenir compte des racines inconscientes des guerres qui incluent, entre autres, la méfiance extériorisée, la peur du rapprochement et l'augmentation de la tension provoquée par l'éloignement qui crée un besoin d'oublier. L'intoxication par les drogues, qui vient en tête des compulsions autodestructrices de notre société, n'est en fait qu'une variation de la mentalité guerrière «irrépressible». Pour une société extériorisée sur le plan défensif, une existence qui ne permet pas de s'échapper par le biais de la déconnexion, d'une poursuite d'objectifs ou de tout autre moyen de distancier ou de fuir la «terreur» et l'«engourdissement» de l'intériorisation est insupportable. L'autodestruction est une solution préférable à cette existence, bien que les conséquences inévitables de ce choix soient défensivement refoulées et rationalisées à l'extrême, ressemblant ainsi au cheminement de toute dépendance niée.

Les obstacles qui empêchent d'accéder au terrain d'entente

La transformation du processus profond des sexes est une aventure abstraite et menaçante car les objectifs défensifs font naître des sentiments d'autoprotection renforcés. Notre société cautionne ces sous-produits défensifs et ne reconnaît généralement pas leur nature pathologique.

Par exemple:

1. Une modification du processus réclame un «travail en profondeur» sur le système de défense et ce travail est plus ou moins aisé suivant l'intensité de ces défenses. Une «terreur du changement» inconsciente nous maintient dans un statu quo plus attirant — même lorsque celui-ci est extrêmement pénible — que le changement, comme c'est le cas pour toute dépendance.

2. La société cautionne ceux qui ont suivi leurs objectifs défensifs et les ont atteints: l'homme déconnecté et obsédé par ses buts ou la femme objet belle, manipulatrice et «puissante»;

chacun d'eux est largement récompensé pour les résultats de leurs réactions défensives.

3. Les rationalisations et les justifications servant à nier ou à interpréter les effets toujours plus grands des réactions défensives se camouflent sous forme de théories scientifiques, religieuses ou philosophiques; celles-ci apaisent et rassurent ceux qui les utilisent car elles nous apportent faux espoirs, confort moral et optimisme. Elles dissimulent constamment la détresse des expériences de la vie jusqu'à ce que la douleur l'emporte.

4. La puissance de l'investissement de l'ego dans le façonnement de l'image de soi créée par les défenses masculines et féminines est proportionnelle à l'intensité de celles-ci. L'ego masculin dans sa forme la plus pure est tellement gonflé par son système de défense qu'il ne peut plus absorber que des éléments qui le renforcent. Le mode de pensée extériorisé et mécanique de l'homme marque les limites de sa perception. L'ego féminin, quant à lui, résiste à toutes les données qui permettraient à la femme de construire son propre pouvoir, son agressivité, son identité et sa sexualité car elle craint de perdre son moi défensif grâce auquel elle a l'impression de contrôler sa vie par sa «féminité». En outre, ses croyances s'orientent progressivement vers l'«irrationnel», le mysticisme, la spiritualité et la religion ou vers un engagement envers des croyances défensives concernant l'«amour», la «gentillesse» et la «pensée positive» qui bloquent le passage aux réalités contraires.

5. La peur et la méfiance forment les bases du moi masculin, car l'homme a peur de se perdre en abandonnant ses croyances et ses stratégies autoprotectrices.

6. Il existe, proportionnellement à la polarisation inconsciente, une peur, un évitement de l'ennui et de l'engourdissement d'une vie sans l'excitation, la structure et la validation par l'ego des objectifs et des motivations polarisées créées par le système de défense.

7. Suivant l'importance de son extériorisation, il y a chez l'homme une crainte, une terreur d'un manque de virilité qui lui fait considérer la perte de sa masculinité comme la perspective la plus dramatique qui soit. De même, pour la femme traditionnelle, la perte de sa féminité, la faillite de sa

relation et de son «intimité» sont les perspectives les plus effrayantes.

8. L'«énergie», l'«objectif» et la «raison d'être» découlent des motivations défensives. Elles sont très séduisantes et réduisent l'anxiété.

9. La confusion entre le contenu et le processus nous porte à croire que nous pouvons changer notre vie en remplaçant ou en ajustant nos attitudes. Étant donné que le processus est invisible, c'est lui qui définit le sentiment que nous avons de notre moi; nous ne pouvons voir que pendant de courtes périodes, des moments de «clairvoyance», que notre perception de la réalité est filtrée par notre processus. Mais ces instants de lucidité se dissipent avant que des changements permanents du processus puissent être réalisés.

10. Selon son importance, notre polarisation génère une accumulation de tensions qui nous pousse à nous soulager par des comportements préjudiciables, comme c'est le cas pour un drogué chez qui l'accumulation de tensions est responsable de ses besoins incontrôlables.

Ce «terrain d'entente» n'est ni une entité ni une nouvelle arène mais bien une nouvelle réalité, non déformée, qui émerge au fur et à mesure que le processus défensif disparaît. Cette réalité n'est plus dominée par les réactions défensives ni par les motivations insatiables et les réponses rigides et prévisibles que celles-ci produisent.

J'appelle le «cheminement vers le terrain d'entente», la décompression ou la diminution des systèmes de défense polarisés. Nous trouverons sur ce terrain d'entente une expérience de la réalité non déformée par la polarisation et des motivations conscientes et contrôlables amenant ce que nous en attendons. Les relations claires et authentiques seront alors possibles; le processus biologique ne sera plus déformé par les motivations défensives responsables des comportements autodestructeurs qui émergent occasionnellement pour éliminer les tensions générées par les frustrations et les besoins défensifs; la conscience de soi sera profonde, enracinée tant dans la nature que dans la société; et la synthèse non défensive du moi et d'une réalité non déformée rendra la vie «contrôlable» dans le meilleur sens du terme.

Étant donné que la structure profonde des sexes est composée de défenses polarisées inconscientes, le cheminement vers le terrain d'entente ressemble d'une certaine façon au combat livré par un

névrosé ou même un psychotique qui est mis en demeure d'abandonner ses comportements autodestructeurs, qui lui ont paru jusque-là
protecteurs et vitaux, dans le but de reprendre le «contrôle» d'une
réalité non déformée.

Les intentions intellectualisées qui ne sont qu'une nouvelle forme
du comportement ne seront d'aucun secours au cours du cheminement
vers le terrain d'entente. Cette démarche profonde ne peut s'effectuer
rapidement ou sur commande. Elle reste essentiellement subordonnée
à la reconnaissance et à la capacité d'observation de son propre
processus, cette structure que l'on voit aisément chez les autres et rarement chez soi.

L'accession au terrain d'entente donnera une expérience de la vie
radicalement transformée: plus aucun besoin ou dépendance créés par
la polarisation des sexes, plus aucune réaction compulsive extrême,
plus aucune motivation insatiable. Il n'y aura pas non plus de «hauts»
ni de «bas» défensifs résultant de notre attirance illusoire pour le
contenu et l'image, en raison de l'irrésistible fascination que l'on
éprouve pour «ce qui semble bien».

Ce terrain d'entente nous terrorise car, malgré les «impasses»
répétées et étouffantes qui en résultent, nous sommes valorisés par les
fantasmes, les idylles romantiques et les victoires qui de temps à autre
viennent nous renforcer. L'homme poussé par le succès veut toujours
plus d'argent et de puissance même si cela le rend de plus en plus
malheureux et rigide dans ses comportements; la femme qui a besoin
d'idylles romantiques se heurte toujours aux mêmes impasses, mais
poursuit inlassablement l'objectif ardemment désiré en ne modifiant
que ses relations extérieures (un «autre homme»).

Pour les gens polarisés, ce terrain d'entente semble être vide de
toute excitation; il ne vaut même pas la peine d'être connu. C'est un
peu comme l'enfant qui ne veut pas de jus d'orange frais, qui lui
semble «fade», et lui préfère l'«excitation» d'une boisson gazeuse, ou
qui mange plus facilement une pâtisserie qu'une prune mûre.

Un combat s'engage entre la dépendance créée par les extrêmes
polarisés et la nouvelle réalité générée par des défenses amoindries qui
produisent au départ une sensation d'«irréalité», une impression que
«quelque chose ne tourne pas rond», un peu comme ce que ressent un
alcoolique lorsqu'il doit rester sobre.

Observez les hommes machos et les femmes féminines mères
nourricières et voyez-les tels qu'ils sont, dirigés par leurs compulsions, leurs réactions rigides aisément prévisibles, leurs habitudes,

leurs choix et leurs attitudes stéréotypés. Imaginez-les maintenant libérés de cette structure nuisible qui les mène et enfin capables d'utiliser
leur potentiel d'êtres humains et d'arrêter de vivre comme des marion-
nettes manipulées par leurs défenses. L'homme ne se laissera plus
gouverner par ce besoin insatiable de s'affirmer en produisant et en
réussissant. La femme ne se laissera plus mener par son insécurité
défensive liée à son apparence physique, à ses sensations de manque
émanant de ses besoins irréalisables d'«intimité» et d'idylle romantique; elle se libérera de sa peur du monde extérieur ainsi que des
innombrables malaises et symptômes physiques proportionnels à ses
refoulements.

Observez les couples polarisés: colères, tensions et conflits causés
par l'incapacité de chacun de saisir la réalité de l'autre. Maintenant
imaginez-les capables de voir et d'écouter fidèlement l'autre, de s'unir
sans la moindre gêne et sans réactions défensives. Vous avez ainsi le
terrain d'entente.

Imaginez un monde dans lequel:

- le cycle insatiable et sans cesse croissant production/
  consommation serait remplacé par un cycle qui satisferait les
  besoins réels et non défensifs;
- les relations hommes-femmes seraient établies sur l'amitié et
  non sur un fantasme romantique;
- le plaisir naîtrait des relations et non de distractions ou d'évitements de la réalité;
- les fonctions biologiques seraient utilisées pour des nécessités
  biologiques et non comme des véhicules servant à réduire les
  tensions et les frustrations résultant des systèmes de défense et
  ne serviraient pas non plus à sublimer l'attirance masculine
  inconsciente pour l'oubli et le besoin féminin énorme de
  fusion;
- les hommes et les femmes appréhenderaient la réalité de la
  même manière et seraient capables de communiquer vraiment
  sans interprétation négative défensive (l'homme) ou positive
  défensive (la femme) de la réalité;
- rien de ce qui se produirait ne serait nocif pour l'organisme
  humain, non pas au nom de la moralité mais grâce à la capacité retrouvée d'exercer l'instinct de survie en même temps
  que l'aptitude de l'organisme humain à rejeter ou à être rebuté
  par tout ce qui lui est nocif;

- les pères et les mères participeraient de façon égale à l'éducation des enfants et où ces derniers ne seraient plus «utilisés» pour valoriser l'ego des parents ni pour compenser leurs frustrations;
- le travail ne serait pas le critère par lequel les gens définissent et structurent leur identité ou leurs expériences de vie mais où ils seraient à même de communiquer d'individu à individu et non de rôle à rôle ou d'objet à objet;
- l'amour et le travail seraient motivés par des besoins réels et non par des motifs compulsifs, insatiables et polarisés allant à l'encontre du but recherché;
- la science et la spiritualité seraient les outils rehaussant l'expérience de la vie plutôt que des filtres déformant la réalité afin de parer à l'anxiété d'une manière défensive;
- la nature ne serait pas perçue comme un défi ou une menace mais comme le système de support optimal pour l'«animal humain»;
- les relations hommes-femmes seraient libérées des cycles de l'euphorie romantique habituellement suivie de déceptions, de rancœur et de rupture.

En d'autres termes, le terrain d'entente signifie:

- le travail pour le travail et non pour l'ego ou à des fins d'évitement;
- les fonctions biologiques pour des objectifs biologiques et non comme réductrices de tensions;
- l'amour en tant que liaison consciente et bienveillante et non pour une validation personnelle ou repli et échappatoire face à notre processus fondamental;
- la science pour une meilleure compréhension du monde mécanique et non comme un chemin vers la «vérité» pour nos expériences personnelles;
- l'activité religieuse en tant qu'expression de l'impressionnant mystère de la vie et non pour «être sauvé» ni comme consolation, comme réduction de l'anxiété et de la peur ou comme évitement de la réalité défensive;
- une éducation des enfants n'étant plus composée d'un maternage trop étudié ou d'un paternage insuffisamment élaboré et déconnecté;

- la guérison par une prise de conscience et non par des procédés techniques utilisés par des praticiens;
- la nature en tant qu'environnement allié et non en tant que phénomène perçu comme un ennemi, un défi ou un mystère qu'il faut craindre, vaincre, comprendre ou éviter;
- le rationalisme et l'intellectualisation au service de la compréhension et non à celui d'une distanciation obtenue par des idées abstraites et par la poursuite de la «vérité» afin de mettre notre ego en valeur ou de rationaliser notre besoin compulsif de nous déconnecter.

Pour y arriver

L'inconscient féminin devrait abandonner:

1. *L'agressivité refoulée* qui crée une conscience victime se manifestant par la «gentillesse» défensive, l'évitement des conflits, le reniement de la colère et de l'agressivité ainsi que par une vision déformée du monde.
   Il faudrait aller vers une expérience non défensive de l'agressivité qui libérerait la femme de l'impression d'être «violentée» dans sa recherche inconsciente du fantasme polarisé d'une vie «tout-amour».
2. *L'affirmation refoulée* qui détruit le sentiment du moi et d'estime personnelle et paralyse la femme quand il s'agit de définir ses limites et ses préférences ainsi que sa capacité de commencer et de poursuivre personnellement et agréablement ce qu'elle désire. Elle éviterait ainsi le sentiment d'être dominée, le besoin défensif d'être traitée «avec sensibilité», la tendance à se lier à des hommes avec lesquels elle réagit plutôt qu'elle n'agit, connaissant ainsi un sentiment de perte d'identité et une colère causée par la domination.
   Il faudrait aller vers le développement d'une connaissance claire du moi qui ne serait ni défensivement rigide, ni trop ouvertement opposée à l'autodéfense, ni constamment sur le point de disparaître.
   La femme aurait ainsi le sentiment d'être celle qui choisit, celle qui crée; elle serait donc libérée de l'impression d'être diminuée, rabaissée, dominée et victimisée.

3. *L'autonomie refoulée* qui crée un besoin défensif exacerbé d'«intimité» dans les relations; des désirs frustrés de fusion qui sont sublimés d'une manière défensive par le maternage, les obsessions religieuses, «spirituelles» ou mystiques; des frustrations exprimées par des excès alimentaires; la nostalgie de la réalisation du fantasme romantique; et la rancœur parce que la femme a l'impression d'être prise pour acquis et d'être traitée comme une enfant.

   Il faudrait aller vers une autonomie non défensive qui libérerait la femme du besoin de romancer ses expériences et faciliterait l'élaboration d'un sentiment positif, bien fondé, d'un moi séparé et de la maîtrise de sa vie.

4. *L'extériorisation refoulée et la tendance* qu'à la femme à charger de trop d'émotions les expériences vécues sous l'emprise du stress et à être étouffée par des sentiments puissants et douloureux.

   Il faudrait aller vers une expressivité équilibrée.

5. *La sexualité refoulée* qui crée le besoin d'associer le sexe avec l'intimité et l'amour.

   Il faudrait aller vers une expérience de la sexualité qui serait exprimée agréablement et de façon contrôlée et qui ne serait plus niée, crainte, mise sur un piédestal ni utilisée pour des motifs non sexuels.

L'inconscient masculin devrait abandonner:

1. *L'agressivité défensive* qui mène le jeune homme à des agissements autodestructeurs afin de nier sa peur ou son «manque de virilité» et provoque un état hyper-agressif et compétitif qui fait qu'il se hait quand il perd, qui l'éloigne de tout homme qu'il considère comme un rival et une menace, qui le rend compulsivement vigilant et autoprotecteur face à un monde perçu comme une jungle dangereuse. Cette perception le pousse à des colères autodestructrices quand il est frustré et se sent incapable de résister à un défi sans se haïr. De plus, il est sujet à des troubles psychologiques qui proviennent de sa vigilance autoprotectrice chronique; d'une agressivité sublimée en intellectualisation destructrice; d'un comportement agressif envers la nature et l'environnement; et d'une productivité compulsive pour son propre bien défensif.

Il faudrait aller vers une approche non défensive du monde et des autres et vers une décompression de l'agressivité défensive de l'homme, ce qui lui permettrait de se détacher de sa vigilance et de son autoprotection chronique. L'agressivité serait équilibrée par une capacité égale pour les interactions naturelles et pour l'enjouement; une bonne réaction à la peur quand c'est nécessaire; la possibilité d'accepter les défis et les menaces sans se sentir obligé d'y répondre; et la possibilité d'agir sans sentiments de compétition ou de surprotection chronique.

2. *L'affirmation défensive* qui crée le besoin insatiable de dominer et d'éviter tout ce qui ne permet pas le contrôle; qui donne un ego sans bornes et le besoin compulsif de s'imposer, en même temps qu'une incapacité d'«écouter» et d'«accepter» la réalité des autres ou de partager son espace psychologique avec eux; il faut encore ajouter à cela une solide résistance à la soumission et l'intolérance envers l'ambiguïté, la vulnérabilité et l'indécision.

   Il faudrait aller vers une approche de la vie où la protection de l'ego et les valorisations ne seraient plus des motivations, où le besoin de dominer et d'imposer son ego aux autres ou de se replier sur soi-même n'existerait plus, le moi n'étant plus contrôlé par le besoin de valorisation défensive.

3. *L'autonomie défensive* qui produit un besoin d'indépendance, de «distance» et d'«espace»; un refus et une intolérance aux besoins intimes et à la faiblesse; un désir intense de se suffire entièrement à soi-même; l'incapacité de demander de l'aide; un cheminement qui va vers une isolation progressive et éloigne l'homme d'une liaison personnelle et de la possibilité de s'unir intimement avec qui que ce soit à moins que cette union ne soit basée sur l'«utilisation» ou l'accomplissement d'une obligation; une interaction défensive timidement adulte; et un manque d'enjouement.

   Il faudrait aller vers la capacité de s'attacher, d'agir librement, de s'exposer, d'avoir besoin et d'être enjoué.

4. *La rationalité défensive* qui résulte de l'utilisation de la logique en tant qu'arme, d'une froideur détachée, du dédain et de la méfiance pour ce qui «n'est pas objectif»; une propension à se lier aux autres et à appréhender la vie d'une manière mécanique; une inaptitude à «sentir» la vie et soi-même d'une

façon non mécanique; un attachement aux objets plutôt qu'aux gens; une obsession pour les vérités abstraites et pour les informations en tant qu'outils pour comprendre tout en restant déconnecté du domaine émotionnel et personnel parce qu'ils ne peuvent pas être contrôlés par l'intellect.

> *Il faudrait aller vers* l'utilisation de l'esprit rationnel pour appréhender le monde objectif d'une manière non défensive, comme un outil efficace et non comme une arme servant à la déconnexion et à la protection personnelle. Il faut aussi apprendre à laisser parler son intuition et à sentir et à vivre les choses.

5. *La sexualité défensive* qui crée des comportements compulsifs et une préoccupation obsessionnelle pour le sexe qui est dans ce cas utilisé dans le but d'éviter l'intimité, comme principal moyen de se sentir «vivant» et de soulager les tensions d'une manière «intime»; elle amène à confondre de bons rapports sexuels avec une bonne relation avec une femme.

   Il faudrait aller vers la possibilité de vivre sa sexualité librement sans qu'elle soit menée ni déformée par un besoin de valorisation, de sublimation des rapprochements personnels ou encore par un besoin de soulager les tensions.

6. Finalement, l'inconscient masculin doit abandonner son *besoin insatiable et compulsif de valorisation de sa virilité* destiné à nier les empreintes féminines puissantes et inconscientes qui sont en lui.

   Il faudrait aller vers la possibilité de réagir avec aisance, bienveillance en se basant sur la nature des choses et non pas sur l'intérêt qu'elle représente pour l'image masculine; tout ce qui pourrait libérer l'homme des réponses strictes, rigides et potentiellement explosives et autodestructrices d'un *homme défensif.*

Sur son chemin vers le terrain d'entente, l'homme va abandonner:

- le besoin d'excitation qui donne le sentiment faux de se sentir «vivant» et compense l'incapacité de ressentir;
- l'impossibilité d'exister en dehors d'une fonction ou d'un rôle;
- les relations impersonnelles;
- l'auto-identification inconsciente en tant qu'objet mécanique;
- les perceptions défensivement abstraites de la vie;
- la recherche insatiable et la conviction que les solutions extérieures sont les réponses à tous les problèmes, pour aller vers un état non compulsif, où il serait connecté non défensivement, à l'écoute de lui-même et pleinement conscient.

18

Délimiter le territoire: l'évolution psychologique du mâle

J'ai dit à un ami que j'écrivais un nouveau livre sur «les risques d'être un homme». C'est une personne que j'admire pour son ouverture d'esprit et parce que tout en restant en contact avec sa sensibilité et ses sentiments profonds, il garde les pieds sur terre. Je suis encouragé par sa manière d'accepter tranquillement sa sensibilité autant que ses côtés machos et égocentriques, par sa façon de rire de ce qui me chagrine, c'est-à-dire des contradictions et des paradoxes apparemment illimités inhérents à la condition masculine. «Dix ans ont passé depuis mes premiers écrits sur les risques d'être un homme, lui ai-je dit, et les problèmes qui semblaient tellement simples alors sont aujourd'hui beaucoup plus profonds et insaisissables.»

Je crois que sa réponse résume éloquemment les expériences vécues par de nombreux hommes qui ont fait de l'exploration de leur vécu et de leur volonté de changement l'un des buts principaux de leur existence.

Le voyage

Le fait de jeter un regard rétrospectif sur ces dix dernières années, sur mon combat afin de casser les habitudes rigides et abrutissantes que j'ai observées chez mes pairs et chez des hommes plus âgés ainsi que pour éviter les illusions et les images innombrables et irrésistibles qui sont autant d'appâts pour beaucoup d'entre nous m'a donné une perception aiguë de l'expression «être sur le fil du rasoir», parce que c'est sur ce fil que j'ai l'impression d'avoir vécu la plus grosse partie de ces dix dernières années.

En m'efforçant de garder ma vie personnelle et intérieure aussi intense et active que ma vie extérieure, je me suis souvent demandé si je ne me berçais pas d'illusions en essayant d'être différent, supérieur ou un cran au-dessus des autres — motivation macho classique — ou si j'essayais, inconsciemment, de prendre mes distances ou de me détacher des autres.

Quand je sentais que je prenais des risques, que je repoussais les limites traditionnelles et les tensions, je me demandais parfois si j'allais présider à ma propre autodestruction macho, style Nouvel Âge. Chaque fois, j'avais peur que mon intuition ne m'abandonne, mais cela ne s'est jamais produit et les choses évoluaient toujours d'une façon saine, bien que j'aie dû attendre parfois plusieurs mois avant de m'en apercevoir.

Quelquefois je me sentais stimulé, justifié pour avoir fait confiance à cette partie profonde de moi-même qui me poussait en avant malgré le négativisme que je rencontrais chez certaines personnes — et même en moi. J'avais aussi régulièrement des périodes de passage à vide, des moments où je me sentais déçu, vaincu et profondément éreinté — et je devais m'isoler un moment pour récupérer et faire couler l'énergie à nouveau.

Parfois, comme un ex-alcoolique qui se languit de faire la bombe, j'aurais voulu céder au vieux conditionnement macho. Cela semblait plus simple d'être dominateur, de traiter les femmes comme des objets sexuels, de dissimuler ce que je pensais et ressentais, d'être vache avec mes enfants, style *marines* pour leur «apprendre à vivre» sans leur montrer ni compassion ni compréhension, en jouant tout simplement le jeu des symboles, sans me préoccuper un seul instant du pourquoi et du comment.

Il m'arrivait aussi de sentir qu'il devait être beaucoup plus facile de suivre le courant et d'arrêter de manœuvrer avec les forces profondes et implacables de la société qui avancent sans tenir compte de nos pensées ni de nos actes.

À côté de cela, j'avais appris que je n'étais pas aussi fort que je le croyais, que je ne pouvais pas vraiment m'éloigner des règles traditionnelles sans me sentir réellement tendu et angoissé. Au fond de moi, je suis comme les autres; j'essaie de ne pas oublier que j'ai autant besoin qu'eux des jeux de la masculinité. Je sais que je m'ennuierais mortellement si la majorité des hommes commençaient à agir en «hommes libérés» et avec sensibilité. Il y a une petite partie de moi-même que cette idée dérange.

Bien que je sache que c'est une impasse et que c'est souvent destructeur, une partie de moi aime ces attitudes machos — vous savez, le genre «jouer pour gagner», «j'ai raison, tu as tort», «la vérité est là, trouve-la», «l'argent et le pouvoir sont la réalité et vous rendront heureux», «regardez mon beau jouet neuf», «si on s'envoyait plutôt en l'air», «nous sommes les bons, ils sont les méchants», etc. Ces jeux-là existent depuis si longtemps, ils sont peut-être nécessaires — qui sait? — ou peut-être sont-ils l'entraînement dont on a besoin de temps en temps pour se préparer à l'étape suivante, quelle qu'elle soit.

Ça, ce sont mes périodes sombres, mais, à d'autres moments, l'ouverture de l'esprit et le relâchement de cet étau rendent tout tellement riche et vivant que j'entrevois alors ce que pourrait être ma vie.

L'épreuve la plus dure pour moi a été d'éviter de me croire investi d'une mission ou en quête de la vérité ou de la vertu et de croire qu'il y avait une réponse à découvrir pour que toutes les pièces se mettent en place, ou encore qu'il existait pour les hommes une bonne façon d'être ou de vivre. Je sais que je m'éloigne de mon but quand ce que je dis ressemble à un sermon religieux.

En tant que psychothérapeute ayant exercé pendant vingt-cinq ans et en tant qu'homme à la recherche de son épanouissement et des réalités psychologiques profondes et des structures qui nous dirigent, je suis profondément conscient de la résistance, de la peur, des déceptions qui font partie du processus de l'évolution personnelle et du changement. Je constate surtout l'existence de ce paradoxe dans mon métier de psychothérapeute où ceux qui sont le plus sur la défensive, qui ont le plus besoin d'aide et de libération sont les plus véhéments et les plus combatifs pour le nier. Les plus sains, les moins défensifs sont ceux qui semblent les plus impatients et les plus décidés à s'exposer au processus de la thérapie et de l'analyse de soi.

Ce paradoxe est aussi puissant et aussi intense dans le problème des sexes que j'ai décrit dans ce livre. Les hommes et les femmes les plus prisonniers des systèmes de défense polarisés semblent le nier catégoriquement et résister à presque toutes les données qui pourraient éveiller leur conscience. Le vrai macho préfère souvent, inconsciemment, la mort à une prise de conscience et au changement. La femme extrêmement féminine «semble» demander ardemment de l'aide mais, à sa façon, elle aussi résiste avec force et sape toute perspective de changement qui pourrait diminuer la sécurité et le pouvoir que ses défenses féminines intériorisées lui procurent, même si elle sait que ses schémas la piègent très souvent dans des comportements qui vont à l'encontre de ses besoins.

Dans un groupe d'individus, un véritable changement se déclenche souvent chez ceux qui sont les plus ouverts, qui, peut-être, en ont le moins «besoin», et il gagne doucement les plus défensifs. Nous vivons des temps complexes où les forces de l'évolution et du changement et celles qui leur résistent semblent avoir la même puissance; elles circulent en parallèle, à égalité. Nous ne sommes pas aussi innocents et ouverts que nous l'étions auparavant, mais nous sommes par contre plus réalistes dans nos attentes. Il faut que nous acceptions la complexité profonde et la subtilité des problèmes que nous affrontons.

Faire le plan de la structure et de la forme des changements à y apporter

En fin de compte, le développement psychologique et l'évolution du mâle ne doivent pas être fondés sur des changements extérieurs ni sur la découverte de nouvelles réponses. Ils doivent être établis sur la diminution des défenses rigides extériorisées qui filtrent et déforment son expérience intérieure et l'amène à se déconnecter. Le changement exige une plus grande flexibilité dans les réactions et une ouverture vers de nouvelles expériences — intérieures et extérieures. Si l'homme se montre moins rigide, ses compulsions autodestructrices qui sont l'expression et les sous-produits des tensions provoquées par son extériorisation et par sa déconnexion diminueront. Il reprendra contact avec lui-même et avec les autres et *ce processus* de diminution des défenses transformera la réalité extérieure.

Lorsque l'équilibre et l'intériorisation retrouveront leurs droits, surviendra une diminution du besoin et de l'utilisation d'éléments biologiques destinés à réduire la tension, comme l'excès de boisson, les exercices compulsifs, les relations sexuelles mécaniques et les habitudes alimentaires nocives qui stimulent l'homme en lui donnant une «excitation» ou un soulagement momentané. Le besoin de sommeil ou les moments de repos ne doivent pas être réprimés et doivent compenser l'hyperactivité masculine défensive. La passion et l'exaltation créées par les liens parentaux émergeront et les hommes deviendront des pères profondément engagés non pas par devoir mais pour la plénitude profonde que cela leur apportera.

De plus, l'intériorisation diminuera le besoin de travailler de façon compulsive (travail dont le but est d'échapper aux tensions) ainsi que celui de regarder des émissions sportives ou autres pour se libérer des tensions personnelles. Tandis que ce besoin compulsif de travailler et de réussir s'atténuera, la capacité à trouver son plaisir et sa satisfaction d'une manière plus simple et plus personnelle se développera; ce mode de vie dépendra beaucoup moins, pour trouver du plaisir et échapper à l'ennui, de jouets mécaniques ou de stimulations extérieures.

Quand les hommes et les femmes seront équilibrés et qu'ils seront à même de se côtoyer mutuellement en tant qu'êtres humains ou amis plutôt qu'en individus polarisés, le besoin d'échapper les uns aux autres par des interactions ritualisées permettant de réduire les tensions (par exemple les repas ritualisés, la boisson, le lèche-vitrines, la télévision et les «sorties») disparaîtra. Au lieu de cela, leur capacité de prendre du plaisir simplement dans leurs échanges personnels grandira.

Et surtout, *l'expérience* d'une réalité non déformée motivera l'homme non polarisé; les critères de choix ne reposeront plus sur les apparences ou sur la façon dont elles permettent d'échapper aux tensions externes, mais sur la véritable nature des choses.

En résumé

1. Pour évoluer sur le plan psychologique, l'homme ne doit pas revenir au rôle traditionnel, inspiré par la nostalgie d'un passé meilleur. Cette évolution ne repose pas non plus sur un fantasme «Nouvel Âge» voulant que l'homme ne soit que sensibilité, amour et gentillesse, ni sur une idéologie idéaliste, une vision utopique ou la recherche de vérités abstraites.

   C'est un cheminement qui s'écarte du conditionnement défensif, rigide et insatiable qui a peut-être aidé l'homme à fonctionner, mais qui aujourd'hui ne sert plus qu'à le coincer implacablement dans les schémas de conduites étroits et rigides de la poursuite d'un accomplissement extériorisé et d'une satisfaction qui ne peut *jamais* être atteinte. Ces conduites sont à l'origine de sa mort psychologique.

2. Ce ne sont pas les *actes* d'un homme qui font de lui un macho; c'est l'importance des défenses inconscientes qui le déconnectent. Un poète ou un humaniste peut tout autant «être macho» qu'un joueur de football ou un policier — ils auront seulement une façon différente de l'exprimer ou de le déguiser.

    Ce sont les structures de défense sous-jacentes et polarisées qui, au bout du compte, uniformisent les expériences personnelles de tous les hommes extériorisés, qu'ils soient alcooliques, ergomanes, physiciens, scientifiques brillants, hommes d'affaires talentueux, obsédés par les idées intellectuelles abstraites ou partisans des «pères au foyer».

3. C'est la diminution des défenses qui permettra à l'homme de reprendre contact avec ses *expériences* de vie et qui le rendra moins enclin à s'engager dans des poursuites défensives et destructrices censées le valoriser en tant qu'homme mais qui, en profondeur, ne servent qu'à réduire l'accumulation des tensions qui s'installent au fur et à mesure qu'il s'éloigne de son moi.

    Ses défenses moins fortes diminueront la puissance des images et des symboles de la masculinité en tant que dynamiques de son comportement.

4. Lorsque les hommes et les femmes aboutiront à des rapports d'individu à individu plutôt que d'objet polarisé à objet polarisé, il deviendra alors possible de voir comment les sexes suscitent et renforcent à parts égales les comportements qui les contrarient et les culpabilisent.

    En outre, quand la polarisation défensive diminuera, l'attirance romantique en tant que première approche dans une relation perdra son pouvoir — en fait elle deviendra anathème. En deux mots, l'idylle romantique ne sera plus agréable car se trouver en face de son opposé polarisé dans une réalité non déformée ne sera plus attirant et deviendra peut-être même repoussant. Les relations de style montagnes russes fondées sur le romantisme, faisant passer les partenaires de l'euphorie à l'ennui puis à la colère, vont s'affadir.

5. Le leurre de l'«excitation» qui chez les hommes produit une attraction pour l'autodestruction et l'oubli (l'oubli trouvé dans

l'alcool, les relations sexuelles mécaniques, la violence physique, l'attirance pour les actes symboliques, le «suspense» du danger, etc.) causés par le besoin puissant et inconscient de réduire les tensions de l'intériorisation, diminuera. La prise de conscience et l'amour de soi, dans le bon sens des termes, augmenteront, permettant aux hommes d'exercer sur eux-mêmes un contrôle conscient né d'une connaissance non déformée de leur nature profonde.

Dans le passé, lorsque les hommes étaient presque entièrement déconnectés, la soif d'excitation (distraction et relâchement des tensions) dans leur relation et leur choix de vie était encore plus puissante et allait de pair avec la tendance à s'ennuyer et à s'engourdir en l'absence de possibilités de soulagement ou de stimulation. Ces réactions poussaient inconsciemment les hommes à des conduites autodestructrices irrépressibles.

6. L'évolution psychologique des hommes modifiera leurs rapports entre eux. Ils seront moins méfiants et auront moins tendance à se protéger. Lorsque les défenses masculines décroîtront, les déformations et les projections produites par l'agressivité et l'autonomie extériorisées dans un but défensif qui les portent à être méfiants et à se tenir sur leurs gardes de manière chronique diminueront. Il deviendra alors possible de séparer le danger réel du danger projeté qui a motivé jusqu'à présent la majorité des hommes et qui est une création de leur imagination.

7. Enfin il sera possible d'éviter le «canevas de paradoxes» qui caractérise la vie des hommes conditionnés traditionnellement: plus ces hommes concrétisent leurs attentes masculines, plus les récompenses promises leur semblent lointaines. Les sentiments d'échec, de déception et la sensation d'être vaincu par les «mensonges de la société» qui constituent le vécu intérieur des hommes, et même de ceux qui ne sont pas conscients de leur processus défensif, diminueront. L'accomplissement et la satisfaction deviendront des sous-produits contrôlables et non plus une quête insaisissable.

J'espère que la «carte» que j'ai dessinée dans ce livre permettra aux hommes et aux femmes de voir plus clairement de quelle façon ils participent à l'élaboration des situations qui empoisonnent leur existence. De cette façon, cet ouvrage contribuera peut-être à améliorer petit à petit les relations entre les hommes et les femmes.

Table des matières

Deuxième partie: La sexualité

Ouvrages parus chez les éditeurs du groupe Sogides

LES ÉDITIONS DE L'HOMME

AFFAIRES

* **Acheter une franchise,**
  Levasseur, Pierre
* **Bourse, La,** Brown, Mark
* **Comprendre le marketing,**
  Levasseur, Pierre
* **Devenir exportateur,** Levasseur, Pierre
  Étiquette des affaires, L',
  Jankovic, Elena
* **Faire son testament soi-même,**
  Poirier, Mᶜ Gérald et
  Lescault-Nadeau, Martine
  Finances, Les, Hutzler, Laurie H.
  Gérer ses ressources humaines,
  Levasseur, Pierre

Gestionnaire, Le, Colwell, Marian
Informatique, L', Cone, E. Paul
* **Lancer son entreprise,**
  Levasseur, Pierre
  Leadership, Le, Cribbin, James
  Meeting, Le, Holland, Gary
  Mémo, Le, Reinold, Cheryl
* **Ouvrir et gérer un commerce de détail,**
  Roberge, C.-D. et Charbonneau, A.
  Patron, Le, Reinold, Cheryl
* **Stratégies de placements,**
  Nadeau, Nicole

ANIMAUX

Art du dressage, L', Chartier, Gilles
Cheval, Le, Leblanc, Michel
Chien dans votre vie, Le, Margolis, M. et
  Swan, C.
Éducation du chien de 0 à 6 mois, L',
  DeBuyser, Dʳ Colette et
  Dehasse, Dʳ Joël
* **Encyclopédie des oiseaux,**
  Godfrey, W. Earl
Guide de l'oiseau de compagnie, Le,
  Dʳ R. Dean Axelson
Guide des oiseaux, Le, T.1,
  Stokes, W. Donald
Guide des oiseaux, Le, T.2,
  Stokes, W. Donald et
  Stokes, Q. Lilian

* **Mon chat, le soigner, le guérir,**
  D'Orangeville, Christian
Observations sur les mammifères,
  Provencher, Paul
* **Papillons du Québec, Les,**
  Veilleux, Christian et
  Prévost, Bernard
Petite ferme, T.1, Les animaux,
  Trait, Jean-Claude
Vous et vos oiseaux de compagnie,
  Huard-Viau, Jacqueline
Vous et vos poissons d'aquarium,
  Ganiel, Sonia
Vous et votre beagle, Eylat, Martin
Vous et votre berger allemand,
  Eylat, Martin

ANIMAUX

Vous et votre boxer, Herriot, Sylvain
Vous et votre braque allemand,
Eylat, Martin
Vous et votre caniche, Shira, Sav
Vous et votre chat de gouttière,
Mamzer, Annie
Vous et votre chat tigré, Eylat, Odette
Vous et votre chihuahua, Eylat, Martin
Vous et votre chow-chow,
Pierre Boistel
Vous et votre cocker américain,
Eylat, Martin
Vous et votre collie, Éthier, Léon
Vous et votre dalmatien, Eylat, Martin
Vous et votre danois, Eylat, Martin
Vous et votre doberman, Denis, Paula
Vous et votre fox-terrier, Eylat, Martin
Vous et votre golden retriever,
Denis, Paula
Vous et votre husky, Eylat, Martin

Vous et votre labrador,
Van Der Heyden, Pierre
Vous et votre lévrier afghan,
Eylat, Martin
Vous et votre lhassa apso,
Van Der Heyden, Pierre
Vous et votre persan, Gadi, Sol
Vous et votre petit rongeur,
Eylat, Martin
Vous et votre schnauzer, Eylat, Martin
Vous et votre serpent, Deland, Guy
Vous et votre setter anglais,
Eylat, Martin
Vous et votre shih-tzu, Eylat, Martin
Vous et votre siamois, Eylat, Odette
Vous et votre teckel, Boistel, Pierre
Vous et votre terre-neuve,
Pacreau, Marie-Edmée
Vous et votre yorkshire,
Larochelle, Sandra

ARTISANAT/BRICOLAGE

Art du pliage du papier, L',
Harbin, Robert
* Artisanat québécois, T.1, Simard, Cyril
* Artisanat québécois, T.2, Simard, Cyril
* Artisanat québécois, T.3, Simard, Cyril
* Artisanat québécois, T.4, Simard, Cyril
et Bouchard, Jean-Louis
* Construire des cabanes d'oiseaux,
Dion, André

* Encyclopédie de la maison québécoise,
Lessard, Michel et Villandré, Gilles
* Encyclopédie des antiquités,
Lessard, Michel et Marquis, Huguette
* J'apprends à dessiner, Nassh, Joanna
Taxidermie moderne, La, Labrie, Jean
* Tissage, Le, Grisé-Allard, Jeanne et
Galarneau, Germaine
Vitrail, Le, Bettinger, Claude

BIOGRAPHIES

* Brian Orser - Maître du triple axel,
Orser, Brian et Milton, Steve
* Dans la fosse aux lions, Chrétien, Jean
* Dans la tempête, Lachance, Micheline
* Duplessis, T.1 - L'ascension,
Black, Conrad
* Duplessis, T.2 - Le pouvoir,
Black, Conrad
* Ed Broadbent - La conquête obstinée
du pouvoir, Steed, Judy
* Establishment canadien, L',
Newman, Peter C.
* Larry Robinson, Robinson, Larry et
Goyens, Chrystian
* Michel Robichaud - Monsieur Mode,
Charest, Nicole

* Monopole, Le, Francis, Diane
* Nouveaux riches, Les,
Newman, Peter C.
* Paul Desmarais - Un homme et son em-
pire, Greber, Dave
* Plamondon - Un cœur de rockeur,
Godbout, Jacques
* Prince de l'Église, Le, Lachance, Micheline
* Québec Inc., Fraser, M.
* Rick Hansen - Vivre sans frontières,
Hansen, Rick et Taylor, Jim
* Saga des Molson, La, Woods, Shirley
* Sous les arches de McDonald's,
Love, John F.
* Trétiak, entre Moscou et Montréal,
Trétiak, Vladislav

BIOGRAPHIES

* **Une femme au sommet - Son excellence Jeanne Sauvé,** Woods, Shirley E.

CARRIÈRE/VIE PROFESSIONNELLE

* **Choix de carrières, T.1,** Milot, Guy
* **Choix de carrières, T.2,** Milot, Guy
* **Choix de carrières, T.3,** Milot, Guy
  Comment rédiger son curriculum vitae, Brazeau, Julie
  Guide du succès, Le, Hopkins, Tom
* **Je cherche un emploi,** Brazeau, Julie
  Parlez pour qu'on vous écoute, Brien, Michèle

Relations publiques, Les, Doin, Richard et Lamarre, Daniel
Techniques de vente par téléphone, Porterfield, J.-D.
* **Test d'aptitude pour choisir sa carrière,** Barry, Linda et Gale
Une carrière sur mesure, Lemyre-Desautels, Denise
Vente, La, Hopkins, Tom

CUISINE

* **À table avec Sœur Angèle,** Sœur Angèle
* **Art d'apprêter les restes, L',** Lapointe, Suzanne
  Barbecue, Le, Dard, Patrice
* **Biscuits, brioches et beignes,** Saint-Pierre, A.
* **Boîte à lunch, La,** Lambert-Lagacé, Louise
  Brunches et petits déjeuners en fête, Bergeron, Yolande
  100 recettes de pain faciles à réaliser, Saint-Pierre, Angéline
* **Confitures, Les,** Godard, Misctte
  Congélation do A à Z, La, Hood, Joan
  Congélation des aliments, La, Lapointe, Suzanne
  Conserves, Les, Sœur Berthe
  Crème glacée et sorbets, Lebuis, Yves et Pauzé, Gilbert
  Crêpes, Les, Letellier, Julien
  Cuisine au wok, Solomon, Charmaine
  Cuisine aux micro-ondes 1 et 2 portions, Marchand, Marie-Paul
* **Cuisine chinoise traditionnelle, La,** Chen, Jean
* **Cuisine créative Campbell, La,** Cie Campbell
  Cuisine facile aux micro-ondes, Saint-Amour, Pauline
* **Cuisine joyeuse de Sœur Angèle, La,** Sœur Angèle
  Cuisine micro-ondes, La, Benoît, Jehane

* **Cuisine santé pour les aînés,** Hunter, Denyse
  Cuisiner avec le four à convection, Benoît, Jehane
* **Cuisiner avec les champignons sauvages du Québec,** Leclerc, Claire L.
  Faire son pain soi-même, Murray Gill, Janice
* **Faire son vin soi-même,** Beaucage, André
  Fine cuisine aux micro-ondes, La, Dard, Patrice
  Fondues et flambées de maman Lapointe, Lapointe, Suzanne
  Fondues, Les, Dard, Patrice
  Je me débrouille en cuisine, Richard, Diane
  Livre du café, Le, Letellier, Julien
  Menus pour recevoir, Letellier, Julien
  Muffins, Les, Clubb, Angela
  Nouvelle cuisine micro-ondes I, La, Marchand, Marie-Paul et Grenier, Nicole
  Nouvelles cuisine micro-ondes II, La, Marchand, Marie-Paul et Grenier, Nicole
  Omelettes, Les, Letellier, Julien
  Pâtes, Les, Letellier, Julien
* **Pâtisserie, La,** Bellot, Maurice-Marie
* **Recettes au blender,** Huot, Juliette
* **Recettes de gibier,** Lapointe, Suzanne
* **Robot culinaire, Le,** Martin, Pol

DIÉTÉTIQUE

Combler ses besoins en calcium,
Hunter, Denyse
* Compte-calories, Le, Brault-Dubuc, M.
et Caron Lahaie, L.
* Cuisine du monde entier avec Weight
Watchers, Weight Watchers
Cuisine sage, Une, Lambert-Lagacé,
Louise
Défi alimentaire de la femme, Le,
Lambert-Lagacé, Louise
* Diète Rotation, La, Katahn, Dr Martin
* Diététique dans la vie quotidienne,
Lambert-Lagacé, Louise
Livre des vitamines, Le, Mervyn, Leonard
Menu de santé, Lambert-Lagacé, Louise
Oubliez vos allergies, et... bon appétit,
Association de l'information sur les
allergies

* Petite et grande cuisine végétarienne,
Bédard, Manon
* Plan d'attaque Weight Watchers, Le,
Nidetch, Jean
* Plan d'attaque Plus Weight Watchers,
Le, Nidetch, Jean
* Régimes pour maigrir,
Beaudoin, Marie-Josée
Sage bouffe de 2 à 6 ans, La,
Lambert-Lagacé, Louise
* Weight Watchers - Cuisine rapide et
savoureuse, Weight Watchers
* Weight Watchers - Agenda 85 -
Français, Weight Watchers
* Weight Watchers - Agenda 85 -
Anglais, Weight Watchers
* Weight Watchers - Programme -
Succès Rapide, Weight Watchers

ENFANCE

* Aider son enfant en maternelle,
Pedneault-Pontbriand, Louise
Années clés de mon enfant, Les,
Caplan, Frank et Thérèsa
Art de l'allaitement maternel, L',
Ligue internationale La Leche
Avoir un enfant après 35 ans,
Robert, Isabelle
Bientôt maman, Whalley, J., Simkin, P.
et Keppler, A.
Comment nourrir son enfant,
Lambert-Lagacé, Louise
Deuxième année de mon enfant, La,
Caplan, Frank et Thérèsa
Développement psychomoteur du
bébé, Calvet, Didier
Douze premiers mois de mon enfant,
Les, Caplan, Frank
* En attendant notre enfant,
Pratte-Marchessault, Yvette
* Enfant unique, L', Peck, Ellen
Évoluer avec ses enfants,
Gagné, Pierre-Paul
Exercices aquatiques pour les futures
mamans, Dussault, J. et Demers, C.
* Femme enceinte, La,
Bradley, Robert A.

* Futur père, Pratte-Marchessault, Yvette
Jouons avec les lettres,
Doyon-Richard, Louise
Langage de votre enfant, Le,
Langevin, Claude
Mal des mots, Le, Thériault, Denise
Manuel Johnson et Johnson des
premiers soins, Le, Rosenberg,
Dr Stephen N.
Massage des bébés, Le,
Auckette, Amédia D.
Mon enfant naîtra-t-il en bonne santé?
Scher, Jonathan et Dix, Carol
* Pour bébé, le sein ou le biberon?
Pratte-Marchessault, Yvette
* Pour vous future maman, Sekely, Trude
Préparez votre enfant à l'école,
Doyon-Richard, Louise
Psychologie de l'enfant de 0 à 10 ans,
Cholette-Pérusse, Françoise
Respirations et positions
d'accouchement, Dussault, Joanne
Soins de la première année de bébé,
Les, Kelly, Paula
Tout se joue avant la maternelle,
Ibuka, Masaru

ÉSOTÉRISME

Avenir dans les feuilles de thé, L, Fenton, Sasha
Graphologie, La, Santoy, Claude
Interprétez vos rêves, Stanké, Louis
Lignes de la main, Stanké, Louis

Lire dans les lignes de la main, Morin, Michel
Vos rêves sont des miroirs, Cayla, Henri
Votre avenir par les cartes, Stanké, Louis

HISTOIRE

* **Arrivants, Les,** Collectif
* **Civilisation chinoise, La,** Guay, Michel
* **Or des cavaliers thraces, L',** Palais de la civilisation

* **Samuel de Champlain,** Armstrong, Joe C.W.

JARDINAGE

* **Chasse-insectes pour jardins, Le,** Michaud, O.
* **Comment cultiver un jardin potager,** Trait, J.-C.
* **Encyclopédie du jardinier,** Perron, W. H.
* **Guide complet du jardinage,** Wilson, Charles
  J'aime les azalées, Deschênes, Josée
  J'aime les cactées, Lamarche, Claude
  J'aime les rosiers, Pronovost, René
  J'aime les tomates, Berti, Victor

J'aime les violettes africaines, Davidson, Robert
Jardin d'herbes, Le, Prenis, John
* **Je me débrouille en aménagement extérieur,** Bouillon, Daniel et Boisvert, Claude
* **Petite ferme, T.2- Jardin potager,** Trait, Jean-Claude
* **Plantes d'intérieur, Les,** Pouliot, Paul
* **Techniques de jardinage, Les,** Pouliot, Paul
  Terrariums, Les, Kayatta, Ken

JEUX/DIVERTISSEMENTS

* **Améliorons notre bridge,** Durand, Charles
* **Bridge, Le,** Beaulieu, Viviane
* **Clés du scrabble, Les,** Sigal, Pierre A.
  Dictionnaire des mots croisés, noms communs, Lasnier, Paul
  Dictionnaire des mots croisés, noms propres, Piquette, Robert
  Dictionnaire raisonné des mots croisés, Charron, Jacqueline

* **Jouons ensemble,** Provost, Pierre
  Livre des patiences, Le, Bezanovska, M. et Kitchevats, P.
  Monopoly, Orbanes, Philip
* **Ouverture aux échecs,** Coudari, Camille
* **Scrabble, Le,** Gallez, Daniel
  Techniques du billard, Morin, Pierre

LINGUISTIQUE

Anglais par la méthode choc, L', Morgan, Jean-Louis
J'apprends l'anglais, Sillicani, Gino et Grisé-Allard, Jeanne

* **Secrétaire bilingue, La,** Lebel, Wilfrid

LIVRES PRATIQUES

* **Acheter ou vendre sa maison,**
  Brisebois, Lucille
* **Assemblées délibérantes, Les,**
  Girard, Francine
  Chasse-insectes dans la maison, Lo,
  Michaud, O.
  Chasse-taches, Le, Cassimatis, Jack
* **Comment réduire votre impôt,**
  Leduc-Dallaire, Johanne
* **Guide de la haute-fidélité, Le,**
  Prin, Michel
  **Je me débrouille en aménagement
  intérieur,** Bouillon, Daniel et
  Boisvert, Claude
  Livre de l'étiquette, Le, du Coffre,
  Marguerite
* **Loi et vos droits, La,**
  Marchand, Me Paul-Émile
* **Maîtriser son doigté sur un clavier,**
  Lemire, Jean-Paul
* **Mécanique de mon auto, La,** Time-Life
* **Mon automobile,** Collège Marie-Victorin
  et Gouv. du Québec

**Notre mariage (étiquette et
planification),**
du Coffre, Marguerite
* **Petits appareils électriques,**
  Collaboration
  Petit guide des grands vins, Le,
  Orhon, Jacques
* **Piscines, barbecues et patio,**
  Collaboration
* **Roulez sans vous faire rouler, T.3,**
  Edmonston, Philippe
  Séjour dans les auberges du Québec,
  Cazelais, Normand et
  Coulon, Jacques
  Se protéger contre le vol,
  Kabundi, Marcel et
  Normandeau, André
* **Tout ce que vous devez savoir sur le
  condominium,** Dubois, Robert
  Univers de l'astronomie, L',
  Tocquet, Robert
  Week-end à New York, Tavernier-
  Cartier, Lise

MUSIQUE

Chant sans professeur, Le,
Hewitt, Graham
Guitare, La, Collins, Peter
Guitare sans professeur, La,
Evans, Roger

Piano sans professeur, Le, Evans, Roger
Solfège sans professeur, Le,
Evans, Roger

NOTRE TRADITION

* **Encyclopédie du Québec, T.2,**
  Landry, Louis
  Généalogie, La, Faribeault-Beauregard,
  M. et Beauregard Malak, E.
* **Maison traditionnelle au Québec, La,**
  Lessard, Michel

* **Moulins à eau de la vallée du Saint-
  Laurent, Les,** Villeneuve, Adam
* **Sculpture ancienne au Québec, La,**
  Porter, John R. et Bélisle, Jean
* **Temps des fêtes au Québec, Le,**
  Montpetit, Raymond

PHOTOGRAPHIE

**Apprenez la photographie avec
Antoine Désilets,** Désilets, Antoine
8/Super 8/16, Lafrance, André
Fabuleuse lumière canadienne,
Hines, Sherman
* **Initiation à la photographie,**
  London, Barbara

* **Initiation à la photographie-Canon,**
  London, Barbara
* **Initiation à la photographie-Minolta,**
  London, Barbara
* **Initiation à la photographie-Nikon,**
  London, Barbara

PHOTOGRAPHIE

* **Initiation à la photographie-Olympus,** London, Barbara
* **Initiation à la photographie-Pentax,** London, Barbara

Photo à la portée de tous, La, Désilets, Antoine

PSYCHOLOGIE

Aider mon patron à m'aider, Houde, Eugène
* **Amour de l'exigence à la préférence, L',** Auger, Lucien
Apprivoiser l'ennemi intérieur, Bach, Dr G. et Torbet, L.
Art d'aider, L', Carkhuff, Robert R.
Auto-développement, L', Garneau, Jean
* **Bonheur au travail, Le,** Houde, Eugène
Bonheur possible, Le, Blondin, Robert
Ces hommes qui méprisent les femmes... et les femmes qui les aiment, Forward, Dr S. et Torres, J.
Changer ensemble, les étapes du couple, Campbell, Suzan M.
Chimie de l'amour, La, Liebowitz, Michael
Comment animer un groupe, Office Catéchèse
Comment déborder d'énergie, Simard, Jean-Paul
Communication dans le couple, La, Granger, Luc
Communication et épanouissement personnel, Auger, Lucien
Contact, Zunin, L. et N.
Découvrir un sens à sa vie avec la logo-thérapie, Frankl, D^r V.
* **Dynamique des groupes,** Aubry, J.-M. et Saint-Arnaud, Y.
Élever des enfants sans perdre la boule, Auger, Lucien
Enfants de l'autre, Les, Paris, Erna
Être soi-même, Corkille Briggs, D.
Facteur chance, Le, Gunther, Max
Infidélité, L', Leigh, Wendy
Intuition, L', Goldberg, Philip
* **J'aime,** Saint-Arnaud, Yves
Journal intime intensif, Le, Progoff, Ira
Mensonge amoureux, Le, Blondin, Robert
Parce que je crois aux enfants, Ruffo, Andrée

Parle-moi... j'ai des choses à te dire, Salomé, Jacques
Perdant / Gagnant - Réussissez vos échecs, Hyatt, Carole et Gottlieb, Linda
* **Personne humaine, La ,** Saint-Arnaud, Yves
* **Plaisirs du stress, Les,** Hanson, Dr Peter, G.
Pourquoi l'autre et pas moi? - Le droit à la jalousie, Auger, Dr Louise
Prévenir et surmonter la déprime, Auger, Lucien
* **Prévoir les belles années de la retraite,** D. Gordon, Michael
* **Psychologie de l'amour romantique,** Branden, D^r N.
Puissance de l'intention, La, Leider, R.-J.
S'affirmer et communiquer, Beaudry, Madeleine et Boisvert, J.R.
S'aider soi-même, Auger, Lucien
S'aider soi-même d'avantage, Auger, Lucien
* **S'aimer pour la vie,** Wanderer, Dr Zev
Savoir organiser, savoir décider, Lefebvre, Gérald
Savoir relaxer pour combattre le stress, Jacobson, Dr Edmund
Se changer, Mahoney, Michael
Se comprendre soi-même par les tests, Collectif
Se connaître soi-même, Artaud, Gérard
Se créer par la Gestalt, Zinker, Joseph
* **Se guérir de la sottise,** Auger, Lucien
Si seulement je pouvais changer! Lynes, P.
Tendresse, La, Wolfl, N.
Vaincre ses peurs, Auger, Lucien
Vivre avec sa tête ou avec son cœur, Auger, Lucien

ROMANS/ESSAIS/DOCUMENTS

* **Baie d'Hudson, La,** Newman, Peter, C.
* **Conquérants des grands espaces, Les,**
  Newman, Peter, C.
* **Des Canadiens dans l'espace,**
  Dotto, Lydia
* **Dieu ne joue pas aux dés,** Laborit, Henri
* **Frères divorcés, Les,** Godin, Pierre
* **Insolences du Frère Untel, Les,**
  Desbiens, Jean-Paul
* **J'parle tout seul,** Coderre, Émile

  Option Québec, Lévesque, René
* **Oui,** Lévesque, René
* **Provigo,** Provost, René et
  Chartrand, Maurice

  Sur les ailes du temps (Air Canada),
  Smith, Philip
* **Telle est ma position,** Mulroney, Brian
* **Trois semaines dans le hall du Sénat,**
  Hébert, Jacques
* **Un second souffle,** Hébert, Diane

SANTÉ/BEAUTÉ

* **Ablation de la vésicule biliaire, L',**
  Paquet, Jean-Claude
* **Ablation des calculs urinaires, L',**
  Paquet, Jean-Claude
* **Ablation du sein, L',** Paquet, Jean-claude
* **Allergies, Les,** Delorme, Dr Pierre

  Bien vivre sa ménopause,
  Gendron, Dr Lionel

  Charme et sex-appeal au masculin,
  Lemelin, Mireille

  Chasse-rides, Leprince, C.
* **Chirurgie vasculaire, La,**
  Paquet, Jean-Claude

  Comment devenir et rester mince,
  Mirkin, Dr Gabe

  De belles jambes à tout âge,
  Lanctôt, D^r G.
* **Dialyse et la greffe du rein, La,**
  Paquet, Jean-Claude

  Être belle pour la vie, Bronwen, Meredith

  Glaucomes et les cataractes, Les,
  Paquet, Jean-Claude
* **Grandir en 100 exercices,**
  Berthelet, Pierre
* **Hernies discales, Les,**
  Paquet, Jean-Claude

  Hystérectomie, L', Alix, Suzanne

  Maigrir: La fin de l'obsession,
  Orbach, Susie
* **Malformations cardiaques**
  congénitales, Les,
  Paquet, Jean-Claude

  Maux de tête et migraines,
  Meloche, Dr J. , Dorion, J.

  Perdre son ventre en 30 jours H-F, Burstein, Nancy et Roy, Matthews

* **Pontage coronarien, Le,**
  Paquet, Jean-Claude
* **Prothèses d'articulation,**
  Paquet, Jean-Claude
* **Redressements de la colonne,**
  Paquet, Jean-Claude
* **Remplacements valvulaires, Les,**
  Paquet, Jean-Claude

  Ronfleurs, réveillez-vous, Piché, D^r J.
  et Delage, J.

  Syndrome prémenstruel, Le,
  Shreeve, Dr Caroline

  Travailler devant un écran,
  Feeley, Dr Helen

  30 jours pour avoir de beaux cheveux,
  Davis, Julie

  30 jours pour avoir de beaux ongles,
  Bozic, Patricia

  30 jours pour avoir de beaux seins,
  Larkin, Régina

  30 jours pour avoir de belles fesses,
  Cox, D. et Davis, Julie

  30 jours pour avoir un beau teint,
  Zizmon, Dr Jonathan

  30 jours pour cesser de fumer,
  Holland, Gary et Weiss, Herman

  30 jours pour mieux s'organiser,
  Holland, Gary

  30 jours pour redevenir un couple
  amoureux, Nida, Patricia et
  Cooney, Kevin

  30 jours pour un plus grand épanouisse-
  ment sexuel, Schneider, A.

  Vos dents, Kandelman, Dr Daniel

  Vos yeux, Chartrand, Marie et
  Lepage-Durand, Micheline

SEXUALITÉ

Contacts sexuels sans risques,
   I.A.S.H.S.
* Guide illustré du plaisir sexuel,
   Corey, Dr Robert et Helg, E.
Ma sexualité de 0 à 6 ans,
   Robert, Jocelyne
Ma sexualité de 6 à 9 ans,
   Robert, Jocelyne
Ma sexualité de 9 à 12 ans,
   Robert, Jocelyne
Mille et une bonnes raisons pour le
   convaincre d'enfiler un condom et
   pourquoi c'est important pour
   vous..., Bretman, Patti,
   Knutson, Kim et Reed, Paul

* Nous on en parle, Lamarche, M. et
   Danheux, P.
Pour jeunes seulement, photoroman
   d'éducation à la sexualité,
   Robert, Jocelyne
Sexe au féminin, Le, Kerr, Carmen
Sexualité du jeune adolescent, La,
   Gendron, Lionel
Shiatsu et sensualité, Rioux, Yuki
* 100 trucs de billard, Morin, Pierre

SPORTS

Apprenez à patiner, Marcotte, Gaston
Arc et la chasse, L', Guardo, Greg
Armes de chasse, Les,
   Petit-Martinon, Charles
Badminton, Le, Corbeil, Jean
* Canadiens de 1910 à nos jours, Les,
   Turowetz, Allan et Goyens, C.
Carte et boussole, Kjellstrom, Bjorn
Comment se sortir du trou au golf,
   Brien, Luc
Comment vivre dans la nature,
   Rivière, Bill
Corrigez vos défauts au golf,
   Bergeron, Yves
* Curling, Le, Lukowich, E.
De la hanche aux doigts de pieds,
   Schneider, Myles J. et
   Sussman, Mark D.
Devenir gardien de but au hockey,
   Allaire, François
Golf au féminin, Le, Bergeron, Yves
Grand livre des sports, Le,
   Groupe Diagram
Guide complet de la pêche à la
   mouche, Le, Blais, J.-Y.
Guide complet du judo, Le, Arpin, Louis
Guide complet du self-defense, Le,
   Arpin, Louis
Guide de l'alpinisme, Le,
   Cappon, Massimo
Guide de la survie de l'armée
   américaine, Le, Collectif
Guide des jeux scouts, Association des
   scouts
Guide du trappeur, Le, Provencher, Paul
Initiation à la planche à voile, Wulff, D.
   et Morch, K.

J'apprends à nager, Lacoursière, Réjean
Je me débrouille à la chasse,
   Richard, Gilles et Vincent, Serge
Je me débrouille à la pêche,
   Vincent, Serge
Je me débrouille à vélo,
   Labrecque, Michel et Boivin, Robert
Je me débrouille dans une
   embarcation, Choquette, Robert
Jogging, Le, Chevalier, Richard
* Jouez gagnant au golf, Brien, Luc
* Larry Robinson, le jeu défensif,
   Robinson, Larry
Manuel de pilotage, Transport Canada
Marathon pour tous, Le, Anctil, Pierre
Maxi-performance, Garfield, Charles A.
   et Bennett, Hal Zina
Mon coup de patin, Wild, John
Musculation pour tous, La,
   Laferrière, Serge
* Partons en camping, Satterfield, Archie
   et Bauer, Eddie
Partons sac au dos, Satterfield, Archie
   et Bauer, Eddie
Passes au hockey, Chapleau, Claude
Pêche à la mouche, La, Marleau, Serge
Pêche à la mouche, Vincent, Serge
Planche à voile, La, Maillefer, Gérard
Programme XBX, Aviation Royale du
   Canada
Racquetball, Corbeil, Jean
Racquetball plus, Corbeil, Jean
Rivières et lacs canotables, Fédération
   québécoise du canot-camping
S'améliorer au tennis, Chevalier Richard
Saumon, Le, Dubé, J.-P.

SPORTS

Secrets du baseball, Les,
Raymond, Claude
Ski de randonnée, Le, Corbeil, Jean
Taxidermie, La, Labrie, Jean
Taxidermie moderne, La, Labrie, Jean
Techniques du billard, Morin, Pierre
Techniques du golf, Brien, Luc
Techniques du hockey en URSS,
Dyotte, Guy

Techniques du ski alpin, Campbell, S.,
Lundberg, M.
Techniques du tennis, Ellwanger
Tennis, Le, Roch, Denis
* **Viens jouer,** Villeneuve, Michel José
Vivre en forêt, Provencher, Paul
Volley-ball, Le, Fédération de volley-ball

 **le jour,
éditeur**

ANIMAUX

* **Poissons de nos eaux,** Melançon, Claude

ACTUALISATION

**Agressivité créatrice, L' - La nécessité
de s'affirmer,** Bach, Dr G.-R.,
Goldberg, D^r H.
Aimer, c'est choisir d'être heureux,
Kaufman, B.-N.
**Arrête! tu m'exaspères - Protéger son
territoire,** Bach, Dr G., Deutsch, R.
Ennemis intimes, Bach, Dr G.,
Wyden, P.
**Enseignants efficaces - Enseigner et
être soi-même,** Gordon, D^r T.
États d'esprit, Glasser, W.
Focusing - Au centre de soi,
Gendlin, Dr E.T.

**Jouer le tout pour le tout, le jeu de la
vie,** Frederick, C.
**Manifester son affection -De la soli-
tude à l'amour,** Bach, Dr G.,
Torbet, L.
Miracle de l'amour, Kaufman, B.-N.
**Nouvelles relations entre hommes et
femmes,** Goldberg, D^r H.
* **Parents efficaces,** Gordon, D^r T.
**Se vider dans la vie et au travail -
Burnout,** Pines, A. , Aronson, E.
Secrets de la communication, Les,
Bandler, R., Grinder, J.

DIVERS

* **Coopératives d'habitation, Les**,
Leduc, Murielle
* **Hiérarchie ethnique dans la grande
entreprise,** Rainville, Jean

* **Initiation au coopératisme,**
Bédard, Claude
* **Lune de trop, Une,** Gagnon, Alphonse

ÉSOTÉRISME

Astrologie pratique, L',
Reinicke, Wolfgang
Grand livre de la cartomancie, Le,
Von Lentner, G.
Grand livre des horoscopes chinois, Le,
Lau, Theodora

* **Horoscope chinois,** Del Sol, Paula
Lu dans les cartes, Jones, Marthy
Synastrie, La, Thornton, Penny
Traité d'astrologie, Hirsig, H.

GUIDES PRATIQUES/JEUX/LOISIRS

* **1,500 prénoms et significations,**
Grisé-Allard, J.

* **Backgammon,** Lesage, D.

NOTRE TRADITION

* **Lettre à un Français qui veut émigrer au Québec**, Dubuc, Carl

PSYCHOLOGIE/VIE AFFECTIVE ET PROFESSIONNELLE

Adieu, Halpern, Dr Howard
Adieu Tarzan, Franks, Helen
Aimer son prochain comme soi-même,
Murphy, Dr Joseph
* **Anti-stress, L',** Eylat, Odette
Apprendre à vivre et à aimer,
Buscaglia, L.
Art d'engager la conversation et de se faire des amis, L', Gabor, Don
Art de convaincre, L', Heinz, Ryborz
* **Art d'être égoïste, L',** Kirschner, Joseph
Autre femme, L', Sévigny, Hélène
Bains flottants, Les, Hutchison, Michael
Ces hommes qui ne communiquent pas, Naifeh S. et White, S.G.
Ces vérités vont changer votre vie,
Murphy, Dr Joseph
Comment aimer vivre seul,
Shanon, Lynn
Comment dominer et influencer les autres, Gabriel, H.W.
Comment faire l'amour à la même personne pour le reste de votre vie!,
O'Connor, D.
Comment faire l'amour à une femme,
Morgenstern, M.
Comment faire l'amour à un homme,
Penney, A.
Comment faire l'amour ensemble,
Penney, A.

Contacts en or avec votre clientèle,
Sapin Gold, Carol
Contrôle de soi par la relaxation, Le,
Marcotte, Claude
Dire oui à l'amour, Buscaglia, Léo
* **Famille moderne et son avenir, La,**
Richards, Lyn
Femme de demain, Keeton, K.
Gestalt, La, Polster, Erving
Homme au dessert, Un,
Friedman, Sonya
Homme nouveau, L',
Bodymind, Dychtwald Ken
Influence de la couleur, L',
Wood, Betty
Jeux de nuit, Bruchez, C.
Maigrir sans obsession, Orbach, Susie
Maîtriser son destin, Kirschner, Joseph
Massage en profondeur, Le, Painter, J.,
Bélair, M.
Mémoire, La, Loftus, Élizabeth
* **Mémoire à tout âge, La,**
Dereskey, Ladislaus
Miracle de votre esprit, Le,
Murphy, Dr Joseph
Négocier entre vaincre et convaincre,
Warschaw, Dr Tessa
On n'a rien pour rien, Vincent, Raymond
Oracle de votre subconscient, L',
Murphy, Dr Joseph

PSYCHOLOGIE/VIE AFFECTIVE ET PROFESSIONNELLE

Passion du succès, La, Vincent, R.
Pensée constructive et bon sens, La,
Vincent, Raymond
* **Personnalité, La,** Buscaglia, Léo
Petit répertoire des excuses, Le,
Charbonneau, C., Caron, N.
Pourquoi remettre à plus tard?,
Burka, Jane B., Yuen, L.M.
Pouvoir de votre cerveau, Le,
Brown, Barbara
Puissance de votre subconscient, La,
Murphy, Dr Joseph
Réfléchissez et devenez riche,
Hill, Napoleon
S'aimer ou le défi des relations
humaines, Buscaglia, Léo

Sexualité expliquée aux adolescents,
La, Boudreau, Y.
Succès par la pensée constructive, Le,
Hill, Napoleon et Stone, W.-C.
Transformez vos faiblesses en force,
Bloomfield, Dr Harold
Triomphez de vous-même et des
autres, Murphy, Dr Joseph
Univers de mon subconscient, L',
Vincent, Raymond
Vaincre la dépression par la volonté et
l'action, Marcotte, Claude
Vieillir en beauté, Oberleder, Muriel
Vivre avec les imperfections de
l'autre, Janda, Dr Louis H.
Vivre c'est vendre, Chaput, Jean-Marc

ROMANS/ESSAIS

* **Affrontement, L',** Lamoureux, Henri
* **C't'a ton tour Laura Cadieux,**
Tremblay, Michel
* **Cœur de la baleine bleue, Le,**
Poulin, Jacques
* **Coffret petit jour,** Martucci, Abbé Jean
* **Contes pour buveurs attardés,**
Tremblay, Michel
* **De Z à A,** Losique, Serge
* **Femmes et politique,** Cohen, Yolande

* **Il est par là le soleil,** Carrier, Roch
* **Jean-Paul ou les hasards de la vie,**
Bellier, Marcel
* **Neige et le feu, La,** Baillargeon, Pierre
* **Objectif camouflé,** Porter, Anna
* **Oslovik fait la bombe,** Oslovik
* **Train de Maxwell, Le,** Hyde, Christopher
* **Vatican -Le trésor de St-Pierre,**
Malachi, Martin

SANTÉ

Tao de longue vie, Le,
Soo, Chee

Vaincre l'insomnie, Filion, Michel et
Boisvert, Jean-Marie

SPORT

* **Guide des rivières du Québec,**
Fédération cano-kayac

* **Ski nordique de randonnée,**
Brady, Michael

TÉMOIGNAGES

Merci pour mon cancer,
De Villemarie, Michelle

Quinze

COLLECTIFS DE NOUVELLES

* **Aimer,** Beaulieu, V.-L., Berthiaume, A.,
  Carpentier, A., Daviau, D.-M.,
  Major, A., Provencher, M., Proulx,
  M., Robert, S. et Vonarburg, E.
* **Crever l'écran,** Baillargeon, P.,
  Éthier-Blais, J., Blouin, C.-R.,
  Jacob, S., Jean, M., Laberge, M.,
  Lanctôt, M., Lefebvre, J.-P.,
  Petrowski, N. et Poupart, J.-M.
* **Dix contes et nouvelles fantastiques,**
  April, J.-P., Barcelo, F., Bélil, M.,
  Belleau, A., Brossard, J.,
  Brulotte, G., Carpentier, A.,
  Major, A., Soucy, J.-Y. et
  Thériault, M.-J.
* **Dix nouvelles de science-fiction
  québécoise,** April, J.-P., Barbe, J.,
  Provencher, M., Côté, D., Dion, J.,
  Pettigrew, J., Pelletier, F.,
  Rochon, E., Sernine, D., Sévigny, M.
  et Vonarburg, E.

* **Dix nouvelles humoristiques,** Audet, N.,
  Barcelo, F., Beaulieu, V.-L.,
  Belleau, A., Carpentier, A.,
  Ferron, M., Harvey, P., Pellerin, G.,
  Poupart, J.-M. et Villemaire, Y.
* **Fuites et poursuites,** Archambault, G.,
  Beauchemin, Y., Bouyoucas, P.,
  Brouillet,C., Carpentier, A.,
  Hébert, F., Jasmin, C., Major, A.,
  Monette, M. et Poupart, J.-M.
* **L'aventure, la mésaventure,**
  Andrès, B., Beaumier, J.-P.,
  Bergeron, B., Brulotte, G.,
  Gagnon, D., Karch, P., LaRue, M.,
  Monette, M. et Rochon, E.

DIVERS

* **Beauté tragique,** Robertson, Heat
* **Canada — Les débuts héroïques,**
  Creighton, Donald
* **Défi québécois, Le,**
  Monnet, François-Marie
* **Difficiles lettres d'amour,**
  Garneau, Jacques

* **Esprit libre, L',** Powell, Robert
* **Grand branle-bas, Le,** Hébert, Jacques
  et Strong, Maurice F.
* **Histoire des femmes au Québec, L',**
  Collectif, CLIO
* **Mémoires de J. E. Bernier, Les,**
  Therrien, Paul

DIVERS

* **Mythe de Nelligan, Le,** Larose, Jean
* **Nouveau Canada à notre mesure,**
  Matte, René
* **Papineau,** De Lamirande, Claire
* **Personne ne voudrait savoir,**
  Schirm, François
* **Philosophe chat, Le,** Savoie, Roger
* **Pour une économie du bon sens,**
  Bailey, Arthur
* **Québec sans le Canada, Le,**
  Harbron, John D.

* **Qui a tué Blanche Garneau?,**
  Bertrand, Réal
* **Réformiste, Le,** Godbout, Jacques
* **Relations du travail,** Centre des
  dirigeants d'entreprise
* **Sauver le monde,** Sanger, Clyde
* **Silences à voix haute,**
  Harel, Jean-Pierre

LIVRES DE POCHES 10 /10

* **37 1/2 AA,** Leblanc, Louise
* **Aaron,** Thériault, Yves
* **Agaguk,** Thériault, Yves
* **Blocs erratiques,** Aquin, Hubert
* **Bousille et les justes,** Gélinas, Gratien
* **Chère voisine,** Brouillet, Chrystine
* **Cul-de-sac,** Thériault, Yves
* **Demi-civilisés, Les,** Harvey, Jean-Charles
* **Dernier havre, Le,** Thériault, Yves
* **Double suspect, Le,** Monette, Madeleine

* **Faire sa mort comme faire l'amour,**
  Turgeon, Pierre
* **Fille laide, La,** Thériault, Yves
* **Fuites et poursuites,** Collectif
* **Première personne, La,** Turgeon, Pierre
* **Scouine, La,** Laberge, Albert
* **Simple soldat, Un,** Dubé, Marcel
* **Souffle de l'Harmattan, Le,**
  Trudel, Sylvain
* **Tayaout,** Thériault, Yves

LIVRES JEUNESSE

* **Marcus, fils de la louve,** Guay, Michel et
  Bernier, Jean

MÉMOIRES D'HOMME

* **À diable-vent,** Gauthier Chassé, Hélène
* **Barbes-bleues, Les,** Bergeron, Bertrand
* **C'était la plus jolie des filles,**
  Deschênes, Donald
* **Bête à sept têtes et autres contes de
  la Mauricie, La,** Legaré, Clément
* **Contes de bûcherons,**
  Dupont, Jean-Claude
* **Corbeau du Mont-de-la-Jeunesse, Le,**
  Desjardins, Philémon et
  Lamontagne, Gilles

* **Guide raisonné des jurons,**
  Pichette, Jean
* **Menteries drôles et merveilleuses,**
  Laforte, Conrad
* **Oiseau de la vérité, L',** Aucoin, Gérard
* **Pierre La Fève et autres contes de la
  Mauricie,** Legaré, Clément

ROMANS/THÉÂTRE

* **1, place du Québec, Paris VIe,**
  Saint-Georges, Gérard
* **7° de solitude ouest,** Blondin, Robert
* **37 1/2 AA,** Leblanc, Louise
* **Ah! l'amour l'amour,** Audet, Noël
* **Amantes,** Brossard, Nicole
* **Amour venin, L',** Schallingher, Sophie
* **Aube de Suse, L',** Forest, Jean
* **Aventure de Blanche Morti, L',**
  Beaudin-Beaupré, Aline
* **Baby-boomers,** Vigneault, Réjean
* **Belle épouvante, La,** Lalonde, Robert
* **Black Magic,** Fontaine, Rachel
* **Cœur sur les lèvres, Le,**
  Beaudin-Beaupré, Aline
* **Confessions d'un enfant d'un**
  demi-siècle, Lamarche, Claude
* **Coup de foudre,** Brouillet, Chrystine
* **Couvade, La,** Baillie, Robert
* **Danseuses et autres nouvelles, Les,**
  Atwood, Margaret
* **Double suspect, Le,** Monette, Madeleine
* **Entre temps,** Marteau, Robert
* **Et puis tout est silence,** Jasmin, Claude
* **Été sans retour, L',** Gevry, Gérard
* **Filles de beauté, Des,** Baillie, Robert
* **Fleur aux dents, La,** Archambault, Gilles
* **French Kiss,** Brossard, Nicole
* **Fridolinades, T. 1, (1945-1946),**
  Gélinas, Gratien
* **Fridolinades, T. 2, (1943-1944),**
  Gélinas, Gratien
* **Fridolinades, T. 3, (1941-1942),**
  Gélinas, Gratien
* **Fridolinades, T. 4, (1938-39-40),**
  Gélinas, Gratien
* **Grand rêve de Madame Wagner, Le,**
  Lavigne, Nicole
* **Héritiers, Les,** Doyon, Louise
* **Hier, les enfants dansaient,**
  Gélinas, Gratien

* **Holyoke,** Hébert, François
* **IXE-13,** Saurel, Pierre
* **Jérémie ou le Bal des pupilles,**
  Gendron, Marc
* **Livre, Un,** Brossard, Nicole
* **Loft Story,** Sansfaçon, Jean-Robert
* **Maîtresse d'école, La,** Dessureault, Guy
* **Marquée au corps,** Atwood, Margaret
* **Mensonge de Maillard, Le,**
  Lavoie, Gaétan
* **Mémoire de femme, De,**
  Andersen, Marguerite
* **Mère des herbes, La,**
  Marchessault, Jovette
* **Mrs Craddock,** Maugham, W. Somerset
* **Nouvelle Alliance, La,** Fortier, Jacques
* **Nuit en solo,** Pollak, Véra
* **Ours, L',** Engel, Marian
* **Passeport pour la liberté,**
  Beaudet, Raymond
* **Petites violences,** Monette, Madeleine
* **Père de Lisa, Le,** Fréchette, José
* **Plaisirs de la mélancolie,**
  Archambault, Gilles
* **Pop Corn,** Leblanc, Louise
* **Printemps peut attendre, Le,**
  Dahan, Andrée
* **Rose-Rouge,** Pollak, Véra
* **Sang de l'or, Le,** Leblanc, Louise
* **Sold Out,** Brossard, Nicole
* **Souffle de l'Harmattan, Le,**
  Trudel, Sylvain
* **So Uk,** Larche, Marcel
* **Triangle brisé, Le,** Latour, Christine
* **Vaincre sans armes,**
  Descarries, Michel et Thérèse
* **Y'a pas de métro à Gélude-la-Roche,**
  Martel, Pierre

Achevé   Imprimerie
d'imprimer Gagné Ltée
au Canada Louiseville

So, Elephant agreed to play pirates and ninjas.

"Arrr!" said Elephant the Pirate. "It be more fun when both friends can be what they want!"

Giraffe the Ninja agreed.
Silently.

Giraffe didn't say anything.

"Why won't you play with me?" asked Elephant.

Elephant waited a long time.

"Are you kidding me?" yelled Elephant.
"Go away and don't come back until you want to
be a pirate!"

"You can't be a clown," Elephant said.
"You have to be a pirate!"

"You're doing it wrong," said Elephant.
"That's a cowboy. Go change."

THE BOSSY PIRATE

"I want to play pirates!" said Elephant.
"Go put on your costume."

"But most of the time, it's better to be neat."

Giraffe agreed.
Completely.

But Giraffe thought they tasted great.

"Hooray!" said Elephant.
"I guess it's okay to be messy some of the time."

And even though Elephant tried,
her pretzels came out messy.

"Oh, no!" she said. "They're ruined!"

Right away there was a problem.
Elephant wasn't very tidy.

"Sorry, Giraffe," said Elephant.
"I'll be more careful next time."

Giraffe didn't say anything.

"I want to make pretzels, too!" said Elephant.

PRETZELS

Giraffe decided to make pretzels.

Giraffe didn't say anything.
He didn't have to.

Elephant saw the giraffe at the water hole the next day.

"Hey, Giraffe, I read somewhere you don't make much noise," she said. "So you don't need to say anything. Let's just share the water hole and be friends."

She spent the whole night
looking for an answer.

All the way home, Elephant wondered,
Why wouldn't that giraffe talk to me?

"Fine!" said Elephant.
"If you're not going to talk to me,
I guess I'll just go home."

The giraffe still didn't
say anything.

"Can I swim, too?" asked Elephant.

The giraffe didn't say anything.

"I don't mind sharing," said Elephant.
"Want to share with me?"

There was a giraffe in the water.

"Hello!" said Elephant.

The giraffe didn't say anything.

THE WATER HOLE

Elephant woke up early to go to the water hole.

when ELEPHANT met Giraffe

by Paul Gude

Disney • Hyperion Books
New York

Printed in Malaysia
First Edition
1 3 5 7 9 10 8 6 4 2
H106-9333-5-13213

The illustrations in this book were created using iDraw (version 1.5),
and SketchBook Pro (version 2.5) on iPad 2 (iOS version 6.0.1).

Designed by Tyler Nevins
Reinforced binding

Library of Congress Cataloging-in-Publication Data

Gude, Paul.
    When Elephant Met Giraffe / Paul Gude.—1st ed.
        p. cm.
    Summary: Loud, boisterous Elephant learns how to be friends with calm, quiet Giraffe.
    ISBN 978-1-4231-6303-9
    [1. Friendship—Fiction. 2. Elephants—Fiction. 3. Giraffe—Fiction.] I. Title.
    PZ7.G93482Gir 2013
    [E]—dc23   2012015041